フォークナー、ミシシッピ

FAULKNER, MISSISSIPPI

Édouard Glissant

エドゥアール・グリッサン

中村隆之＝訳

インスクリプト
INSCRIPT Inc.

FAULKNER, MISSISSIPPI

ルイジアナ州バトンルージュ、

サザン大学の学生に。

プランテーションから逃走したすべての獲物《ジビエ》に。

街場の歌をうたう

シャムの鳥ことシャモワゾーに。

「註釈への贅言は、
無秩序にカオスを重ねるに似て」
——無名氏、二〇世紀の

目次

凡例

一、本書は、Édouard Glissant, *Faulkner, Mississippi*, Éditions Stock, 1996の全訳である。

一、フォークナー作品の引用は原書ではフランス語訳を参照しているが、本訳書では英語の原典を参照する。長篇小説については、原則的にLibrary of America版の*William Faulkner: Novels 1926-1929 ; 1930-1935 ; 1936-1940 ; 1942-1954 ; 1957-1962*を典拠とし、可能なかぎり、出典を註で指示する。上記の版に未収録の場合には諸版に依拠している（詳細は註参照）。引用文の訳は既訳を参照しつつ必要に応じて新たに訳出した。

一、フォークナー作品の固有名詞（作品名、人名、地名等）の表記は、日本ウィリアム・フォークナー協会編『フォークナー事典』（松柏社、二〇〇八年）に原則的に従った。

一、原文のイタリック体は、それが単語あるいは短文である場合には傍点を付し、長文の場合（たとえばフォークナー作品からのイタリック体の引用文）は太字とした。

一、（　）は原文における挿入部、〈　〉は原文における大文字で始まる単語を表している。

一、〔　〕は原文への簡単な註、補足である。出典に関する原註および訳註は、章ごとに番号を附し、本文末尾に一括して指示する。

フォークナー、ミシシッピ

ローワン・オークに向かってさまよう

彼女に言われて気づいたのだが、この雑誌の写真では、二人の作家はじつに似ている。二人の男はどちらも、高みから見下ろすといったふうでもなく、たいそう控えめな顔つきで、こちらを凝視している——一人は落ち着きはらい、もう一人は壮大な夢のなかに入り込んでいるかのようだ——、あるいは、あなたにはうかがい知れないところで二人が分かちもつ何かを、共に心中に問いかけている、と言ったほうがよいだろうか。私が思い出すのは——実際に思い出しているのか、それとも自分の書いたものについてぼんやりと（次々と）考える作家の、沈黙のうちに浮かんでくる突拍子もない考えと言ったほうが近いのか——、そうした機会に繰り返された紋切型《リュー・コマン》の助けを借りながら、自著で二人をよく結びつけてきたことである（しかしこうした紋切型は一個の世界‐思考《パンセ＝モンド》を発信する場所だ）。つまり、この二人はどちらもプランテーションを背景にもつ作家であり、特権階級の窮まるところ、すなわち、その階級がやがて没落する場にいる人間だ。彼らはたしかにベヶだだが、仲間うちではぐれ者だ。またこの二人は、あなたの仲間がながらく優位のうちに進めてきた、人種をめぐる、また他の人種との波乱に満ちた関係をめぐる、まとわりついて離れようとしない問題にかかわってきた詩人でもあった。一人は普遍へ向かう傾向をもって、こうした人種をめぐる問題への無関心を装ったが、もう一人はこの問題に対して、巧妙に散りばめた疑い深さでもって接近することになる。要するに、二人はどちらも生の境界《フロンティエール》にいたのだ。この境界の縁で、〈他者〉との関係を推し量ったり、跡づけたりするのはとても難しい。彼らは〈他者〉の輪郭を描き、その基底に到達しようとして、刮目すべき驚異、まばゆい輝き、力強い美をもち帰る一方、苦しみつつ、尊大な態度でその隔たりに硬直してしまうのだ。遥か高みを見上げるサン゠ジョン・ペルス。反対に、自分ではどうにもならない直立不動の姿勢で、頑なまでに地面と平行線を保とうとするウィリアム・フォークナー。

実際、彼らはきわめてかけ離れていても、矛盾した企てをもった点で一致している。フォークナーは、詩の「欠乏」した場所からじかに灼熱の土地を掘り起こし、最終的にその土地に留まる決意を固めた。またペルスは、言葉にできるあらゆる詩を、普遍的・抽象的語句から汲みつくし、ついにその語句のうちに棲みついた。私は二人の写真をじっと眺めてみる。外見は同じで、おそらく人間よりも鳥や獣の方が好きか、好きであるかのように見せかけながら、今その世話をしてきたばかりの農園主といった風情の二人は、それが賤しい仕事だとは思っていない。だがこう言ったからといって、プランテーションの主人たちの運命を哀れんでやろうというわけではない。二つの知性が、自分たちを巻き込む、どうにもならない状況によって研ぎ澄まされ、あるいは激しく掻き立てられながら、この状況にどう反応したのかに私は耳をそばだて、聴診しているのだ。二人は、周囲の現実に言葉を与えその現実を純化しつつ、当の状況において悠然と身構えることを選び、そして、その状況を言わば弁明することを選んだ。だが作品は、彼らの意図を超えて、世界をどこまでも渡って行く。

アルベール・カミュもまたこの二人と同じだと私は思っていた。三人は、表面的な不可能、あるいは真の不可能の境界や周縁にいる芸術家（知性も感性も兼ね備えた人）であるという点で、同じである。カミュは、アルジェリア人（アラブ人）とフランス人（白人）の境界にいた。同じくサン＝ジョン・ペルスは、アンティーユ人（ニグロのクレオール）とベケ（白人のクレオール）の境界にいた。フォークナーは、北部――ニグロを「保護すると称する者」――と「南部白人」の境界にいた。彼らは、正義よりも自分たちの母なるもの（彼らが真実だと信じたもの）のほうを好むという選択しかできなかったのである。

これほど重要な作品群に取り組む際、これら作品の規模と内容に比べれば、二次的であらざるをえないと見える側面を取り上げるのは、つまらないことではないだろうか。フォークナーの〈汎神論的コメディ〉を、アメリカ合衆国の黒人問題について、作者が言えたこと言えなかったことに矮小化することなど、どうしてできるだろうか。だがそれでもなお、この問題を考えずに済ますことなどできはしないだろう。

こういうわけで、私たちはもっぱら人種問題なり、〈他者〉との関係のモラルなりを論じるにはとどまらない。私たちは、世界の調和に、またそうした世界のあり方から導き出される数々の構想からなる不可分の調和に、亀裂が生じる時代に生きている。それはあちこちで集められた無数の部分的な調和が、一つになって、一種の全般的不調和を作り上げているといった時代でもあるのだが、それについて作家は、こうした状況を探究するためには、おのれの場所、おのれの言葉における、主権者にして預言者としての自分自身を実際に作り上げてきたこの不可分をまず断念するしかない、ということを十分に感じ取っている。不可分を断念するということは、世界への新たなアプローチの仕方を学び、そのアプローチにおいて自分の作品を形作っていくことだ。それはこの全般的不調和のおびただしい痕跡を探りつつ、そうした新たな不調和とどこまでも付き合うことだ。

作家が〈他者〉との関係においてどんな態度をとろうと、その態度から引き出した全体のヴィジョンがどんなものであろうと、作家はそのヴィジョンを作品によって撹乱する以外のいかなる手段ももちあわせていない。作品中でそうしたヴィジョンが表現されたあとでさえもそうなのである。というのも、結局、作家は不可分を断念しなければならないからだ。その恐るべき唯一性を。創作者（聴診する者）の仕事への取り組み方がその作業の適切さを示すことになる——一方で、作家が「私生活で」味わう苦悶、矛盾、哀惜、悔恨がどんなものであろうとも。

きっかけが訪れたら、私は始める。この素材（フォークナーの作品）の周囲を行きつ戻りつしてみると、それは音楽であるかのように「遠くでも近くでもない」ところで拡がっているのが分かる。この素材に達する方法を心得ているとは言わないが、これに確実に手が届くことは分かっているのだから、夢想の日々と寝つけずにいる夜の数々を積み上げてみよう。

きっかけが訪れるとき、メモをとるという迂回の際に、短篇小説の終わりで、長篇小説の対話のただなかで、作品はあなたの周囲に立ちあがる。つまり作品の風景、薄明、色彩（薄紫《モーヴ》色と鹿毛色《フォーヴ》を基調とする）、とりわけ匂い、いまだに見えない田舎から立ちのぼる靄や煙の匂い、猛り狂った鳥獣、同じ錯乱を分かち合うが誰一人気づかない人間の群れといったものが。まるで作品全体が、いずれは知るべき秘密のまわりに、それを明らかに指し示しながら隠してもいる記念碑を作った建築家の手になるかのようだ。

秘密あるいは知りうることを指示しつつ隠すこと、すなわちその提示を後らせることは、フォークナーの企図の核であり、概して言えば、それこそが、彼の記述《エクリチュール》を編成する様々な技法の動機になっているのではないだろうか。

私たちはルイジアナ州バトンルージュのもてあますほど広い家に逗留していた。まだ二週間も経っておらず、必要な家具と生活必需品を何一つ取り揃えられないままだった。合衆国、人々がそこに来るのを夢見る際に「アメリカ」と呼ぶものは、私たちにとって、闇と神秘に包まれた広大な国だった。昼食にルイーズ・カフェで熱いプレートにのせて焼いたオムレツとハッシュブラウンズ（サイコロ形に切ったジャガイモをアンティーユの人間には口当たりのよい唐辛子によく似たものと混ぜてきつね色に焼いたもの）を食べることが新たな楽しみとなり、喫煙者に対して振るわれ始めた専制政治もまだそれほどうるさくはなかった。私たちはすでにバイユー〔湿原中のミシシッピ河支流〕を見てまわり、その際にフォークナーの家であるローワン・オークを訪ねに行こうと決めたのだった。ミシシッピ州のオックスフォードといっても、（フォークナー作品ではそれをモデルに作ったジェファソンが描かれているのだが）イギリスのオックスフォードと同じくらい、私たちにはまだその土地を思い描くなどできなかった。

アンティーユの人間がこの南部の農園主の住居で何をしようというのだろう。テレビをとおして——あなたは合衆国に着くと、午前三時までテレビを見て涙で目を腫らすことになる。もちろん言葉を学ぼうとするからであり、テレビから何かを摑もうとするからでもあるが、それだけでなく、何だか分からないことに熱中してしまうからだ。おそらくバスケットボールやアメリカン・フットボール（マルティニックのテレビ解説者はプレーオフやスーパーボウルについて当たり前のように話す）や野球の試合を見て、試合の謎を必死に解こうとするがまったく解けず、目に焼きつくのは、チューインガムを嚙んで芝生や砂地にペッと吐き出し、謎めいた仕草で遠くにいるチームメイトたちと通じ合う選手たちの姿と、おそらく、誰もがみなここでは慣れてしまっているように思える暴力だけだ——私たちはこうした「何ものか」や「得体の知れないもの」のいくばくかをすでに知っていた。午前七時にバトンルージュのとある湖畔で（ジョギングの最中に）強姦され殺された少女がいた。警察は黒人の不良青年を逮捕し死ぬほど殴った。彼が強姦殺人の犯人だったという言い分だが、そんなことはない。この件は、十代で無職の白人二名の犯行だった。保安官は（私たちにとって保安官以外の呼び名はありえなかった）無罪の者をこうして殴ったことを後悔していないかと尋ねられる。彼はこう答えたようだ。「いいかね、死ななかっただけ奴はましなんだよ。どのみちこの国の若いニグロ野郎《ア・ヤング・メール・ニグロ》（たしかにそういう言い方をした）は、いつ死んだっておかしくはない」。だったらフォークナー、オックスフォード、ローワン・オークではどうだろう。

ともあれ作品だ。連続する作品、その理論、引き出しの奥にしまい込まれたままの手稿の束は別にして、出版されたおびただしい本、象徴派を気どった最初期の「失敗した」詩、心理小説たろうとした初期長篇小説（有名な「登場人物の心理描写」）、短篇小説の数々。それらはいずれも、文体の様々なヴァリエーションというよりも、絶えず創作される土地の素材自体のヴァリエーションだ。こうした作品群は、語りうるものの捉えがたい全体のなかでぎこちない歩みを示している場合もあれば、無数の岩の崩落や転落のような場合もある。そうした岩々には、『サートリス』から『アブサロム、アブサロム！』まで、海緑色の岩から網状の岩〔多孔質の岩〕、花崗岩から縞模様の碧玉まで、「入口」の穴を開けるような場所はどこにもないのだ。

これらの本の「観念」が私たちの踏み跡《トラス》を辿ってくるのだった。私たちは自分たちの見たものをそうした本に関係づけ、そうした本の物差で測ろうとしてみた。合衆国の道路を車で走るのは初めてのことだった。こうした道路の脇やサービスエリアには、バーガーキング、フライドチキン、バー、ガソリンスタンドが集まっており、それらが小さな町やコミューンの代わりをしていた。世界中のどんな道沿いでもまったく変わらない平板な現実。しかし、その平板さは、じつを言えば、いささか荒廃しているように見えるものの、エキゾチズムという不可解な重みで私たちを驚かせるのだった。

突然、ルイジアナとミシシッピの州境を越えると——文字のかすれた標識でそれと分かった——別の「何か」がさらに重くのしかかってきたように思えた。ここまでは、辺りに漂う軽さのなかを走ってきたわけだが、それはおそらく私たちがルイジアナに抱いてきた観念だった。ルイジアナでは、海もしくは海の代わりがすぐそばにあったので（バトンルージュとニューオーリンズのあいだには海水と淡水の混ざり合った喫水域がある）、一種の蒸気というか、ともかく散乱する光が風景に陰影をつけていたように感じられた。しかしここから私たちは重苦しさへ、悲劇へ、取り返しのつかないものへと入っていったのである。

私たちはそれほどまでにフォークナーの思考に縛りつけられていた。得体の知れない脅威が辺りに立ち込めているのを強く感じていた。教会は家々とほとんど同じくらいあったので、私たちはもう数えるのをやめた。そうした教会は、絶望の儀式を意味する神殿（「……傾いた紛い物の尖塔をつけた粗末な教会……」[1]）だった。私たちの先入見はそれほどまでに強かったのだ。

地面につけられた交差する踏み跡《トラス》が遠くへ続いているのが見えるように思えた。その四辻では、土埃は乾いた泥の上を舞い、その乾いた泥を白と落ち着いた黄色に染めている。黒い獣脂を塗った車軸の軋む音が、険しいでこぼこの踏み跡でその鉄輪をがたがたと揺らすおんぼろ荷馬車の音が、聞こえるような気がした。葉むらの屋根の下にほんのささやかな木陰を見つけようと呻く、呪われた馬、もしくは呪っている老いぼれ騾馬の姿が目に浮かび、その声が耳に届くような気もした。他方で、この葉むらの全体も、別の戦いを進めているように思えた。頑として黄色くならないという戦いを（ただ葉むらだけが真上から落ちてくる時間をとめようとしているかのように）。

奇妙な前進だ。前へと進みながら私たちは未知なるものへはまり込み、あちこちから生じるように見える（敵意のなかを、それでも突き進んで行こうとするときに生じるような）圧迫感に締めつけられていた。私たちはその圧迫感を背後に追いやりながらも、次の曲がり角でまた出くわしてしまうのであった。おそらくは十分楽しいはずの田舎、ともかくふつうの田舎なのだ。にもかかわらず、あまりにも型どおりの農村の現実をもち合わせているところが（私たちはインターステートの入口を見失ってしまったために小道をとおってその入口を探していた）分析できない重苦しさとなって、私たちを打ちひしぐのだった。

ミシシッピ方面という標識を見つけたほぼ直後に、私たちは小さな丘陵《モルヌ》を一まわりした。そのモルヌには三つの十字架が斜めに立っており、この辺りでは一番高かった。車内は静まり返っている。すると私たちのうちの一人が「見た？」とつぶやく。ごつごつした、樹皮のついたままの若木の幹で作られたその三つの十字架が、まるで私たちを見張るかのように見つめることをやめない、そんな印象を与える。これを絵画に喩えるなら、絵の中心人物の眼差しに、その前を通り過ぎるあいだじっと見つめられて、ついにはこちらが怯えてしまう、といった印象に近い。思うに、あの十字架はクー・クラックス・クランの仕来りに従った通告状であり（しかし聞いたところでは、クー・クラックス・クラン発祥の――設立の――中心地の一つは、バトンルージュ近郊の小さな美しい町で、たしかセントフランシスヴィルである）、用心せよという警告代わりにそこに置かれていたのである。

不確かさ。ミシシッピよりもルイジアナに住んでいる黒人のほうが、今も昔も、うらやむべき暮らしをしていたわけではないということはよく分かっていた。しかし、ウィリアム・フォークナーの作品の影響を受けている私たちにとって、そこに住む黒人の境遇を表しているのは、絶対にミシシッピだった（深南部《ディープ・サウス》と言えば、ミシシッピ、アラバマ、ジョージアのことだ）。だがフォークナー作品の根本的な原動力が、合衆国における黒人の境遇を説明したり、批評したり、その改善に寄与するようなものと見えたことは、じつは一度もない。

私たちの曖昧さを長引かせるのは、まったく奇妙としか言いようのない、次のような彷徨だった。ミシシッピ州オックスフォード近郊にようやく辿り着いたというのに、私たちは目的地であるローワン・オークをどうしても見つけられなかった。私たちは周辺をさまよっていた。木々の塊、傾斜する畑地、川の支流のように分かれる何本もの道、だが手がかりとなるものはどこにもない。半ば偶然にミシシッピ大学のキャンパスに入ると、最初に出会った大学生にフォークナーの家への道順を尋ねた。彼はフォークナーを知らなかった。あまりの驚きに私たちは狼狽を隠せなかった。「きっと物理か化学専攻の学生だよ」と私たちのうちの一人は言い立てた。フォークナーが、この場所で、誰であれ文学とかかわりあいのある人に、あるいは、ただたんに思考の表現とかかわりのある人に知られていないとは信じられなかった。

不確かさは時が経つにつれて小さなパニックに変わった。ローワン・オークに辿り着くには試練を受けなければならないかのようだ。このことは、フォークナー作品の意味するものへと入り込むには、あるいは作品が「えい!」というかけ声と共にあなたを取り囲んで一挙にそびえ立つのを、あるいはそれが森と畑に包まれるのを見るには、作品の「難解さ」と抵抗という試練を経なければならないのと、まったく同じだ。そのためには、鬱蒼とした森の深みへ分け入るように、作品の「後れて来る啓示」と呼んでみるほかないものへ踏み跡《トラス》をつけていかなければならないのである。

フォークナー作品はいつでもこのように見えた。その後れて来る啓示こそが(といっても探偵小説でいうサスペンスとは無関係だ)、彼の技法を生み出している。それは心理的・社会的解明ではない。結局のところ、それは彼が意味づけなければならない場所を取り囲み、遅延と暴きのあの途方もない力によって解決に至るというよりは、次第に深まり、積み重ねられる謎であり、螺旋をなす眩暈なのである。

突然――きっかけの到来――私たちはこの探索から解放される。道の傍らの、見知らぬ高木のあいだに立つ、人目につきにくい一個の標識が、ローワン・オークの入口を示している。そこは居心地良く引きこもった空気を漂わせている場所で、小径の終わりにある家は立派な屋敷だが、手入れが行き届いていないように見える。これは、合衆国の北部と南部のどちらにも見られる特徴の一つだ。合衆国ではきらめくもの（たとえばニューヨークの観光客はいつだってそのきらめきに驚嘆させられるのを期待している）が廃墟や老朽化した建物とたえず隣りあっている。たとえばローワン・オークのような、豪華というかともかく立派な安定性を誇る場所であってさえも、儚いもの、束の間のものから逃れられないかのようであり、その建物は、どこか別の場所に移築させるために、やがて解体されるかのようである。

　農園主の家（カザグランデ）でありながらなじみ深い住居。私たちはこのあと、錆びつきぼろぼろになった板張りの、痛ましい小さな納屋（馬小屋）を発見することになる。これはちょうど奴隷小屋（センザーラ）のすぐそばに見つけられるものだ。ジルベルト・フレイレの著作の表題『大邸宅《カザグランデ》と奴隷小屋《センザーラ》』[2]はあいかわらずここでも当てはまり、大邸宅と奴隷小屋、主人と奴隷というプランテーションの構造は、ブラジル北東部からカリブ海を経由して合衆国南部に至るまでどこまでも同じだ。前方に四本の柱を備えるこの建造物の正面玄関は、しかし、こうした建築上の配置によくありがちな、古代ギリシャ・ローマの邸宅のみならず神殿の再現をもめざしているような、呆れるほどの権力と豪奢を誇示しようとする、あの傲慢な印象を与えるまでには至らない。

私たちはバトンルージュ郊外のノットウェイというプランテーションを訪れたことがあった。そこは堤防を背にしているおかげでミシシッピ河の氾濫から守られていた。ミシシッピ河（聞いた話では、黒人の子供も白人の子供もこの綴りを「エマイエス、エサイエス、エサイピ、ピアイ」と今でも古い唄《カンティレーナ》にあわせて覚えるそうだ）はすべての神話の河だ。シャトーブリアンのエキゾチックなメシャスベ河、南部黒人の深い河《ディープ・リヴァー》、オールド・マン河、南北戦争時代の数多くの決戦地、大陸北方の心臓部からクレオール・デルタに至る生と死の回廊。

私たちはこの堤防の上から木製の桟橋を見下ろしていた。おそらく何度も流されてはそのつど作り直されながらも、おそらくまったく変わらない形で復元されているこの桟橋で、ここの人間たち（主人と奴隷）はニューオーリンズ行きの船に、商売やカーニヴァルの季節に乗るのだった。けれども、あまりに巨大なために対岸の河岸を塞いでその代わりをしている、河の中央にある雑木林と草籔の中洲に邪魔されながら、河の黄ばんだ流れを今、北上あるいは南下しているのは、完全無欠の情け容赦ない機械に突き動かされ、休む間もなく動きまわる小さな運搬船の群れだった。船の構造は、フランスとアンティーユ諸島の往復の輸送を請け負う、たとえば「剣の花砦《フォール・フルール・デペ》」［Fort Fleur d'épée は「剣の刀身部」の意でグアドループの地名でもある。］というじつにバロック的な名前をもったコンテナ船のそれに似通っている（船首には船荷を置く平板が、船尾には乗組員、船長、操縦室用の一段高くなった船橋《シャトー》があるという作りだ）。

だから一方には、その歴史的機能（河の両岸に点在するプランテーションを中継するという機能）を奪われ、見境のない機械によって力を削がれた――「飼いならされた？」――言わば時代錯誤的なミシシッピ河がある。そしてこの堤防の上を河沿いに歩いているあいだ、振り返る必要さえなく、ただ河面ではないほうに首を曲げさえすれば、もう一方には、ノットウェイの邸宅があり、これがあなたを「戦争以前《アンテ・ベラム》」に連れ戻す。戦争と言えばここでは南北戦争にほかならず――ここからそれにかかわる住居、様式や、おそらくあり方や考え方までもが「戦争以前《アンテ・ベラム》」と呼ばれるようになる――、その戦争のあいだ、奴隷たちは万事を任せられ領地を維持していた。

あなたはそこに、付属した棟と家畜の囲い場に隣り合っているはずの、この奴隷たちの小屋の痕跡《トラス》を何一つ見つけられない。すべては掃き清められ、消毒され、殺菌されている。主庭園ではガス灯が安いガスを昼も夜も燃やし（石油の掘削地や精製工場は遠くないからだ）、幹線道路に面する、物笑いを誘うような人目を惹く正門を通り過ぎると、小さな建物がこの土地の入口を飾り、民芸品、写真、特産品、料理本といった、観光客用に考えられるありとあらゆる餌をすすめている。場所の論理に見事に組み込まれたこの建物では、訪問客に情報を与えようとする気遣いが、取るに足らない記憶で客を怯えさせてはいけない、という強迫観念とおそらく一体化している。

記憶はここでは事物の記憶でしかない。ダンスホール、応接間、寝室の家具。それらの家具の性質が田舎くさくはあっても重々しく立派なのは、おそらく寝台や食卓の黒檀の厚みに因っており、ときにはセイヨウミザクラの木で作られたサイドテーブルが軽やかな優美さを添えることもある（カリブ海地域にも同じ家具様式が見出されるが、こうした家具と屋敷をコロニアル様式と呼ぶ)。当時演奏されていた楽器を今なお残す音楽室。その部屋からは、楽器の手ほどきをするイギリス人あるいはドイツ人の女教師によって苦しめ続けられた、若い娘たちの姿が容易に思い浮かぶ。かつては、子供たちと若い招待客に年齢別に割り振られていた(別館にある)数室の寝室。その部屋で、子供たちは自分たちのあいだで始まるロマンスと静かな悲劇に気づく(今やこの部屋に泊まるのは、庭園内に設けられたレストランで結婚を盛大に祝ったあとに、ここで二泊三日の蜜月を過ごす新婚夫婦だ)。至るところに飾られた一族の初代全員の肖像や写真。なかには黒人の乳母《マミー》と給仕頭のしゃちこばった厳めしい写真もあり、それは彼らもまた家族の一員であったと私たちにはっきりと説得させようとして、玄関の大広間に飾られている。

こうした記憶は選択的で「事物化」された、奴隷制の悪臭を取り払ってしまった記憶だ。ユダヤ人のホロコーストの事実を否認しようとする人々がいるように、ここにもまた合衆国、カリブ海地域、ラテンアメリカに拡がる黒人奴隷の犠牲者が実際は主人と奴隷のあいだで分かち合われていた幸せと喜びの時代を有していたと主張しようとする人々がいる。あなたがこの二つの殲滅、人間の獣性から生まれたこの二つの恐怖を批判しようとすると、すぐさまこう忠告する人々に出くわすのだ。「いいですか、雑巾とナプキンをごっちゃにしちゃいけませんよ」〔値打ちに従って扱うの意。ここではホロコーストと奴隷制を混同するな、ということだろう〕。

それでも私たちは「ノットウェイ」が「道がない《ノタウェイ》」を意味していただろうと連想していた。「ノットウェイ」は、道も手段もない、すなわち、この場所から逃げられないことを暗示していたのだろう。ただの一つも逃亡《マロネ》する可能性はないのだ。河を渡ることも、ほとんど未踏の河岸を伝うことも、平原を渡ることもできない。現在の平原には、ガス工場が無数の太陽と色あせた星々のように真昼にギラギラと輝いており、さらにノットウェイ周辺ではサトウキビ畑が耕作や除草や収穫用の膨大な器具によって耕されていた。

今もなお使用され、（農地の所有者によると）採算ぎりぎりで維持されている、これらの耕地の一つを私たちはくまなく歩きまわった。そこでは農機がきわめて効率的に収穫するので従業員はじつに少ない。所有者は私たちを畑の向こうに連れて行った。すると私たちは、一面のサトウキビ畑の真ん中に孤島のように浮かぶ、縺れ合った樹木の生える小さな森に気づいた。「昔はこの場所に働き手を埋めていたのです」と所有者は打ち明けた。要するに、奴隷制時代に奴隷を埋めていたのだ。私たちは長いあいだ、その巣に向かって身をよじるように見える、この生い茂る森の姿を見つめていた。悲劇的なものは、それを記憶として保持している、乱立しているが黙して語らない、樹木の硬い幹と樹皮のうちにすべて刻まれている。

〈歴史〉の犠牲になっている――諸民族の歴史は〈歴史〉のうちで最終的には合流するのだけれども――カリブ海地域では、自然の産物は歴史の真の記念碑だ。ゴレ島〔セネガルの首都。ダカール沖合の島〕。この島からアフリカ人たちはみな奴隷船の底に投げ落とされてきた。プレ山とサン＝ピエールの町の消滅。さらにはマルティニックのカラヴェル岬にあるデュビュック城の埋められた独房。この岬をとおって少なくとも航海を生き延びたアフリカ人たちは島に到着した。シエラ・マエストラ〔マエストラ山脈。一九五六年カストロの革命軍が立てこもった〕と〈髭面の男たち〉の革命。ハイチ革命の最初の誓いが行なわれたカイマンの森。木々の幹は歳月に削られているが、風はこれ以上記憶をさらえない。

　南部が大敗を喫したときに屋敷が破壊を免れたのは奇跡だそうだ。北軍連隊を指揮していた大佐は戦争前にこの土地の所有者たちに非常に丁重にもてなされたことがあり、ノットウェイにかなり長いあいだ逗留したのだという。こうして大佐はこの場所を砲撃せず、住民たちが戦火と略奪から免れるように命令を出したというわけだ。

　私たちがいるのはまさに奴隷制時代の撮影舞台だった。しかも、ダンスホールやその他の部屋は、いわゆる歴史ものの映画数篇で、撮影に使用されたことがある――ダンスホールは小さく見えたがワルツやポルカを踊るには部屋がほどよく円くなっているのだろう。この場に似つかわしくない痕跡《トラス》はすべて消し去られてしまったと私は言った。バトンルージュの農民生活博物館で見られるような、土間が傷んだ壁板の小屋はただの一つもない。その博物館では、過去はなるべく日常を再現するように構成されているから、あなたは事物や道具を、アンティーユの幼年期に親しんできたあの雰囲気を、見出すことがある。私はそこにマルティニックのブゾダンとサント＝マリー〔マルティニック北東部に位置するグリッサンの生地〕出身のクレオールの伝承《コント》の歌い手たちを連れて行ったが、歌い手たちは目に涙をためて、打ち捨てられたようにそこにある過去の事物たち（それはこの博物館の計算された魅力の一つだ）に用心深く触れていた。半月鎌、首輪、軛《くびき》、そのほかの家畜用の縄のあれこれ。それらの物の多くは、私たちの土地では失われたものだったのだ。このマルティニックの語り部《コントゥール》たちはこの地のケイジャンの語り部《ストーリーテラー》たちと実り豊かないくつもの物語をつうじて交流した。だからおそらくあなたは、いつの日かマルティニックでクレオール流に華麗に仕立てられたアカディア〔北米大陸東部大西洋岸の古名。フランス系住民（アカディア人）の集住地域〕の結婚の話を聞いたり、あるいはラファイエット周辺でバイユーの様式と律動に合わせたコンペラパン〔仏領カリブの民話ではおなじみの擬人化された兎のこと〕の民話《コント》を聞いたりするだろう。

ここノットウェイでは、若い白人の女主人たちの時代もののドレスの裾飾りだけが（ドレスはスカーレット・オハラ風で、オーガンディー〔薄いモスリン〕の生地にフリルがついているが、着古されてやや色あせ汚れている）、結局、栄華がすっかり消え去ってしまったことを証言している。しかし、新しい所有者たちは――聞いたところでは日本人とのことだ――その伝統を保持しようと、その輝きを悪趣味な懐古的色彩で一点も曇らせないようにしようと努めている。

私たちは何に惹かれてこんな場所に足をとめたのだろう。せめてたしかなのは、グアドループやマルティニックのベケの邸宅には一生のあいだ一度も足を踏み入れたことのなかった私たちだが、こここそが体の奥で私たちを苦しめ続けた巨大な悲劇の、今もなお大いに人目を惹く劇場だという、無意識の確信があったということだ。

ローワン・オークは撮影舞台とは無縁だ。確実に老朽化し、部屋は人間に見合った大きさで、こここそ人がひっそりと暮らし、勝手気ままに酒を楽しんだり、パイプの煙をくゆらして子供や孫たちをよそよそしい愛想で迎えたりできた家だと直観する。

私はそこにノットウェイでのような黒人の不在（排斥、抹消）をとりたてて感じることもなければ、その存在を感じることもまたなかった。年老いたウィリアム・フォークナーに力を添えて自分は強情な馬たちをいつでも乗りこなす名騎手《ケンタウロス》だと信じ込ませた馬丁も、フォークナーが本の一つにじつに美しい献辞を捧げた、幼少期のあのマミー・バーの存在も感じなかった。だがそれはたぶん私があまり注意を払わずに見たからだったのだろうか。

作品のオーラはまるで建物とそのまわりの物を混然一体とさせるほどまで美しく築きあげ、その建造物の事情を超越してしまったかのようだ。文学は不幸、不正を忘れさせてしまうのだろうか。反対に、文学は不幸や不正とかかわり、それらを提示したりそれらと戦ったりしようとするものだが、そうしたなかでフォークナーの作品だけはまったくもって特別なのだろうか。

彼女は、アルベール・カミュのある本に、フォークナー宛の献辞が入っていることを私に知らせてくれた（手渡してくれたのか読ませてくれたのかは憶えていないが、ともかく私に示してくれた）。その本を見つけたのは、書斎を兼ねた蔵書部屋だった。ガラス張りの、調度が一つもない質素な小部屋には、明らかに家主その人が作ったものだと思われる、いくつかの簡素な飾り棚と本棚があるばかりだ。しかし、それらはどれも部屋に見合う自然な大きさだった。どちらかと言えば本当はロンドンの方が好きだったフォークナーが、どうしてパリで急速に評判になって有名になり、おそらく最後はパリにも惹かれたのかを——それがどれほど重要なのかは知らないが——考えてみるべきかもしれない。

私たちは寝室に続く狭い階段の踏み板に座った。だが私は二階を見に行こうという気持ちはこれっぽっちもなかった。彼の私事にはまったく興味がなかったからだ。フォークナーは何よりも書斎に座っているか、庇《ひさし》の下をきまじめにぶらついているはずの人間だったから、私はむしろ庭をぶらつく方がよかった。私たちは集まると無数の蟻を観察した。蟻は何かの仕事に夢中だったが、私たちには何をしているのか分からずじまいだった。これらの蟻は作品の謎めいた登場人物であるかのようだった。

正面玄関に四本の柱をもち、合衆国南部のコロニアル様式の邸宅が誇示する圧迫感（マルティニックのベケの邸宅にはこうした列柱も威厳もない）を漂わせているにもかかわらず、ローワン・オークに観察されるのは、たとえば『風と共に去りぬ』で興じられるような、虚栄心、真実には遠い南部の叙事詩とはよほど違う、とてもありふれた家庭生活に由来するものばかりだ。

こうした家庭的雰囲気からは遠ざからねばならない。秘められた挿話も知られていない悲劇も隠された不幸も、つまりはこの環境のなかで生じ、実り、腐った可能性のあるすべてのものを絶対に無視せねばならない。作家ウィリアム・フォークナーが、きわめて野生的な粘り強さで、明かしながらも懸命に隠そうとする、南部の劫罰という後れて来るものを理解しようと（つまり自ら思い浮かべようと）努めるためには、そうしたものを純粋に極限まで抽象化しなければならない。

壮麗な高木の下、芝生にもサバンナにも見える草の茂るこの庭で、私たちはまた一方で理解する。あるいは、その時こう直観する。私たちは一人の作家の住居を訪ねにきたのではないということを（私は別の機会に友人たちに促されて、断って彼らを不快にさせたくなかったので、バスク地方周辺まで行ってまた別の作家の屋敷のまわりを歩きまわったことがあった。それはエドモン・ロスタンの屋敷で、権勢と荘厳さの漂う佇まいだったものの、じつは私には大理石ではなくて見せかけの塗料《スタッコ》で作られているように見えた）。そんなことは文学の要求するものからかけ離れたまったく取るに足らないことだ。そうではなく、私たちは避けることのできない場所を調べにきたのだ。その場所から作品は芽吹き、この場所は作品の対象になった（だがまさにその理由は、この対象が永遠に手に負えないように彼には思えたからだった）。ところが、ここは、こうした規模の作品が生まれたとはおそらく想像さえつかないような、あまりに思いがけない、逆説的な場所だ。「コロニアル様式」のモデルはそれを端的に表しており、きわめて偏狭な精神と冷淡な心を示している。

私たちはこの命題をすぐに都合よく捨て去ってしまう。当時の私たちにはこの命題を定式化する、つまり私たちのあいだで分かち合う時間さえもてなかった。

一個の作品が、抑圧された人間の小屋から生まれないのと同じく、主人の邸宅からも生まれないと言い張ることは、抑圧する者たちの規範から受け継いだひどい偏見だ。それは、「こんな野蛮なやつらが文明に匹敵するものを生み出すわけがない」といった逆の見解と同じ類いのものだろう。あるいは、私たちの南の国々の作家、芸術家に向けられる、しつこく繰り返されるあの乱暴な質問と同じ類いのものだろう。「あなたは誰のために書いているのですか。労働者のためにですか。ブルジョワのためにですか。あなたの人種のためにですか。白人のためにですか」。これらは、文学がそのもっとも高次の対象である全体《トタリテ》‐世界《モンド》と関係するという、〈関係〉をめぐる真に重要な問題提起をわきに逸らせたままにしてしまう、そうした問いだ。

庭草の上にピクニックのような気分で寝そべった私たちは、二日前に経験したことを思い返す。そして、果たして私たちが、前からもっている知識や知識だと思い込んでいたものによって狭められた偏見の犠牲者だったのかどうか、はたまた本当に現実とかかわりをもっていたのかどうかを知ろうと、考えを思いめぐらしてみる。たとえば、昨晩、私たちは道路沿いのモーテルで過ごした。モーテルで一夜を明かすのは、私たちのうちの二人が決めていたアイデアだった。ありがちなことだが、私たちはこの点で合衆国の映画に魅了されていた。おそらくそれはアルフレッド・ヒッチコックの『サイコ』だったり、さらには合衆国とメキシコの国境に位置するオーソン・ウェルズの例の映画〔『黒い罠』〕だったりした。たしかに、これらのモーテルは私たちが最初に受けたイメージと信じられないほどぴったりと一致している。陰気で、よごれた内装とうすぎたない設備の、くすんだ光の牢屋。この場所からは何も芽吹かない。私たちのモーテルはこうした噂に違わぬ場所だった。

それから、日曜日の昼にナチェズへ出かけたときのこと。日曜の安息のために荒涼《デソレ》としたこの小さな町に活気あるものを何一つ見かけられずに困惑《デソレ》していた私たち（三人のアンティーユの男たちと一人のほっそりしたフランスの女）は、思い切ってあるレストランに入ってみた。私たちが入ると、すべてのものが動きをとめた。するとまさしく映画のなかでの出来事のように、すべての顔が私たちの方へ一斉に振り向いたのである。この場所で、私たちの集団の編成がスキャンダルを起こしたようだった。あるいは、挑発と見なされたようだった。そう思われた理由はただ一つだ。つまり、打ち捨てられたような小さな町の退屈な日の物悲しくうつろな昼下がりに、明らかに白人の男専用の場所であり、その場に慣れている彼ら以外は、いかなる人間も（おそらく黒人の男も、白人の女を連れた黒人の男も）行こうなどと思わない場所に、私たちが入ってきたことに面食らったというものだ。とにかくこれがこのとき私たちが実感したと思ったことだ。私たちは石のように固まって、最小限の食べ物と飲み物を注文する。なるべく早く立ち去るために。こうした場合には、つまらないことだと思うが、見栄よりも節度を優先させた方がよいわけだ。

道沿いに見えた十字架、モーテル、ナチェズのレストラン。こうした経験はどれもちっぽけなものだが、強い印象を残すものだ。実際にはどの場合も身の危険を感じなかったが、自分たちの受けたイメージに見事に合致するそれらの経験から、私たちは次のことに気づかずにはいられない。つまり、私たちのほうこそ、フォークナーの本が述べるものとは無関係な月並みなイメージの束を、それらの多くが彼の本に見出されるものであるとはいえ、自分たちの（彼をアメリカとは言わずとも合衆国の生の素材《データ》と見なすという）「フォークナー観」のなかに無意識のうちに投影していたのかもしれないということに。

彼は、状況によっては人種差別主義者の白人（こう言えるのか、あるいは裏返しの偏見か）であり、ヤンキーの侵略者たちを侮蔑する者であり、南部の希望なき偉大さの検証者であり、栄光の嵐のうちに閉じ込められた病みついた個人であり、万年金欠であったが地所を保持しようと苦闘する地主だった。こうした表象は一見すると文学的作業とあまり関係ない。しかし、フォークナー作品が、彼がその「市民」生活において執拗に保とうとし確認しようとした、南部を確立するための絶対的正統性を問いに付すならば、南部確立の絶対的正統性に眩暈をもたらすならば、話はまた別だ。

　実生活のフォークナーは、その先入見、その限界、その徹底した沈黙でもって、倦むことなく南部の側に立つことになる。反対に、作品のなかで、彼は南部を問うことになる。おそらく彼は南北戦争の敗戦を賛美の念で書いたとさえ言えるのだ。ここで少しこの点に立ち止まろう。

　叙事文学とは、ある共同体の運命、何よりもそのアイデンティティを強固にすることを求めるものだ。そうした叙事文学は、共同体が戦いに完璧に勝利した場合よりも、その勝利がずっと不確かでも曖昧でもある場合や（『アエネーイス』の第二歌で語られているような狡猾なオデュッセウスの策略。『イーリアス』はヘクトールの葬儀で終わり、ギリシャ人の最終的な勝利さえも描かれない）、共同体の敗北（ロンスヴォーのローラン、〔敗北の事実を〕偽装して人を欺くシャルルマーニュ）から自然に生まれる。ラムセス二世が王家の谷の石碑に刻んだ叙事詩は、おそらく彼の敗北のうちの一つに関することだった。南北戦争《シヴィルウォー》の勝者として、ながらく勝利の恩恵に浴してきた合衆国北部は、この戦争の叙事詩をうたう必要など微塵も感じなかった。それは敗者のものだった。叙事詩的なものには文学的だったり作りものめいたりするものがある。叙事詩のこうした面は、マーガレット・ミッチェルのそれのように、物事の見かけや華麗さにしかかわらない。他方で、叙事詩的なものには彷徨と混乱を宿したものがある。それは、ウィリアム・フォークナー作品に見られるように、隠されたり故意に消し去られたりした様々な問いにかかわっている。

ここで合衆国の映画を観察してみよう。合衆国の映画は、この国が勝ち取った征服地（独立戦争、メキシコ戦争、二つの世界戦争）には比較的無関心であるにもかかわらず、アラモの戦いから、リトルビッグホーンの戦い、パール・ハーバー、ヴェトナム戦争に至る圧倒的な敗北を強迫観念のように叙事詩へ昇華させようと力を注いできた。すなわち、一時的で局所的な敗北の原因を分析し、この敗北から、新たな持続する勝利を導き出してきたし今後も導き出してくれる不変の根拠を賛美してきたのである。たしかに合衆国の映画は傷ついた勝利者である大統領エイブラハム・リンカーンを伝説化してきた。リンカーンのイメージは、行動の人、最高の理想を体現した庶民というものだ。彼のイメージは、秀でた建国の父でありながら封建的な農園主で奴隷主であったジョージ・ワシントンよりもおそらくずっと理想化されている。

ヴェトナム戦争に関しては、セバスティアン・ド・ディスバック氏が教えてくれたジョナサン・シェイ『ヴェトナムのアキレス――戦闘、トラウマ、人格の回復』が、まずその表題からして、叙事詩的なものとの明らかな結びつきを物語っている。[3] フォークナーはと言えば、彼は自分の作品において何がしかの戦争を終結させる勝利をけっして描き出すことはないだろう、その勝利をすかさず「それでも勇敢な敗北」「一方で栄光をもたらし、他方で恥辱を忘れさせる敗北」に結びつけないかぎりは。

フォークナーはある女性の友人に宛てた一九五五年六月十二日付の手紙で次のように書いている。「しかし、アメリカを目覚めさせ、私たち自身あるいは私たちに残されているものを救い出してくれるには、災厄が、おそらく武力による敗北が必要となるだろうと思うことがあります」。叙事詩的受難の呼びかけとしての敗北。すなわち「その声は、土にまみれた旗のように、動じることのない誇りを示していた」[4]。

一九一八年にとてつもない敗北を喫したドイツは、『西部戦線異状なし』を生み出した（まさしくちょうどヒトラー主義という異常現象、破滅を招くほど危険に誇張された、見せかけの叙事詩へと向かう力を生み出したときだ）。ロラン・ドルジュレスの『木製の十字架』も、アンリ・バルビュスの『炎』も、彼らが（彼らの）最終的な勝利の観念を持てあましているかのようであって、『西部戦線異状なし』のきわめて深く陰鬱な禍禍しさにはおよばなかったことは、大方の同意を得ることができよう。

叙事詩は、同じ脅威や敗北や場所のもとに結集する人々の欲動であり、その欲動を表現する。それはまた、勝利を得た〈帝国〉や普遍化する〈精神性〉を賛美する場合には、その性質を変え、人々を惹きつける力は弱まり、一層荘厳な形式に訴えるようになる。

一方の叙事詩は、問いを発する作品群だ。たとえば、旧約聖書のような（その一神論に反する）悲壮と苦悩の叙事詩。『イーリアス』や『オデュッセイア』のような不確かなもの（どこが東洋で、どこが西洋なのだろう）。『ローランの歌』のような帰納的なもの（フランク人の行為がやがてフランス人のそれになった)。アグリッパ・ドービニェの『悲愴曲』〔一六一六年に完成した叙事詩。バロック詩の傑作と言われる〕のような(焚き木の炎によって)照らされた叙事詩。あるいはサーガのような途方もなく宿命的なもの。他方に——別種の叙事詩として——『アエネーイス』や『神曲』のような至高の機械がある。そうした作品ではもはや問いに付すことも、それが眩暈を引き起こすことも、さまよいつつも動かないことも問題ではない。そこでの問題は〈普遍〉を壮麗に例証することだ。

これらの書物は実際にはどれも遍歴を描くものだが、私たちの見るところ、本当に危険な踏み跡《トラス》を辿っているのは前者の書物だけであり、反対に後者は、さまよいながらも決まった目的地に向けて(既に決まっているなら苦しみを厭わない確固たる探求からおのずと遠ざかる)、たとえ行く手に様々な罠が待ち受けているとしても、それが勝利と聖別の道であるかぎり、そこをとおるのだ。

フォークナー作品は前者の部類に属している。

フォークナー作品の独自性は、あらゆる叙事詩的作品がそうしてきたように、敗戦の武勲詩を讃える一方で、敗戦の結果としてここに生じてしまった、想像しがたいものについてひっそりと問いかけていることにある。それは、敗北を未来の征服に昇華させるのを可能とする、あの「不変の根拠」の不在だ。この不可能なものは、それ自体が今度は、語りえぬものとなる。共同体が敗北の契機を昇華させ、止揚し、その契機を希望の動因に変容させる力を欠いている場合、いかなる共同体も、実際にはたとえフィクションの作品を介したとしてもその欠如を意識的に神聖化することなどできないのだ。フォークナー作品はこの欠如に完全に結びつけられているものの、そのことはけっして表明されてはならないことになっている。欠如を言明せずにそれを語るというこの場所で、後れて来るものは作用し、堆積する。

現在の合衆国の市民たちがこうした欠如の止揚と昇華を一般にはどのように考えようとしているのかを見てみたい。南北戦争はグローバルな国民史の挿話の一つとして捉えられているように思われる。この歴史のなかでは、勝者と敗者は国民の美徳とその権力の変転を体現し代表しており（西洋全体においてそうであるように、ここでは偉大さは権力に由来すると信じられている以上）、そこにはストーンウェル・ジャクソン将軍やシャーマン将軍、リー将軍やグラント将軍、また別の時代にはシッティング・ブル、コチセ、ジェロニモや第七騎兵隊が登場する。南北戦争や西部開拓（そして最近では独立戦争）の戦闘が数多く復元されていることがこれを例証しており、証明しようとしている。これを主題に製作されたテレビ映画、フィルム映画はもちろんのこと、歴史を扱う作品――歴史研究やフィクション――は、この南北戦争を題材にすることが増えており、今では南部と同じく北部にも関心が向けられている。『南北戦争の偉大なる戦い』と『ゲティスバーク』はドキュメントとして製作され、『引き裂かれた祖国――ブルー＆グレイ』は小説風に潤色され、『アンダーソンヴィル』は南軍領内の北軍兵捕虜収容所をめぐる一大感動巨篇としてテレビ放映された。これらは、勝者の側から見た、敗北した人々や希望なき人々の叙事詩だ。

しかし南部――南部白人――にしてみれば、拡大する共同体にこうして移行し同意するのは、満足と苦痛とを同時に意味しており、危機なくしてはなされない。というのも、彼らはある断念を最初から前提にしているからだ。断念されるのは、南部共同体のアイデンティティではない。いずれにせよそれは、国民総体という単一の枠組みのなかで維持されるようになるだろう。断念されるのはそれではなく、特殊な敗北を同じく特殊な勝利へ昇華させるに足る尊厳と能力をもった共同体としての南部の正統性なのだ。ここではアイデンティティよりも正統性の方が重要である。その欠如は堪えがたいものと見なされる。

それと共に、南部の非常に保守的な自治独立主義《パルティキュラリスム》は、北部諸地域に拡まり（たとえば連邦政府の多くの特権を州に譲渡するように求める傾向など）、その結果として新たな等質性が形作られる。たとえば、北部における民主党の革新的方針と、南部を代表する民主党議員の極端な保守主義が対立するという逆説は、後者が徐々に共和党陣営につくようになる傾向によっておそらく解消されるだろう。その傾向が高まれば、おそらく彼らが保守傾向を備えた新たな政治団体の一翼を担うようにさえなるだろう。それは果てしのない誘惑であるが、この国の伝統的な二大政党制と袂を分かつことになりかねない。

こうした政治分析の紋切型《リュー・コマン》が強調するのは、大陸としての合衆国が群島化している点だ。実際、遠心的な多様化の運動によって、各州は自治地域圏という本来の姿に戻っている。ただしこの運動が革新的なものか完全に反動的なのか、不可逆なものか、それともむしろ帝国的性格を高める中央化を準備しかねないものなのかどうかは、知る由もない。

フォークナーが書いているとき、その筆に込められていたものはまさにこの南部共同体の絶対的土台であり、問われていたものは、その土台を絶対的かつ根源的に確立することの正統性、共同体にとって異論の余地のない根源となるような、言わば創世記の正統性である。このように、フォークナー作品はすべて克服しがたいアプリオリと眩暈を引き起こす問いを出発点に書かれている。その問いとは、南部の「始まり」をいかに明らかにするか、というものだ。つまり、本当はどこから来たわけでもないがヨーロッパから来たとされる白人たち、全員が（作品中では）抑えきれない暴力の犠牲《とりこ》になった白人たちによるあの土地占有をいかに明らかにするか。もちろん彼らは、土地の守護者である最後の先住民たちの手からあの「大森林」を買い取る権利をもっていないばかりか、先住民たちのほうも彼らに土地を売り渡す権利などもっていなかったのだが。

もう一つの裂け目がこれに加わる。フォークナー自身がそうであろうとしなかったにしろ、ピューリタンならば（『八月の光』のジョアナ・バーデンがそれをじつに劇的に体現している）、悩むべき問いである。あの南部の「劫罰」をいかに理解するか、あるいはせめていかに考察するか。この「劫罰」は、奴隷制、その起源、その艱難辛苦の歴史の複雑に絡まりあった暗闇に結びついているのだろうか。

こうした闇の底をめぐる三つの問いの考察をとおして、私たちはフォークナー作品に近づくことができる。

これらの本源的問いに与えられる答は存在しない。問いは問いにとどまるのであり、明示も解決もされない。一方で、作品は無限なものとして現れる。作品はいかなる「答」にも解決にも妨げられない。他方で、作品の登場人物たちは、場合によっては作者の構想のなかにある答によってあらかじめ決められている「類型」ではない。彼らはこの裂け目の犠牲になった人物たちだ。彼らは、存在が宙吊りにされた、非‐生成の、後れて来る不幸の犠牲者であり、この不幸を野蛮に生き、また堪える。そして、これらの人物は、野蛮なほどに人種差別主義者だが、病理学的には反‐人種差別主義者であったり、こうした問題に異常なまでに無関心であったりするために、これらの問いにまったく拘束されない。それでも彼らはそれらがもたらす眩暈を生きている。

南部の不可解で不可能な状況（本源的問いに対する非‐答）によってこの地は絶対的なものになる。すなわち、南部は解決策のない矛盾の場所であり、そこに生きる人間の条件は研究すべきものではなく、逆に問うべきものなのである。このためにフォークナーには登場人物の体系が――いわゆる物語の厚みは――存在しない。そこにあるのは人物たちの張り裂ける、不治の眩暈だ。

この文学の技法、すなわちその記述《エクリチュール》とその構造もまた後れて来るものとして機能する。それによってフォークナーは、西洋の伝統的諸文学に課せられてきたような物語の厳格な掟を宙吊りにし、たとえば「内的独白」と意識の探究から導かれるありきたりな技法をもっと先へ（この裂け目、この宙吊りのうちへ）進めている。独白はふつうその展開過程で露わになる真実の総体のようなものをもたらすに至る。あるいは独白は、瞬時の感情を示したりせめてぎこちなさくらいは解消しようと、巧妙に散りばめられる。だがフォークナーにおけるそれぞれの独白は、真実の総体や巧妙に散りばめられた技法などよりも強度のある、非‐結論（あらゆる答の有効性の否認）に至る。

彼は作品をこれらの問いの影で組織し、それに対するいかなる答も、すなわち教育的または結論的ないかなる答も出さない。にもかかわらず、その生活においてもその信条においても、彼はただこのような問いを孕んだ現実と切れ目なく繋がっていたのだろう。その代償に不正の代価を払ったとしても、そしてこの不正が受け入れがたい現実を招くことだとしても、彼はそうしたにちがいない。

フォークナーがこの南部の現実と切り離されていたら、彼が判断を下し結論を出したなら、アプリオリな問いはもはや意味をもたなかっただろうし、作品は反響することのない「現実主義的」確認へと矮小化されたことだろう。彼が南部白人としてのその生を疑問視したならば、彼は正統性を揺るがすこの問いを奥行を失わずに提出することはできなかっただろう。さらに彼がその心情や精神において南部を捨てる、あるいはより分かりやすく日々の生活において（たとえば海外に旅立って）南部を放棄したならば、問いはゆるぎない答を得ることで消滅しただろう。アイデンティティや正統性を（創世記として）絶対的に確立するための叙事詩的な問題は、揺るがない勝利の確信のうちでも超然とした無関心の態度のうちでも提起されることはない。

フォークナー的渦はこの問いをめぐって拡がる。試みは大概失敗し、偉大さの多くはどれも無意味で、多くの生活は不幸で卑俗で悲劇的であるのに、いったいどこに南部の絶対的正統性はあるのか。この問いは、小説中で果てしなく言い争われたり、何度も仄めかされたりしている。風景（荒廃した森、荒涼とした綿畑、氾濫する川水）、戦争、家系、収奪、荒々しい群れをなす動物、この渦のなかにいるように見える無数の人物。彼らは、心理小説や社会小説といった伝統的な小説、証言としての小説、現実を模写する小説などの登場人物の決まりごとに絶対に引き戻されないだろう。これらはみな、この問いかけをふくんだ渦について証言するために、そしておそらくそれ自体も渦巻いているいくつかのありうる答を宙吊りにしたまま、この渦を指し示すためにそこにある。しかし、これらの内実を言い表すものは果てしなく後れてやって来るのである。

この仕事に執拗にこだわるウィリアム・フォークナーは、そう考える素振りも見せずに、作品を実生活から切り離すだろう。それは彼が自分を保つための唯一の手段であったように思える。一族のなかの彼、生活に取り巻かれた彼は、温かいもてなしを怠らない一個の群島だろう。ただし、作家としての彼は、一個の近づきがたい島であったと思う。彼は（南部の生活への）参入を務めと考え、望みもした一方で、（南部の問題系の）解明をも務めとし望みもした。その二つの役目は相容れないものだが、いずれも必要なものだ。ウィリアム・フォークナーは黙したまま重度の精神分裂症に陥る。彼はまた、あまりに明晰な機械のように、冷ややかに深々と酒におぼれる。

南部に対して冷徹である、そう、見者の眼で南部を眺める必要が彼にはある。そうすることで、彼は、これほどまでに不確かで劇化したこの現実をめぐる問い、最終的には詩と文学の問いそのものを提出することができる。すなわち、考えつくかぎりのありとあらゆる〈存在者〉を呼び出しさえすれば、人は〈存在〉を堪えることができるのか。〈存在〉の絶対性に近づき、それを知ることができるのか。何ものにも還元されない多くの苦しむ単独者から出発すれば、ある本質に、消失と絶望から守られるような純粋な力に近づくことだけはできるのだろうか。あるいは、眩暈から解放されようと頭を振るように、人は〈存在〉を追い払うことができるのか。

ジェファソンあるいはオックスフォードの悪徳商人から、その近郊の森のウィスキーの密売人、裁判所の正面に事務所をかまえるオックスフォードあるいはジェファソンの弁護士、さらには南軍の英雄スチュアート将軍の伝説を子供たちに語り聞かせる老婦人に至るまで、これらの人物の言葉《ランガージュ》は、結局、次のことを求めているように思える。土地、まさにこの土地に対し、どのように生き、振る舞い、考え、あるいはせめて直観で行動すればよいのか。多くの名状しがたい不幸のあとでは（その不幸を被ってきた人々の多数の心象において、それは張り裂けることすらなく共有される）、土地とうまく関係をもてないことに秘密があるのはあまりに自明のことなのだから。

この名状しがたいもの、この秘密から、フォークナーは離れることはない。そうすることで、彼はあらゆる文学の解き明かしがたい何ものかにも接近する。

ニグロの場合、〔南部の絶対的正統性をめぐる〕その問いはたとえ必要なものだとしても彼らに生じることはない。フォークナーは（しかも若い頃の彼はよく彼らを「黒ん坊《ニガー》」として扱った。おそらく南部白人の習性からではなく、故意の挑発である）、「付録――コンプソン一族」という強烈な概要の末尾で彼らの役割に象徴性を与えた。彼はこのなかでコンプソン家の人間とその苗字を担わざるをえなかった郡住民との関係を改めて跡づけている。そして最後に、ディルシー――生涯にわたって「ずっと堪え」てきた黒人の老婦人、さもなくばこの屋敷の名誉、少なくともこの屋敷でたえず脅威に晒される信望や安定を表す存在――に言及するに際して彼は率直にこう書いている。「彼らは堪え忍んだ」と。

これはフォークナー作品のなかでもっとも有名な文章の一つだ。注釈はほぼ一致してそう述べている。私はこれを次のように捉えている。彼らは（これらのニグロは）、苦しみを引き受け、直観的に察知し、「堪え続ける」ことにおいて（よって）、「数に数えられる」、目に見える存在だった。しかし、おそらく話し合いや行動の決定においては（よっては）取るに足らない存在だった。

ミシシッピ州オックスフォードの街路に入るやいなや、あなたはたやすく中央広場への道を突き止めることだろう。まるで小説『響きと怒り』の冒頭と結末に描かれたベンジーの踏み跡《トラス》、すなわち「それぞれあるべき場所に収まった柱や木や、窓や入り口や、看板など」[5]を辿るかのように。

こうして捉えられる町並みは、南部的、おそらく地方的だ。これは、手の施しようのない阿呆がまさに知覚した町並みであるものの、その知覚こそがもっとも深くありありとこの町並みを表したものかもしれないとあなたは感じる。強烈な陽射しがゆっくりとのしかかるその広場は、私の推測では、在りし日と比べてモダンな佇まいをしている。墓地への〈黒人侵入者〉ルーカス・ビーチャムが、殺人の嫌疑で起訴されながらも起訴を前にして何ら怖気づくことなく、スティーヴンズ弁護士事務所の階段を上っていた頃は、間違いなく、もっと見晴らしがよかったはずだ。彼はその場で二百ドルを百ずつ数えると、この法律家は自分の仕事はそれだけの値打ちがあると言い張った（憶えているだろうか。その後ルーカスは領収書を請求した）。もはやその墓場は存在しない。もはや黒人たちの不幸の運命も、マッキャスリン家やコンプソン家といった一族の没落の運命も感じることがないだろう。だが時は『サートリス』の頁のなかと同じようにそこで音もなく過ぎ去っているように思える。だからこの眠っているように見える現実のうちに（下に）、呪詛と運命の避けがたい道（南軍の記念碑を右手に迂回する道）を知覚し、見抜くためには、生来の阿呆の完全な無垢が必要だったと私たちは理解する。

どう言えばよいだろう。この場所に何か見覚えがあるのだ。喩えるなら、人がアンジュー地方のいくつかの風景から『谷間の百合』の唯一の本当の舞台を毎回見分けてしまうようなものだ。つまり、この瞬間、私はあまりにフォークナー的なこの辺りの場所が、アメリカの大陸世界のじつに多くの小さな場所に似ていることに気づいたのだった。（無限の）親しみ、無言の喜び、人々が我慢強く忍び、また見過してきた不運や不正に対する、あの同じ想いを私はそこに感じた……。疑いようのない痕跡《トラス》を辿るように、太陽は川のような車両の流れと通行人の小さな波の尽きる辺りに沈黙を運んでいた。

あなたは否応なくフォークナーびいきの書店の前に漂着してしまう。この書店には、フォークナーの著作からその翻訳、関連資料、はがき、バッジ、ポートレイトや写真、アルバム、カレンダーや灰皿に至るまで、この著者にかかわるものがじつに豊富にそろっており、南部文化研究センターの出版物もまたそこに納められている（研究センターは私たちが今朝たまたま通りかかったミシシッピ大学に付属している。ところでこの大学は、まるで実際の老嬢を言い表すかのように、「オル・ミス」と親しげに呼ばれている。ルイ・アームストロングの同名の曲の演奏を私は不意に思い出す）。この研究センターは当時も今（一九九五年）もウィリアム・フェリスが所長を務めており、その出版物のなかには『南部文化百科事典』と季刊の『サザン・レジスター』誌がある。

「本のブティック」と呼ばれるこの手の本屋を訪れたのはこれが初めてだった。上の階では、著作の棚に囲まれて、サラダとサンドウィッチのついた手軽なプレートの昼食をとることも、各種コーヒー、熱い紅茶やアイスティー、ミネラル・ウォーターを飲むこともできる。私はやがてニューヨークの大書店の数軒でこの快適な習慣を見出すことになる。

フォークナーは、半ばお飾りのように置かれていて、この書店のどこにでも見つけられる。フォークナーを知らないあの大学生がここに来ていたにちがいない。私たちは、彼にキャンパスで話しかけた際に、フォークナーの名をうまく発音できなかったのではないだろうかと考えはじめる。彼には、間違いなく「ファルネ」か「ヴルクレール」と聴こえていたのだ。合衆国では、話し方は文化コードによって相当異なるため、そのたくさんの響きに不意を突かれるものだ。交通量の多い都心から離れた一部の場所では、話はふつう理解されない。もっとも簡単な単語を、あの口ごもったアクセントで、舌で転がしたり、つづめてみたり、早くしたり遅くしたりして発音しないかぎりは。ちょうどフランス人がケベックやケイジャンの話し方では何も理解できないと言い立てるのと同じだ。

フォークナー書店で（私たちはこう呼ぶことにした）聞いたところでは、毎年、「フォークナーもどき」たちが競う模作のコンクールが行なわれるとのことだ。コンクールには、ちょうどテレビのゲーム番組のように、褒章として、一等賞と二等賞がいくつか授与される。競われるのは、フォークナーの無意識の癖だと思われるものや、彼の強迫観念だと考えられるものの模倣だ。この「フォークナー模作コンテスト」は、一九九〇年に初めて誌面上〔『アメリカン・ウェイ』誌〕で開催され、その優秀作品は『ベスト・オブ・バッド・フォークナー』に収録される。『サザン・レジスター』誌で読みえたかぎりでは、これに先立つものがいくつかあり、たとえば一九八九年の「ヘミングウェイ模作コンテスト」や『ベスト・オブ・バッド・ダシール・ハメット』があるそうだ。「贋作」は、ときには機械のようなわざとらしいものもあるものの、ほとんどいつでも味わいぶかく、抗しきれない魅力をもっている。私はこのあとでその才能といたずら心を高く評価するつもりだ。私たちは当然のこととして模倣したり、模写したり、贋作を作ったりすることができるのだし、そのことで報われるところがある。だからそれは文学を本当に始めることではないだろうか。医者や弁護士、はたまたフォークナー作品を仔細に検討する大学教員や彼の作品から着想を得る学生といった人たちが、ある種の特技のようにしてそれを行なっているそうだ。

私たちは居心地のよいこの書店を立ち去るが、この確実に誤った判断によって、また別の果てしない議論のなかに迷い込む。私たちはウィリアム・フォークナーの墓を訪ねに町の墓地に行くことにした。しかし、邸宅を訪れたときに起きたように、その墓を見つけられない。私たちは通路から通路へと、壁に囲まれたこのだだっ広い場所をさまよい歩いた。そこには花崗岩や大理石でできた墓が高々と築かれている。ここは、アンティーユ風に言えば金持ちたちの墓地であり、マルティニックやニューオーリンズ周辺で見られるような、一族の死者たちが住む小さな町だった。なぜこのように墓が高く築かれているかと言えば、一族の虚栄心をひとまず除けば、洪水が埋葬された死者たちを掘り起こし、地表に運びあげては運河に転げ落として、棺を路上に散らかすからだ。マルティニックでは墓地はきらめいており、死者の日《トゥサン》〔十一月一日〕は子供にとっての事実上の祭りで、数百もの光が銀河のように夜中に輝く。

墓地で迷うとは、じつに特別な経験だ。あなたは激しい不安が自分の骨に貼りついているかのように、いつかこの彷徨にも突然の終わりが来るかのように感じることだろう。死者の国を果てしなくさまようなど、どうしたら想像できるだろうか。私たちはフォークナーと記された多数の墓碑銘を一つずつ調べたが、どれもフォークナーの墓ではなかった。私たちはついに、墓地を下った左手奥に、すべてから離れた彼の墓を見つける。しかしながら、フォークナーを育てた黒人乳母、マミー・バーが埋められていると言われている、「有色の人々」に充てられた一画は見つけられずじまいだった。
ミシシッピは第二の分離州だ（最初の分離州であるサウスカロライナは、奴隷制に関するある種の特権を確実にもっていた）。しかし、ミシシッピは旧南部連合のなかで奴隷制を公式に廃止した最後の州だった。たしかにその廃止はブラジルや中東のいくつかの国々より早いが、長期の南北戦争の結果、強いられたにすぎない。

私たちの旅は脱線に次ぐ脱線だった。ミシシッピ州北部に上る高速道路に入り損ねたところから始まり、どうにか到着したオックスフォードではローワン・オークのまわりをそれと知らずにうろつきまわり、この日の終わりもまたあの灰色と白色の墓地のなかをさまよった。これは、私たちのフォークナー読解を逸脱させる、「理解する」ことへのためらいの徴そのものか、いずれにせよそれに等しいものではなかっただろうか。そのせいで、作品のなかに連れ去られたとも身をゆだねたとも言える私たちは、多くの仄めかされた眩暈を、多くの散らばり隠された知識をなかなか一つにまとめようとしない。でも結局私たち一人ひとりはその総和をやがて求めなければならないことを知っている。

ルイジアナへの帰りは行きに比べてとても早かった。私たちはある場所で解散し、喧騒のなかへ、町のなかへ、店のなかへそれぞれ散っていったように思える。私たちはルイジアナが多くの点でカリブ海地域、とくにアンティーユのいくつかの島々に近いことを今では知っている。その共通点は、プランテーション・システム、心を動かさずにはおかないクレオール諸語の存続、フランス語という背景、そしてもっとも粘り強く、しかも奴隷制のあったすべての国々に共通するものである、黒人たちの苦しみと逃亡行為《マロナージュ》だ。

ルイジアナの人間（白人）がこうした関係をふつうは理解しようとしないのを、私は後に気づくことになる。

「それがルイジアナとアンティーユを近づけるものだって、ほんとうに信じているのですか」。

あなたは再び話し始める。たとえば、ハイチ革命とフランス革命から荷物と奴隷をもって逃げてきた植民者の一族のうちには、ここから始まるジャアム家、ラ・ウセ家やその他多くの血統が見出せる。短いあいだにニューオーリンズに解放されにきたものの、そこでもやはり奴隷状態をすぐさま見出すことになる黒人たちは措くとして、料理、香辛料《とうがらし》、ハーブスープ（ラフカディオ・ハーンの『ゴンボ・ゼブ』[6]〔クレオールの諺小辞典〕）、小豆、豚肉、そして音楽という基本要素は、個々の場所の着想に応じてアフリカの痕跡《トラス》を再構成するこの文化圏すべてにわたって同じだ。建築も、調度品も、奴隷小屋通り《カーズ・ネグル》も、刑罰道具（ガロ、シップ、フロンタル、ブランバル）も、旧奴隷制世界であればほぼどこでも見られるように、すべて同じだ。しかし、あなたが疑い深い聞き手に対して共有財産目録を作成したところで、聞き手はその歴史が四方の海に続いているのを知ろうとしない。

ミシシッピ州から改めてバイユーに、河口に向かって、ケイジャン〔アカディアに暮らしていたフランス語系住民のうち、現在のルイジアナ州に移住した人々とその子孫〕、ブラック・インディアン、ジャズとロックのリズムに乗るあのアカディア音楽であるザディコ〔ケイジャンが伝えたアカディアの伝統音楽をアレンジしたルイジアナの黒人大衆音楽〕に向かって、南下する帰り道に、私は理解する。生地であるミシシッピ全体と、同じく南部全体を据えたヨクナパトーファ郡の彼方に（南部は大文字で«le Sud»（the South）と強調的に言われる。まるでその下には何もないかのように。まるでこの〈南部〉の南部に位置する、私たち〔小文字の〕南部の民が存在しないかのように）、フォークナーが打ち立てたのはまさにそれ、それであると。

それは最初のバスと共に始まる。この小宇宙を去り、行き場を失った人が、たとえばメンフィスのような最寄りの町に向かって乗るバスと共に。

それは脅かすようにこの郡《カウンティ》の地平を徘徊する。

それはクレオール化という名前をもつ。それは、不幸や抑圧や私刑《リンチ》にもかかわらず、出会いは止まることなく、予見できないものが重なって生じた様々な結果をもたらす。

（喧騒の終止符を打てないミシシッピのように）。

それは予見できないものであり、混交と分有への誘いとまでは言わずとも、その観念すらも拒む者たちを恐れさせる。

その根底で、その基底で、フォークナー作品はこの「脅威」のもたらす呪詛と、脅威と戦う者たちの劫罰をたえず纏れさせてきた。

彼はこの点で私たちの世界が見棄てられてあることを、部族や民族や民衆や国民などのあいだで交互に繰り返される虐殺を――彼らは相手を虐殺することが急務であるという点でのみ意見を一致させる――徹底的に預言した。

ニューオーリンズというクレオール化の地で（そこには、さして目立つわけでもない建物に挟まれたバルコニー付きの狭い木造の家や、かつてスペインの牢獄があった場所に、フォークナーに敬意を表して記念プレートが嵌められている。彼はこの地のカテドラルに面する小さな通り沿いでしばらく暮らした）本当に書き始めた、つまり最初の小説『兵士の報酬』を書いたフォークナーは、最後にこの郡の小宇宙に耳を澄ませるという任務を課した。こうした小宇宙が、そこに住む人々が多くの暴力、窃盗と強姦、狂気と無力、不幸とその味を知るのを代価に、世界が混じり気のない〈地方《ペイ》〉を浸食し、混乱させているという堪えがたい観念を必死に拒むのに気づいたあとで。

作品はこの濁りきった土地を駆けめぐる。この場所で、世界のうちに存在する私たち一人ひとりが感じるのは、私たちを変質させる形の定まらない何かの襲来が差し迫っているということだ。その不定形な何かを、私たちは〈他者〉の変形した姿だと考える。フォークナーが横断するこの国の住民はみな同じ「望ましくないもの」に苦しめられており、彼らは他所《よそ》からの名づけようのない侵入をすべてそう捉える。彼らはむしろ苦痛を受けても自己の殻に閉じこもり、孤独に呪われても当然ながら拒絶するのを好む。

強調しておくべきこと――心理分析でもモラルでもない文学の問い――が残されている。すなわち、問いに導かれ果てしない境目にじつに冷静かつ熱情をたずさえて近づいたウィリアム・フォークナーは、その答をこともなげに生きていたのだろうか(私が言いたいのは、「世界全体に意味を与えるために、世界から離れたところで郡を維持する」ということだ)。それともその境目に近づくたびに彼は、答のもたらす不快と苦痛に堪えていたのだろうか。

フォークナーへの手引き

こうして、一八九七年、ミシシッピ州ニュー・オールバニーの、じつを言うと、きわめて異例の家系に彼は生まれた。歴史家が「南北戦争で破産した」この家系のモデルを抽出したら、それは〈南部〉の奴隷制擁護派の由緒ある家系にかぎりなく近いものが浮かび上がるだろう。すなわち、曾祖父は南部連合軍の将校として、軍隊でもっとも信望の厚い大佐の地位におそらく就いており――大佐になれば直属の連隊を率いることができるが、戦場では、この連隊の価値を、つまり個人の勇気よりも集団の勇気を示さなければならない。これは将軍に昇進を望むなら、かならず通らなければならない試練だ――この曾祖父か、あるいはその息子のうちの一人は、鉄道業や、たいして身を落とさずに済むようなあらゆる賃労働などで金を残したりしたが（彼は、戦後にはとても有利な商売である食料品店の経営や、貴族の身分の仕事といってよい馬貸しを始めることができた)、彼か、その息子かその子孫のうちの一人が再び破産し、そして幾世代にわたって、この家の男たちである父や叔父たちが、無類の決闘好き、不幸な情人、屈辱にまみれた夫、根っからの人殺しといった、あらゆる類いの奇癖でその名を馳せていたあいだ、叔母たちは、その犠牲になって子供たちを守り、奴隷と黒人の使用人たちを指図しながら、この集団的災厄を淡々と見つめ、それを臆することなく語ってきた。

彼の名はウィリアム・フォークナー。アングロ・サクソン社会での名前や呼び名についての知識がほとんどないクレオール語話者の私には、英語圏の国々では当たり前にそうしているように、友人や両親が彼をその生涯にわたって「ビル」と呼んでいたことなどまったく思いもよらないことだった。しかも、彼が近親者や家族に宛てた手紙に、この愛称で署名したことなど考えもつかなかった。バーやビールの意味以外にはおよそ想像のつかないこのあだ名は、フォークナーが恐るべき酒豪だとはいえ、偉大な悲劇の詩人となった彼にはどうにもふさわしくない。悲劇の偉大さとは、それが素朴であり、ときにはどこまでも陳腐である場合があるように、けっして力強いものではないことを承知の上で、そう思うのだ。

彼はある日(彼の唯一の、本当の意味での仕事の準備が整ったとき)、苗字 Falkner に u を付け加えることにした。それはまさに、彼がフォークナー家をモデルとするに際してその妥当性に確信を抱けなかったかのようだし、このモデルをぜひとも練り上げて正統化しなければならないのは、まさしくFaulkner家のウィリアムであることを自覚していたかのようでもあるが、ともかく、フォークナーがこのモデルの輪郭を描き、説明を加えて初めて、この家の者たちは（老大佐から若い大佐まで、神話的な曾祖父と祖父から一番若い末裔や傍系親族に至るまで）、波乱にも陰りにも満ちた穏やかなその生活を実際に送ったかのようだ。そもそも――それどころか――ある午後に一人の友人の家の庇《ひさし》の下で思索にふけり、ヴズ〔サトウキビの絞り汁〕かミント入りリキュール、あるいは強烈なアルコールのどれかは決めかねるがともかくあの南部の飲物の一つをゆっくり飲むか、粗糖の酒で上機嫌になるなどして、叙事詩的斬新性で満たされるこのuを付け加えた、この苗字のヴァリアントを介して、一族がある意味で「転化」し昇華するような価値があると、そう彼が臍を固めてからこの一族は真に生きることになる。そしてこの決意によって、フォークナーは一族を彼の営みのうちに組み込むことができたのだろう。彼はその営みのうちで、侵せないゆえにときに壮大だが、（作品中では）つねに悲惨で宿命的なあの南部のモデルを、きわめて文学的かつ象徴的に解き明かそうとする。

そして彼は、このときから、ついに手にしたあのもう一つの家族にその身を捧げる。結婚相手は、最初は彼のプロポーズを断って別の男性と結婚した女性であった〔その後離婚してフォークナーと再婚〕。フォークナーは、プロポーズの失敗を結婚という密やかな公的報復によって神聖化する。しかし、彼はおそらく系譜作りを断念する。それは長女アラバマが死んだこともあるが、次女ジルにはその後も愛情を注いでいたのだから、理由はそれだけではないだろう。おそらくフォークナーは、ヨクナパトーファ郡の大半の住民がそうだったように、正統の世継ぎは、男系の子孫でなければならないと考えていたのではないだろうか。そして彼は、おそらく実際のFalkner家の名士を作家Faulknerの悲劇的ヴィジョンのうちに集めようと、自分の世界を成り立たせるのに必要なものは何でもかき集めようと努力する。それでもなお彼は、物静かで冷徹な決心のもと、自分の創作領域から「市民」生活を切り離したのだ。それ以前の彼と言えば、青春時代だけでなく、成年を過ぎてからも、大げさな調子やもったいぶった調子で、文学をこのうえなく気どった象徴派の詩集を、彼が口説いてきた美女たちに献辞を記して捧げるばかりでなく、そうした詩集を自分で製本し、仕上げ、飾りつけるほどだった。それらの詩集のうちでは、詩法は誘惑術と競合していたのである。

彼は、文学を、その虚飾と約束事を放棄した。自分には詩才が欠けていると分かったからだ。こうして彼は、現実を見抜く、すなわち、現実のなか、そして現実の基底に自分の見たものを言い当てるという、厄介な仕事にその身を捧げる。彼が創りなおした空間のうちに召喚された、あの輪郭も定かでない活力に満ちた住民全体を摑み取るという大変な仕事に（ただたんに輪郭も定かでない住民としか書かないのは、私たち読者がこれらの人物とも、彼らを呼び出す作者とも、ある無知を共有しているからだ。それは、一見するとすぐれて人間的な論理に従っているように見え、まさしく小説的な論理に従っているのだが、じつは非常に理解しがたい仕方でこれらの人物を動かすものについての無知である）。それ以降、彼が、美女たちへの献辞のせいでまさに被らなければならなかった屈辱を意に介さなくなったのが分かる。彼は、明らかな、いずれにせよ飽くなき執拗さでもって、作品に対する冷遇、あからさまな（あるいは仄めかしの）酷評、足元を見られた契約条件、屈辱にも等しい前払いの賃仕事、彼が差し出すテクストに対する書き直しやカットの提案を受け入れる。恐れを知らず、我慢強い彼は、友人、リテラリ・エージェント、出版社や文芸誌の責任者を相手取り（人気雑誌にしろ、そうでない雑誌にしろ、定期刊行物への掲載を拒否された長篇小説と短篇小説の数で言えば、彼はおそらく記録保持者だろう）、こまごまとしたくだらない問題について口論を繰り拡げる。そうした馬鹿げた問題は彼には些細なことにすぎないが、相手はそのことを彼に全力で問いただすのだ。この人物には「厚み」があまりないのではないか。ここことあそこには矛盾があるのではないか。この箇所やその箇所は物語の「筋」を妨げているので削った方がよいのではないか、などなど。そして熱心かつ意識的に、彼は自説を論証し、強化する（ただし彼が激怒する場合、たとえば誰かが『響きと怒り』を再構成するつもりだと露骨に言って彼を怒らせる場合は別だ）。まるで、作品の総体のうちへ最初から「入る」ことをしない者に対しては、誰であれ、彼が作品で示すものには近寄れないと決めているかのようだ。そして、明らかな謙遜は、あるいはおそらく他の作家たちと同じ資格で尊敬されたいという曖昧な願望は、私だって「稼げる」、すなわち、著者と出版社を儲けさせるヒット小説を書く作家程度のことはできる、という明確な表明へと変わる。おそらくこれが『サンクチュアリ』で行なおうとしたことなのだろう。アメリカ合衆国では過激なスキャンダルとなったあの強姦場面（それに対し、衆目を集めなかったいくつもの私刑《リンチ》の場面）を書き、この小説を手早く書いて投げやりに済ましたとうそぶいたのは、おそらくこのためだ。彼は、プルーストの意にも、ジョイスの意にも反し、あるいは彼らのせいで、今世紀最大の作家であるのを自覚していたのだろう。彼は、逃れられない自分の場所と同時に全体‐世界《トタリテ＝モンド》とこの場所との〈関係〉を明らかにする力に誰よりも長けていた。それでも彼が、あくせく働き続け、酔っ払うのをとめられず、この地獄の責苦のような人生をかろうじて生き続けたことには変わりなく、その苦悩の人生は、おそらく彼が秘密のまま（つまり、ただたんに、時間的にも空間的にも彼の身近にいたあらゆる生者の知らぬ間に、あるいは彼らを避けて）、自分が下した途方もない選択を背負い、その重みに堪えるには、必要なことだったのだろう。その選択とは、文学のさらなる先を目指すために、目先の人気と名声を諦めるというものだ。

それでも彼は、建築家や発明家の抱く過剰で冷ややかなエゴイズムをもっていたのであり、社会的承認を（彼の見るところ）表立ってはいったん捨ててしまいながらも、いつも内心ではそれを欲し続けたのだった。

平凡で悲惨な日常のうちに何も考えずに思い切って飛び込むことでその日常をやがて我がものとする妻は、ハネムーンの最中に自殺を図ろうとする。長女アラバマは、生後まもなく死ぬ。末弟ディーンは、『サートリス』や『標識塔』の呪われた裏面であるかのように、ウィリアムが大半の資金を提供した飛行機を操縦している最中に事故で死ぬ。そして、ウィリアム（現代のイシス）は、ばらばらになった弟の体を元に戻す手伝いをする。こうして、血の気が失せるまで酒を浴びるように飲むことが、夫婦が真に分かちもつただ一つの習慣となる。そしてフォークナーは、複雑に入り組んだ書物を次から次へと書きなぐるように著し、その結果、寡黙な読者層をすぐ得るものの、フォークナーのもっとも熱心な信者たちはそのとてつもない斬新さを分析することも支持することもできなくなる。たとえばフランスでは、多くの作家がフォークナーを重要視し、彼をすぐに賞賛し始めるようになるが、その理由はあまりにもくだらないものだ。彼らは、フォークナーをアメリカの農村作家や、ジョイスの系譜に連なる実験的作家と見なすかと思えば、「南部の作家」ということで何となくコールドウェル、スタインベック、ヘミングウェイと並べてみたりする。遥かなるアメリカ合衆国の極西部《ファー・ウエスト》、深南部《ディープ・サウス》、中西部《ミドル・ウエスト》や、その他の伝説的な場所も区別がつかない有様だ。彼らがそうした見方をやめるには、時間がかかる。

彼は気づいた。彼自身が創造した仮想のヨクナパトーファ郡、南の境は同名の川、北の境はタラハチ川（先住民の名前、原初の名前）であるこの郡が、現実の写しであるミシシッピ州ラファイエット郡の真横に置けることに。まさしくマッキャスリン家とコンプソン家のジェファソンが「オル・ミス」のオックスフォードと、サートリス家がFalkner家と並置できるように。こうして彼はこの土地を掘り起こした。過去を現在と、未開の「大森林」を開拓した地所と混ぜ合わせ、そこに下層白人、黒人、没落する名家を描き、土地に由来する民話と伝説から、どうすれば勝てたかなど分からないあの南北戦争にまつわる栄光の物語、数え切れないほど増える奇怪な挿話、この辺鄙な土地をとおっては消え去る素朴な意識の数々までを積み上げ、それらの物語を、奴隷たちの記録簿や、プランテーション内の店屋があくせくつけた帳簿、いつも同じ頁が開いたままの皺だらけの聖書、大屋敷の食器棚の秘密の引き出しのなかに整理され隠されたままの手紙などと一緒くたにした。それは、この世界を出現させようとするためだけではない。そうではなく、この世界に言葉を与える(この世界を倍加する)ためでもあった。おそらく彼は、その言葉が世界中のいくつもの別の言葉へと開かれてゆくのを知っていたのだ。

彼は、自分に与えられたこの現実を描き出し、作り直そうとしただけでなく、より高次の(またはより隠された)意味と変成に応じるようにこの現実を説き伏せようとしたのである。

したがって、彼の書いたものをここで次のように図式化できるだろう。もっとも、こうした区分にまたがる重複は、その区分自体をいつでもかき乱すものだ。だが基本的にはこの図式に同意していただけるだろう。もちろん、この図式とは別の可能性もまた三種類か四種類、提示することはできるかもしれない。以下に続く超越的で水平的な系列は、相互の系列を照らし出すものだ。

「準備」「文学」

(「牧神の午後」)。『大理石の牧神』。『緑の大枝』。最初の小説として、『兵士の報酬』、『蚊』、『野生の棕櫚』。

始まり。昔の日々。

『行け、モーセ』(「熊」)(「大森林」)。そしてこの系列に連なる短篇(とくに、『これら十三篇』に収録のもの)。

ヨクナパトーファ郡。呪い。

『サートリス』、『響きと怒り』、『アブサロム、アブサロム!』、『八月の光』、「付録──コンプソン一族」、『死の床に横たわりて』、『墓地への侵入者』、『征服されざる人々』。「ミシシッピ」関連の物語と短篇集(『駒さばき』)。

拡張。凶悪性。

『サンクチュアリ』、『尼僧のための鎮魂歌』。そしてこの系列に連なる短篇(三つの短篇集に収録のもの、とくに『ドクター・マーティノ、他』のもの)。

遠方。両義性。

『標識塔』、『寓話』。「ヨーロッパ」関連の物語と短篇。

スノープス三部作。叙事詩的なものの終わり。

『村』、『町』、『館』。

そして遺作、『自動車泥棒』。

(彼女は、ためらいがちだがはっきりと、私にすかさず指摘する。この表にはいくつもの矛盾があるし、フォークナーの錯綜した世界をあまりに機械的に分けてしまうのは良くないと。すると私は何度も抗弁する。仄めかされたままの出会いには気を配ったし、たとえば、どうやったらヨクナパトーファの作品群に、ヨーロッパの戦争のような他所《よそ》を題材にした作品群を結びつけられるのか。要は、このリストは型どおりだけれども、それでも説明できない事柄を保持しているし、その説明不能な事柄はヨクナパトーファ郡という結び目からしか感知できないのであって、それを結ぶものは、絶えず遠方へ、あらゆる方向へと拡張しているから、もちろんそれを遮ることも、どれか一つの方向だけに狭めることもできない。彼女は反論する。正確さを期すために、他にもっとたくさんの表を作成するか分類するとしましょう。すると、ヨクナパトーファのなかで呪いを受け入れる者たち、呪いを拒むか、それと闘う者たち、呪いから逃げる者たち云々といくつものちがいが出てくることになるわ。私は同意する。たしかに辿るべきいくつもの足跡がある。ぼくがスケッチするのはそのうちの一つで、しかももっとも一般に受け入れられているものだ。だがそれでも、入念に考えて、フォークナーの作品の流れにも彼の生活の送り方にもふさわしいものだと思える。その言葉に、彼女は静かに微笑んだ)。

読者は、手がかりを集めるように、このリストに、以下の散らばったテーマを繋ぐことができるだろう。


ミシシッピ。この名のもとに、すべての詩が、自伝の冒頭が置かれているのは、偶然ではない。

ヨクナパトーファ郡ジェファソン。

ラファイエット郡オックスフォード。

フォークナー、ミシシッピ。

以下は間接的なスケッチ。「父アブラハム」には、スノープス家の元型が見出せる。散文詩「丘」

には、「季節労働の放浪者」という人物像が暗示されている。強くも弱くもある彷徨。「シャーウッド・アンダーソンと他の有名なクレオールたち」。フォークナーは、その面白おかしい導入において、このクレオール世界の魅力、あるいはこの世界のあまりに怪しげな感染力からおそらく逃れようと試みている。

序文、手紙、講演原稿、おびただしい作品の草稿。こうした創作のエネルギーに恐れ戦いてしまう。

生前に発表されなかった短篇や、全集未収録の短篇。

映画の脚本。これらは、一見すると、人畜無害の内容で「プロ」っぽい作りだが、実際はそうではない。これらを読むと、ハリウッドのプロデューサーたちの判断に感心してしまう。もっとも、彼らはおおむねフォークナーの脚本に興味をもとうとはしなかったが。

だからさらに、数多の根が燃え盛る同じ網のなかを動き続けるように、フォークナーが次々に生み出したこれらの創作物（書物）を精査することだけを追い求めて、彼の生きた軌跡を辿ることができるだろう。フォークナー作品については、すでに多くの論者が膨大な学識にもとづいて、その細部や全体像を論じており（とりわけ、フォークナーの伝記研究で有名なフレデリック・R・カール氏の仕事や、フォークナーのフランス語訳を代表する翻訳者の一人であるモーリス＝エドガー・クワンドロー氏の仕事）、さらには、じつに多岐にわたる仮説によって、彼の人生を、彼の作品群の生成と結びつける作業がなされており、もはや紋切型を積み上げる余地は残されていない。しかし、冒頭で述べたように、これらの紋切型=共有場《リュー・コマン》は一個の思考=世界《パンセ=モンド》を発信する場所なのだ。

若い頃のフォークナーは（表の最初の系列、あるいは彼の作品群を貫く最初の横断性）、放埓な生活、挑発的な生き方を進んで選びながら、倦んだ生活を送っており（根っからものぐさでありながら、見かけはとにかく活発な人間を気どろうとする）、うわべだけの若いダンディを気どった最初のグラスを飲み干す前から、もう飲んだくれていた。だが誇張しすぎてはならない。彼は、まさに沈黙のうちに沈むようにして、酒におぼれてゆくのである。そうすることで、彼は、ボヘミアン文学やその他もろもろの計画を抱えて引きこもり、（かつてドイツのロマン主義者やロシアの小説家がローマやヴェネツィアに行ったように）ヨーロッパ巡礼旅行（イタリア、フランス）にやむをえず出かけ、ニューオーリンズに熱中し、シャーウッド・アンダーソンやその他の文学上の仲間たちと初めて交流する。彼らはみなじつに「南部的」だが、「学生、ペンキ塗り、放浪者、日雇い労働、皿洗い、本屋の店員、銀行員」をしてきたこのミシシッピ人に比べると、たしかに温和で、散漫で、人当たりがよく軽薄であり、要するに、彼自身が書いた広告文によれば、芸術家らしい風采をあますところなく身につけている、そういった人々だった。今述べたことは、彼が「第一次大戦時の英空軍に」従軍したというまったく架空の履歴をすでにでっち上げたあとの話だ。「牧神の午後」は、ヴェルレーヌからマラルメに至る象徴主義の系譜において彼が何を表現しえたのかを見て取ることができる詩だが、この詩の最大の功績は、後に「ある牝牛の午後」が生まれるきっかけとなったことだろう。「ある牝牛の午後」は、フォークナー氏という人物が、フォークナー氏の雄牛と共に現れる、おそらく唯一のテクストであり、彼はこの自己パロディにおいて（フォークナーはこれに秀でていた）、文学のもっとも仰々しい約束事を、どこまでも狂い、どこまでも現実的かつ非現実的であるような動物の騒々しい鳴き声に置き換える。それゆえ私たちは最初の系列の三つの小説の一つに、『野生の棕櫚』という、執筆時期からすれば多くのヨクナパトーファの著作群よりも後ろに位置づけられる小説を加えている。これらの初期小説は、読者を説き伏せようとする趣があり、「説明する」ことに腐心している点で、分析的な小説だと言えよう。だが誇張しすぎてはいけない。読者はこれらの著作とこのあとの著作を根本的に対比させられない。そこにはすでに彼の作品を揺るがすような断絶や突発的な内破があるのであり、これらの初期小説は、すでに作品の原素材となる物語や短篇を伴っているのだ。

強迫観念にとらわれたフォークナーは（表の第三の系列）、それゆえ郡をあの輪郭の定まらず予見できない住民で満たす。しかしその住民の存在は、作者がこの作業をとおして、この土地のすべての物事の根源にある呪いを、無意識に知っていたことをありありと示すものだ。フォークナーの召喚する登場人物の大半はこの呪いから逃れようとする一方で、選ばれた何人かの呪われた者たちは、激しくも穏やかな執拗さでもって、呪いに立ち向かう。呪いは、呪詛の言葉となる前に、問いとしてあるのだ。

『サートリス』は、貴族階級としてすべてを築いた家系が、世代を経るごとに(ジョン・サートリスから、ジョンの呪われた反響であるようなベイヤード・サートリスまで)、すっかり没落してゆく様子を、ジェニー叔母のすべてを達観したような明晰で優しい眼差しのもとに描いたものである。小説は曾祖父Falknerをおそらくモデルにしており、その人物像は、物語のなかでは、実人生の彼よりも、じつのところ、すべてを兼ねそろえている。彼は南部連合軍の大佐であったが、自分の連隊を失ったために新しい連隊を作った。その後、作家となり(『メンフィスの白い薔薇』は、フォークナーの短篇につけられそうな少し凝ったタイトルだ。この小説は見つけて読むだけの価値はある)、殺人を行ない、鉄道会社を興し、銀行とおそらく法律事務所を作ったが、最後は、殺害された。だがここでの話はまだ曾祖父にかかわることなのか。それとも、『サートリス』や『征服されざる人々』のなかに見られるように、連隊長の役目を副官サトペンに取って代わられ、殺すのに疲れ果てて最後には殺されてしまう、ジョン・サートリスの話なのか。『サートリス』は、呪われた双子(ジョンとベイヤード)を主要なテーマとして編み上げている。たぶん後ほど立ち戻ることになるこのテーマは、物語の海緑色の緩やかさのなかで展開されており(最初の読者は、作品全体のヴィジョンを欠いていたために、物語の緩慢さを構造的欠陥と見なすことしかできなかった)、物語における薄紫色は、バーベナの花の色よりも濃く、その香りはリラやマグノリアの花の香りよりも強い。

『響きと怒り』。この小説で土地を所有してきたコンプソン家は終わる。しかし、コンプソン家は、これが正当な所有でもなければ、決定的な所有でもないことをよく知っていた。その正方形〔一平方マイル〕の土地は、驚くほど幾何学的であり、周囲に繁茂する野生の茂みのなかではありえないようなものだ。ここにやってきたコンプソン家の初代がチョクトー・インディアン（この最初の白人たちが出会った頃は、じつに素朴で情熱的だった彼らだが、今やずる賢く怠惰な、黒人奴隷の所有者だ）から得たこの土地は、こうしてばらばらになってゆく。ジェイソン・コンプソンの父は（コンプソン家の男女には、ジェイソンとクエンティンの名前が交互につけられる。これはサートリス家のジョンとベイヤードの名前の場合もそうだし、アイスランドの偉大な家系創設のサーガでも同じだ。名前は、簒奪、誘拐、強姦、殺人といった同じ不幸を伴い、またそれらに律動を与えながら、世代から世代へと繰り返される）、所有地を切り売りし続け、その結果、最後に売った区画はゴルフ場の建設用の土地になる。ジェイソン、クエンティン、キャディの弟であるベンジーが知恵遅れに生まれついたその知覚と言語によって解体するのはこの土地なのであり、それがこの本の冒頭の仕掛け、つまり、一人の知恵遅れが響きと怒りの物語を語るという仕掛けになっている。キャディの逃亡、ゆっくりと進行するジェイソンの自閉症、長男クエンティンの遠方での自殺、姪クエンティン（キャディの娘）の遠方への失踪、ベンジーの去勢と幽閉。これらはすべて南部のうちに抑えこまれた怒りであり、正方形の土地を解体するものなのである。所有地の幾何学的で人工的な直線性は、退廃をもたらす野生の紛糾のなかで解体する。植物が腐り、再び芽吹くこともなく、確実に朽ち果てるように。

『アブサロム、アブサロム！』。この小説は「創設」、すなわち、新しい土地に家系を築くことの果てしない挫折の過程における、旧約聖書（シェイクスピアとギリシャ悲劇と共に、フォークナーがもっとも用いることの多い参照項）の残響である。しかし物語の中心人物のサトペンは、ソロモンの叡智を有していない。シバの女王との結婚と、彼女との血の混淆の意味を瞬時に考えられたソロモンとは反対に、サトペンは、彼の子孫が恐れ戦くのを目の当たりにする。血統（父と息子との関係、父性の継続）は取り返しのつかないほどにまで瓦解する。この本はまた、この災厄の感染（汚染）を、繰り返し登場するジェイソンとキャディの弟のクエンティン・コンプソンにまで拡大させてゆく。クエンティンは、カナダ人の友だちシュリーヴと共に、サトペンの物語を明らかにするが、ほぼその直後に自殺を遂げている。こうして「意識の流れ」は構成され、ここではっきり描かれる。これはヨクナパトーファを貫いて流れるものであり、作品全体の究極目的の一つであると同時に、その説明の技法の一つである。

『八月の光』は、いくつかの話を並行に展開している。『野生の棕櫚』のなかで複製されるそれらの話は、しかし、『野生の棕櫚』に比べると、体系的ではなく、不自然さも少ない。それらは、無垢な女性、こういってよければ鉄壁の女性であるリーナ・グローブがアラバマ、ミシシッピ、ペンシルヴェニアといった各地の州を渡り歩くという彼女の探究の話、神父ハイタワーが悪魔の餌食になる一方で、南北戦争の全貌を解明するという幻覚の発作に囚われる（彼はそこで南部連合のうちに、「向こう見ずの人生に立ちはだかる巨大な津波を乗りこなす若者たち」[1]を幻視し、想像する）という彼の二重の呪いの話、混血児（そう信じ込んでいる）クリスマスの自分自身に対する反逆の話である。ほかの劫罰にはジョアナ・バーデンのそれがある。彼女は、ニグロ一般を守ろうとする情熱と、個のニグロと交際することへの嫌悪のはざまで苛まれる。これはピューリタニズムと人種差別の焼けつくように強烈な闇だ。小説はこれらの話を一巡すると、何らのイデオロギーに基づくこともなく、畳み掛けるように展開する。それは、『サートリス』の場合のようにほとんど解明できない、緩やかな悲劇に包まれた国の陰鬱だが透明な光であり、そのなかでリーナ・グローブは、農民的とでも言えそうな落ち着きを有している。

こうして、フォークナーから引き出した「付録──コンプソン一族」という驚異が生まれる。著作の説明を求められた作者の行なう解説のような驚異。これは、眩暈を誘うような物語に短縮と圧縮をほどこした電撃的な家系図である。これがサートリスやサトペンやマッキャスリン家の付録に相当するものを生み出さなかったことを（『尼僧のための鎮魂歌』の物語には、そうした「語り」を超えた等価物が見出せるとはいえ）、惜しむ理由はどこにもない。コンプソン家の起源にあたる、スコットランド山岳地帯の伝説から始まり、黒人女中ディルシーの姿を「彼らは堪え忍んだ」という言葉によって大ざっぱに描いて終わるこの「付録」は、それほど完璧にできているのだ。

これと同時に見て取れるのは、フォークナーが、長篇と短篇を積み上げ、あるときは短篇から部分的に長篇を作り、またあるときは切迫感と興奮のなかで長篇を生み出しながら、郡という場を「一掃する」点だ。とりわけ次のことについて、彼は言わなければならないことを掃き清める。プアホワイトの農民と黒人という登場人物の二種類の類型（そのうちの何人かに彼は語り手の役割を課している）について。彼の現実の探究に先行し、彼につきまとう、初源の真理のような、さらにはその真実の過剰にはみだした変異であるような、南北戦争という出来事について。

『死の床に横たわりて』。これはプアホワイトの農民たちの話だ。彼らは、彷徨に取りつかれ、死者に対して恐れを知らず、天災に慣れ、貧困の姿をした得体の知れないものに対する戦いに明け暮れる。しかし、彼らはまた叙事詩の英雄の境涯にまで引き上げられている。いやどちらかと言えば、彼らは、継続的かつ断続的に構成された内的独白を一人ひとりが順に述べることでその境涯を自然に身につけている。小説は、それぞれの独白が連鎖することにより、土塊のようにばらばらになりながらも、川のように流れる。これらの交差しあう内的独白の言語は、農民の話し方を捨てず、しかも叙事詩的問題の（文学的）深みをしっかり保持している。どうしたらそんなことができるのか。これらの独白はたった一つの網の目を保ち続ける。にもかかわらずそこには、彼らを特徴づける性格と一致した、強情者、乱暴者、狡猾な者、無垢の者、神々から霊感を授かった者（簡単に言えば要するに狂人）といった様々な個人の姿を容易に見て取ることができる。

彼らは、豊穣すぎる自然に包まれた国を横断しながら、死んだ母親の棺を運ぶ。これらの人物は、女王蜂に群がる働き蜂のような印象を与えはしないだろうか。母親がついに最後の安息地に運ばれると、彼らはそれぞれの運命にいそしむようになる。さらには、この農民たちの生来の活力は現在のレッドネック〔南部のプアホワイト〕の怒りを予兆するものなのだろうか。それとも、それは怒りを突き抜けてしまうことを予言しているのだろうか。さらにまた、それはこの「田園の」叙事詩の地平に（そこにいるはずの）黒人がたった一人もいないことを指摘しているのではないだろうか。

『墓地への侵入者』。この話は、私たちが映画で慣れ親しんできた、あのお決まりのケースである。すなわち、ある犯罪を負った南部のニグロ（ここではルーカス・ビーチャム）が収監され、何人かの善意の人たち（ここではギャヴィン・スティーヴンズ弁護士）が彼を救おうとするものの、私刑《リンチ》を受けるという話である。フォークナーには私刑関連の物語がある。『駒さばき』に収められた短篇の一つ（それにはスティーヴンズ弁護士がまたも登場する）や、『これら十三篇』収録の短篇「乾いた九月」がそれだ。しかし、ここでの私刑はルーカスを脅かすだけで、彼が私刑から逃れることを私たちは知っている。『墓地への侵入者』には別の意図がある。それはこの本の冒頭に見て取れる。重要なのは、じつは何が起こったのかを知ることではない。ルーカス・ビーチャムはそのことを知っていると誰もが知っている。大切なのは、彼がどうしてそのことを言おうとしないのかを知ることだ。どのようにすれば彼は、不名誉な死が目前に差し迫り、そのことにひどく脅かされながらも、自分が沈黙する全能の主役だと見なせるのか。彼は、自分が人も物も何も恐れていないとひけらかさずにはいられないのだろうか。『墓地への侵入者』は、物語の語り手でありその決定的な関与者である一人の白人の若者の自己形成（大人への目覚め《イニシエーション》）の一時期についての話であり、一人のニグロの不透明性に彩られた肖像である。この不透明性は、様々な説明が挟まれ彼が日常生活に復帰するにもかかわらず、最後まで剝がれ落ちることはない。読者はこれまで、本それ自体ではなく、その中心的「主題」の有するこの不鮮明な分かりやすさを評価しないようにしてきたし、この著作を芸術作品としては不十分だと見なしてきた。

『征服されざる人々』（あるいは、初期のフランス語版でそう訳されていたように、『征服されざる人』。英語のタイトル *The Unvanquished* は、どちらにも受け取れる両義性を生み出している。単数と複数、二つのタイトルには優劣をつけがたい）は、南部の人間が南北戦争の際にややひけらかすように見せた勇気が、戦争終結後、サートリス家を中心に、とくにヤング・ベイヤード・サートリス（フォークナー作品に何人か登場するベイヤードの一人）のもう一つのイニシエーションをとおして、あたかも埃にまみれて沈んでゆく様を、描いている。フォークナーは、この戦争を語る際に、さらには戦争一般について語る際にそうするようなある種のお決まりの視点から自由ではない。この小説において、南軍の狂ったような先制攻撃に直面した北軍は、あまりに間が抜けているように見えるときがある。しかし彼は、ときには北軍の騎士道精神をためらわずに描いてもいる。たとえば物語の冒頭で、ある北軍の将校が、ベイヤード・サートリスの祖母にあたるミス・ローザ・ミラードの張り骨の入った膨らんだスカートを持ち上げさせるのを制止する場面がある。その下には、北軍の連隊に対してじつに無邪気な罠をしかけ、彼らの騾馬の一頭を殺した子供たち（黒人と白人の男の子）が隠れていたのである。しかも将校は屋敷を燃やすことも、住民たちを連行させることも指示しない。一般的に言えば、『征服されざる人々』は南部を昇華したものである。それは、郡住民の粘り強さを、もっとも象徴的に、もっともたやすく、おそらく月並みなやり方で、理想化したものだ。さらには、黒人と白人の良好な（ユートピア的な）関係を、そのように理想化したものだ。それはまた、ベイヤードと、父ジョン・サートリスの若い妻であるドリュシラとの近親相姦の緊張を、もっとも明らかな仕方で示した例の一つだ。この本のタイトルは、叙事詩的なものの原則に拠っている。すなわち、敗北というものそれ自体が、叙事詩によって召喚される、別の勝利へと高められるのだ。

幻視者フォークナー（表の第二系列に立ち戻らなければならない）は、この場所（大森林、正方形の土地、いくつかの地所、ジェファソン、つまりはヨクナパトーファ郡）で永遠に失われてしまった時間に集中する。それは、自然との一体性の、融即の、非−分離の時間であり、所有地、奴隷制、私利を手にしていた頃の、起源の時間だ。またそれは、一年のある時期に、狩をする人々が、儀式的に再生させようとする時間だ。この根源的な無垢の訪れを経験しなければ、私たちは第二系列の作品群がどのように水面下で結びついているのかを理解できない。郡全体が、じつに多様な人物造形のもとで、同じように、この時間の喪失に（あるいは、神とのかかわりで創造についていて述べるクローデルの言葉に従えば、「それがあるということがないことに」）苦しんでいるかのようだ。第三の系列に属する小説がフォークナー作品を展開してゆく開かれた面であるならば、『行け、モーセ』は、その完全に閉じられたままの原型である。

彼の意に反してピューリタンであるフォークナーは（第四系列）、この郡の物語から、絶対的な教訓を引き出そうとする。だが、その教訓は道徳的なものではなく、まったく形而上学的なものである。

二つの本は、ポパイとテンプル・ドレイク（後のゴーワン・スティーヴンズ夫人）とナンシー・マニゴーをめぐり、呪いの作用を増殖させる。それは、じつに怪物的な誕生とつまらない死の呪い（ポパイ）であり、うろつきまわる誘惑と子孫に降りかかる不幸の呪い（テンプル）であり、贖罪の犠牲により、子孫をもてなくなるという呪い（ナンシー）だ。どの場合にも、重要なのは血統の問いが引き起こす眩暈である。このことは後により深く考えよう。

『サンクチュアリ』と『尼僧のための鎮魂歌』が、宗教的儀式とそれを執り行なう場所の名前を借用しているのは、偶然ではない。つまり、私たちは結局、供犠のための犠牲というあの考えに辿り着く。犠牲になるものは、良いものであれ悪いものであれ、いつでも比類なきものだ。ポパイはテンプルを犠牲へと導き、テンプルはナンシー・マゴニーを犠牲へと導くが、この孤独な悲劇は、共同体の叙事詩的なものの両義性と挫折を補おうとするかのように見えるが、結局、むなしく終わるのだ。

緻密な文書管理人であるフォークナーは、この間に、おびただしい数の物語と短篇を積み上げる。そのように量産することのもっとも直接的な（そしてよく失望させられる）目的は、作家の家庭にわずかな金を入れることにあったように思われるが、そのような量産にこそ、彼の作品の活力源の一つがあることを、私たちは見て取るだろう。こうした小説をこの表のうちで分類するのは難しく、たとえば、これらの短篇をまとめた選集のうちでは、「ミシシッピ」関連と「ヨーロッパ」関連の短篇が混ざっていたりする。唯一、短篇集としては『駒さばき』だけが、郡の物語を集めたものであり、そのすべてがギャヴィン・スティーヴンズ（スティーヴンズ青年あるいはギャヴィン伯父）に関する話だ。フォークナーは『駒さばき』以外の短篇をその「地理」によってまとめることはなかった。おそらくそれは、作品全体の拡がりを保つためでもあり、それが引き起こす眩暈（時間と空間）を拡張するためでもある。

『標識塔』と『寓話』（第五の系列――「外の」情報の系列）は、フォークナーの三つの情熱のうちの二つとかかわっている。その二つとは、飛行機操縦と、戦争（『寓話』では一九一四年の戦争）の恐るべき試練だ（もう一つの情熱は狩猟あるいは騎乗）。しかも「急旋回ボート」のようないくつかの重要な短篇は、一九三九年から一九四五年までの戦争に関するものだ。『標識塔』

は、飛行機を運命と死の場所に仕立てあげている。

フォークナーのこうした情熱は、力への意志とかかわっている。それは、気高い獣を扱い、空へ達する魅力的な機具を操り、戦闘に勝利するという意志であるが、一番頻繁に現れるのは、個人的であれ集団的であれ、敗北の苦い喜びを統べるという意志である。

伝記作家と歴史家が示唆するところによれば、こうした情熱は、父や自分の家系の他の男たちの逞しさと溌剌とした男らしさに比べたら自分が弱々しいことから、フォークナーが青年期に悶々と抱いていたコンプレックスを、埋め合わせる方法だった。

事実、晩年の彼は、狩猟に熱中することで、それを取り戻そうとした。こうして彼は狩の危険に身を晒し、堂々とした名前のついた恐るべき馬を、体をぼろぼろにしながらも、何がなんでも飼いならそうとした。プレイヤード叢書の『アルバム・フォークナー』に収められている写真の一つ[2]に、ある狩猟の集まりの写真があって、彼が奥の方で映っている。フォークナーが張りあえるとしたらアルコール以外にないような、がっしりとした落ち着いた農夫たちに囲まれて、彼はいったいどんな思い（不安なのか、満足なのか）をめぐらせているのだろう。

この二つの本は、私たちをヨクナパトーファの遠方へと運び去るが、そこで不安を抱え、もがきながら暮らしている人物たちは、不満と責め苦の状態から抜け出せず、『サートリス』や『アブサロム、アブサロム！』の中心人物たちと同じく、不幸のなかで根深い怒りを示すのである。変わることも解消されることもない、この根深い怒りこそが、彼らに残されている唯一の尊厳だ。

したがって彼は、この国をすみずみまで歩き、あちこちで人々に尋ね、語り部たちの話を聞き、探査し、想像し、ありのままに再構成し、直観的かつ方法的につかみとり、ヨクナパトーファをその遠方へ投影しもした。しかし彼は、書くという彼の企図が終わりを迎えたとは考えない。彼、フォークナーを作り出したのは作品そのものであり、書くことのうちであまりに長いあいだ彼が前提としてきたことがこの先も実現される書き物によって強要されることを疑い始めるこの時から、彼は書くという企図を再び認めるのだ。すなわち、叙事詩的なものは尽き果てるが、この枯渇から彼の作品は湧き出るのである。

『自動車泥棒』は喜劇小説だ。古代ギリシャの悲劇三部作の幕間に行なわれるおかしな寸劇という意味で、この小説は喜劇的である。フォークナーの言葉はいつもユーモアに触発されており、短篇や物語にはいくつか滑稽なものがあるものの、こうした言葉によって親しげな笑いのざわめきが延々と繰り拡げられるのはこれが初めてだ。ある若者が、彼の祖父の使用人ブーン・ホガンベックと、魔術師のように家畜を操る馬丁と連れ立って、ボスの自動車を盗み、遠出をする（売春宿に行き、その後レース場に行く）。彼らはそこで車を脚の悪い馬に取り替え、そこにいるある種のプロ級の競走馬に向こう見ずに挑戦し、ある策略（腐っているか腐りかけた大量のサーディン）を弄して明らかに駄馬にしか見えないこの馬を伝説の駿馬に変え、勝利を手にする。この突飛な冒険のあと、屋敷に戻った彼らを待ち受けているのは、気弱くも杓子定規で堅物の父をねじ伏せる、徹底的に寛大な祖父だ。
〈大邸宅〉や館を、〈町〉やいかがわしい場所といった他所に結びつける点に、きわめて新鮮な手法（それはこの若者の無垢によって明らかにされる）が認められる。また、悲劇的なものと喜劇的なもののあいだに、競走馬が進もうとしないような橋を架ける点に。さらに、あの遥かなる現実（物がないところに、無理やり割って入ったような）がまだ十分に朽ちていないために、現実は純真さや子供時代や死の危険のない冒険を受け入れることも堪えることもできなかったのではないかと、想像あるいは示唆している点に新しさがある。

『村』、『町』、『館』。したがってこれらの著作において、彼、フォークナーに今まさに課せられているのは、拡がりゆくスノープス一族に対応するこの道を緻密に描き出すことだ。それは、彼がこのことに打ち込むのを好んでいたからではない。そうではなく、彼が放棄した規則（私はそれをこのように言い表したい。「現実に何かを付けたすことはできても、そこから何も差し引かない」）がこの最後の空間をくまなく歩くことを彼に命じていたからだ。しかし実際は、彼自身が認めるところによれば、三十年前から彼は、このスノープス一族のサーガの海へこぎ進んでいたのだ。それは、ちょうど、物事の始まりそれ自体のうちにすでに与えられている避けられない終わりのようなものだった。

スノープス一族の世界は、巧みに張りめぐらされた陰謀の世界だ。この陰謀は、忍耐を最大の決め手とする本能と的確な順応性に結びついている。このよこしまで凡庸な人々が郡を占有するという事態は、フォークナーから見た場合、郡の終焉を意味しているのだろうか。フォークナーの世界は最後まで悲観的なのだろうか。こうした問いは、書かれたものそれ自体をめぐる考察をふくみこむものでなければ、意味をなさないだろう(ペシミズムもその反対も、文学においては決定的な論点ではない)。というのは、記述行為《エクリチュール》は、少なくともそれがもたらす教えは、現実が、呪いのうちで、叙事詩的なものと悲劇的なものの失敗のうちで、ついには勝ち誇る凡庸さに従属するうちで、剝がれ落ちたあとにもなお、残っているものだからだ。スノープス一族は郡を征服したが、記述行為が郡に注ぎこんだものまでも奪い取ることはできない。彼らは平板な書き方で描かれている。それは彼らを描く場合の唯一の書き方だ。彼らは悲劇の苦悩を、翼の折れた叙事詩的なものの飛翔をけっして知ることはない。

映画の脚本もまた考慮に入れる必要がある。これらを書いたのは、フォークナーが徒刑囚としてハリウッドに鉄枷をはめられていた時期であり、彼の「文学的なもの」への執着が嘲られ馬鹿にされていた時期だった。この頃の彼は憔悴しきっていた。タイプライターから片時も離れず、とことん酔っ払って、死ぬほど仕事に打ち込んでいた。そこには確実に何か呪われたものが存在した。というのも、ある主題、ある筋書、ある脚本、ある対話を検討するとき、フォークナーはたちまちそれを拡張し(そう指摘されてきた)、全体性へ拡大し、世界という主題として構築せずにはいられなかったのである。しかし、彼は、直接的に、明確に、素早く書くことを要求されていた(そうやって彼が見事に仕上げるものは、きまって彼には満足のゆくものではなかったようだ)。映画の「季節労働の放浪者」である彼には、うまくいったのかどうかそのつどおぼつかないものだった、自分の本の映画化に対してはまったく関心を抱かなかった。彼は脚本という他人の物語をひたすら書き続けることに満足していた。自分の本が予想外に売れて、映画化を依頼されるときであっても、映画化に対する警戒を解くことはなかった。だから彼は成り行きに任せた。彼の名前は別の名前に変えられたり、映画のクレジットから消されたりした。彼の脚本は削除され、他人に書き直された。こうして多くの場合、わずかな金額だけが彼に支払われた。映画業界で作家と呼ばれるのは、脚本を一回で書き上げられ、複雑で分かりにくいことにけっして頭を悩ませず、誰よりも華やかな物書き《エージェント》である人々だ。後れて来るものの技法をほの暗い輝きを燦然と放つ完成の域へと高めたフォークナーは、いったいどうすれば自分の場所をこの業界に見つけられたというのだろう。彼がそこに見つけたのは、取るに足らない報酬だった。彼が作家という職業に支払ったものが報われない義務であったように、それは本来受け取るものとは反対のものだった。

彼は、自らの営みを(ほぼ)実現させてしまったことで、ようやく世俗の生活に加わる時間を、現実と俗界に真に加わる時間を得る。それは、彼にとって、これまで自分がその秘密の糸をじつに巧みに紡いできた南部のあの生活を、何よりも認めることを意味した。彼は必死に、地所を所有しようと(若い頃の貧しさとどっちつかずの心境を埋め合わせるためにそうしたようだ。その意味で彼はまさにサトペンのようだが、その土地所有の方法は穏便で平和的だ)、田舎紳士としての生活を送ろうと、狩人であり狩人以外の何者でもない『行け、モーセ』のアイク・マッキャスリンと、郡の地主たちのような所有地のオーナーを自分のうちで両立させようとする。それから、所有することや所有の感情を見事なまでに断罪した（それらの不確かでありそうもない帰結を示すことで）彼は、自分が作成したヨクナパトーファの国に関する地図の下に、「ウィリアム・フォークナーを唯一の所有者とする」という文句を書き込むまで突き進むことになる。そこには、たんに文学的領土に関する問題以上のことが感じ取れる。これが土台を提供し永続性を生み出す唯一の所有地であることを、彼が強調したかったのでなければ。彼は郡の不可能性とそれと切り離せない不満を克服し（スノープス一族の明らかな強奪にもかかわらず）、そこで（現実における）所有者、狩人、馬の調教師、酒盛りの愛好者であることを正当化するようになったように見える。フォークナーはその営みの正しさを認める。彼は、書かれたものが劫罰を追い払ったのであり、これからは南部の日常生活を快適に送れる、と自分を納得させたいと思う。

彼は世界を知りたいと思う。北への旅では、スカンディナヴィアとアイルランドを訪れる。アイルランドでは、彼は、この土地のアルコールである「ブラック・デス」と呼ばれるシュナップスをずっと呑み続けることによって、どうにか体を温め、会話に（突然、自分が口にするとびきりの愛想に活気づいて）応じていたようだ。南はヴェネズエラ。東は日本。しかしこれはおそらく彼にとっては西の方角への旅だった（西は、サン＝ジョン・ペルスの「いつでも西へ向かう者たち」にあるように、あらゆる叙事詩的彷徨が好む方角だ）。あたかも彼は、これらの基本方位を、記録的な速さで、すなわち彼に残された時間で、汲み尽くそうと望んでいたかのようだ。彼はたぶん自分の作品の国際的反響に驚いていた。もっとも、郡がヨーロッパの戦争へと延長することもあれば、それがミシシッピ州の周辺の小さな村へといくらか拡張することもあるが、彼の作品は、ヘミングウェイのそれのように世界を駆けめぐるものでもなければ、ドス・パソスのように、都市やメガロポリスや今日では「郊外」と呼ばれる場所を開拓するものでもなかった。

　彼は、自分の手で無数に作り出し絶え間なく交流してきたこの人物たちのおかげで著名人となってからというもの、文学的ではない仕事を依頼されるようになった。その一つは国務省への協力だ。彼は、よくないがしろにするものの、彼の揺るぎのない信念である反共産主義におそらく鼓舞されて、この要請を引き受けた。また、ときには表敬訪問の依頼も引き受け、陸軍士官学校のあるウェストポイントに赴き（もちろんこれは愛国主義者よりもむしろ南部主義者の反応だ）、士官学校生の聴衆に、おそらく狩猟の話や作品から引っぱってきたいろいろな話を面白おかしく話して聞かせることもあった。またこの訪問旅行の折に、ユダヤ人の乗員を乗せた一台の飛行機が送迎に来たとエステル・フォークナー〔フォークナー夫人〕は伝えているということだ。しかし、彼が断った招待もある。たとえば、ケネディ大統領がワシントンで開いたノーベル賞の祝賀晩餐会がそうだ（これは反ヤンキーの反応だ。これがカトリックのアイルランド人に対するプロテスタントのスコットランド人の反応でないならば。あるいはこれは、自分が思っていたよりもずっとあとになって認知されたのだとひそかに思う人間の礼儀をわきまえた遠慮なのだろう）。

　世界を駆けめぐること。彼は、郡やそれに先立って存在するミシシッピ州というその分身のうちで彼が導いた探究が、どんなわずかなことでも、細部のなかの細部——声音、しかめ面、会釈、叫び、競馬場にざわめく感情——にもこだわってきたその探究が、他所でも適切なものなのかどうかを確かめようと考えて、そうする時間をもったのではないだろうか。私が示唆したいのは、縮図－世界《レジュメ＝モンド》として描き出されるヨクナパトーファ郡の「全体的」性質に反して、フォークナーは、他所に張りめぐらされた細い根と他の場所との関係の無限の増殖が、自分の作品には明らかに、あるいは実際に欠けているように見える危険性があるとおそらく考えていた（または感じていた）ということだ。つまり、これが、全方位に出かけることで、彼がそっと比較しなければならなかったことなのだ。世界全体を意味するために、世界から離れたところで郡を維持することが正しいことだったのかどうかを確かめに行く必要があったのである。

彼の有名な沈黙は言われていないことに、より正確には、言いがたいことに満ちているように思える。だがそうした言いがたさは、作品の延長にあるというよりも、解説の始まりを暗示しているようだ。フォークナーの才能とは解説することにはないのだから、言いがたいのだ。彼はあまりに作りすぎ、おそらくこの途方もない戦いと並外れた成功に疲れてしまいながらも、この戦いと成功を、自分が言いたかったことのすべてと比べずにはいられなかった。もはや彼には、虚勢を張った態度をとり、ありとあらゆるたしかな薬物投与に対して頑なに抵抗することによって、肉体の悪化に苦しみ、さらにはこれを早めることしか残されていなかった。彼はもう馬に乗ることができなかった。

彼は、ある病院で他界した（一九六二年七月六日）と記録されている。そこは、彼の苦しんでいた種類の病気を治療できる病院ではなかった。彼は急患で運ばれたが、ここで人生を終えるとは思ってはいなかった。話によると、彼はしゃっくりのようなものをし、すかさず身を起こしたかと思うと、病院の寝台に永久に倒れこみ、息を引き取った。人の死に対してくどくど述べるのは慎むべきだろうが、私にはこう見えるのだ。ウィリアム・フォークナーは語り部として死んだ、そう、溢れ出る物語とそれを示す熱情をもった語り部として。一体、スノープス一族を描いたあとの彼には、なおも何か言うべきことがあったのだろうか。この最期の時に彼は大森林との交感の場面へと戻っていたのだろうか。

こうして「付録——コンプソン一族」をぎこちなく写したこの手引きは終わる。

私は、一九九一年の「にせフォークナー」たちの受賞作品のうちに、アレン・ボイヤーのテクスト（二等賞）を見つけた。これもまた「付録——コンプソン一族」を模作したものであるが、私のものよりもずっと面白おかしいやり方をしている。表題は「響きと怒り、補遺II」であり、これは次のように閉じられる。「しかし彼は、まさにその前に、彼の時代の環境と均衡を示すこの年に、彼自身の頂点（メダル、演説、つまり北欧のある首都で受けた抱擁の挨拶）を極めると、以後は空中戦や銀メダルの話を諦めてしまった。自分は物書きの農夫にすぎないと、絶えずそう言い続けるためにである。「私は物書きの農夫にすぎません」と彼は述べるが、これこそ彼のもっとも短くもっとも完璧な（簡潔な）フィクションである」（『サザン・レジスター』一九九一年夏号）。

作品を、彼の人格や彼個人（南部人、騎手、飛行士、アルコール通であると見なしていただろう）をずっと超えるところまで高めるというとてつもない野心を抱く彼は、それに突き動かされて、冗談で、こんな墓碑銘を書いたこともあった。「彼は本を書き、そして死んだ」。これは、自分が創り出したものの偉大さのうちに自分を滅したいと願う人間の誇らしげな謙遜だ。

これ以降、このFalknerの家族の者たちはFaulknerと呼ばれ、そう望めば、自分たちをFaulknerと名乗れるようになる。

ウィリアム・フォークナーの読者の要求には終わりがない。数人の読者と話していて、私は、フォークナー作品に関する、誰よりも啓発的な意見を聞いたこともあれば、誰よりも突飛な意見を聞いたこともある。そうした場合、彼らは、作品が生み出し運んでゆく漂流と眩暈に我を忘れ、どんなに言い募ることもためらわない。名前は伏せておくが、そうした読者の一人に私はある日こう言われた。まったくの戯れ言なので、それの意味することを分析もできなければ真に賞賛もできない、そうした言葉だ。「今やぼくたちは、全員死につつあることを知っている、フォークナーがある日死んで以来」。

黒と白のうちで

一九八九年、ルイジアナ州バトンルージュのサザン大学で、アメリカの黒人学生と教師からなる聴衆を前に、フォークナーについてまだまだ読んで考えるべきことがあると、私は力説した。彼らを前にそのことを述べるのに、どれほど勇気を必要としたのかは分からないが、ともかく私は自分のしていることをそれほど自覚していなかった。彼らはフォークナーを知っているはずであり、そうした彼らの前でこの主題の専門家を演じることが私の役目ではなかった。彼らがこの作家を「認める」のを拒むとしても、彼らはそうする権利を数多く持ちあわせていた。聴衆には、とくにまだ若い学生には、フォークナーを遠ざける理由が山ほどあったが、それと同じく作品を書いていたときのフォークナーもまた、彼らや彼らの将来《ドゥヴニール》に自己を投影することには関心を抱かなかった。

このことを別様に述べよう。フォークナー作品は、いわゆるアメリカ黒人の再解釈による作品読解が「効力」を発揮するようになったときに、おのずと完成するだろう。そうした再解釈は、まさに彼らの一部が行なっている。トニ・モリスンはその先駆者の一人だろうし、さらに私がここで行なおうとしているのもまさにそうした試みである。

そしてこの点は、すなわちこの作品の完成は、徹底的に「他なる」読解によって実現される。もっとも、彼の小説に黒人たちが住みついているからという素朴な理由でそう述べているのではない。フォークナーはこのミシシッピを「問い」の領域として選び、地理的境界で画された架空の郡のなかへミシシッピを凝縮することで、それを宇宙の次元にまで高めに高め、それを無限に拡大しようとしたが、そうするためには、彼は黒人を彼の小説に住まわせるしかなかったのではないだろうか。黒人は実際に彼のそばにいたのであり、この時代には、農村部に非常に多く住んでいた。彼らはFalkner家では召使であり、おそらく曾祖父（これは彼なのか、それとも父祖サートリスなのか）がかつて興したた鉄道会社では作業員であった。彼らは、ともかく騾馬引きや農業労働者や、場合によれば、小作人になり、クー・クラックス・クランの狂人たちに危害を加えられる危険が増すにつれて、森や畑のなかで人里離れて暮らした。彼らはまた、馬丁や雑役夫、街頭や田舎の浮浪者になった。

彼らは〈工場〉や〈大都会〉での経験をようやく身につけたばかりであった。彼らの一部は大都会のなかにやがて散らばってゆき、姿を消すことが多かった。奴隷制はそう遠い昔のことではなく（少なくとも彼の作品に漂う空気のなかでは）、ましてや南北戦争はなおさらである。南部の白人は当時、ニグロに進んでこの戦争の責任を負わせようとしたようだ。ともかく、これらの白人が連合からの離脱に踏み切ったのは、奴隷制のシステムを維持する権利を保ち続けるためだった。エイブラハム・リンカーンが合衆国を維持するためにこの戦争を始めたとすれば、リンカーンはこれを奴隷制廃止の大義名分のもとに終わらせたのである。

フォークナーは、その小説の土地に住みつく人々のうちに、黒人を入れるほかなかったのだと思う。彼は小説中で黒人にこうしたきわめて特殊で特異な役割を割り当てているが、このことは、そうした黒人の役割を現実の詩学の与件として認める前に、黒人の側からの批評のふるいにかけなければならないだろう。

他方で、もう一つの文学がある。これは南部にお決まりの文学（ところが、なかには良質な著者も非常に多い。しかもこの大量の作家集団のあいだには、一見するとはっきりとした絆はないのだが、彼らの文学の代表者であるフォークナーその人とは深い絆で結ばれていたようだ。そこには、シャーウッド・アンダーソンからユードラ・ウェルティ、フラナリー・オコナー、最近現れた黒人作家たちまでふくまれる。重要な指摘をしておけば、この一団の成員の多くは女性である）、つまり「写実主義」と郷愁の文学であり、いつでも決まって地方色を打ち出す文学だ（より地方的であろうとして〈中央〉をこきおろすのは、〈中央〉に無意識のうちに縛りつけられている証である）。この文学は、登場する黒人を大雑把に描いてきた。その人物像は、映画や音楽雑誌に見られるものに似ている。つまり、彼らは、目をぐるぐる回して白目をいつでも空に向かってむき出し、バンジョーをかき鳴らしたりタップダンスを踊ったりしながら、話す代わりに哀歌をうたい繰言を口ずさむのだ。

英雄的行為も伝説的人物も勇気も粘り強さも（ハリエット・タブマンも黒人兵士も逃亡奴隷も殉死者も）まだ広く知られていなかった。一九三〇年代初頭のこの時代には、ジェシー・オーウェンスはまだナチス・ドイツの中心部で開催されたオリンピックで金メダルを手にしていなかったし、ジョー・ルイスはマックス・シュメリングに勝っていなかった。ジャズの天才たちはわずかな稼ぎのために演奏し、男であれ女であれ、彼らはアパルトヘイトで定められたモーテルやバスやレストランに押し込められていた。彼らが演奏をしたバーは今や伝説の場所である。そこではビリー・ホリデイの悲痛な歌が永久に聞こえてくる。

フォークナーは、この型にはまった文学のステレオタイプから遠く離れ、これに接近することもなければ、黒人の「実際の」境遇を描くこともない。より正確に言えば、彼は、自分にとって意味のある境遇にいる黒人を描いている。だから黒人の存在は重要なのである。非常に濃密で具体的な姿（人物）のうちにまさに具現化する、この、黒人の一般化された意味《シニフィエ》。

フォークナーの作品のうちに描かれるその「状況」は、リチャード・ライトやラングストン・ヒューズやチェスター・ハイムズの本がそうしえたように、黒人共同体の発展を予見させるものでは、何一つない。ブラック・パンサー、他の有産階級と同じく貪欲な黒人有産階級、中産階級の台頭、マーティン・ルーサー・キングと市民の権利、マルコムX、モハメド・アリ、ヴェトナム戦争時の反植民地主義の連帯、スポーツ界やショービジネス界での億万長者のスターたち、フリージャズ、ホームレス、テレビのトークショーやホームコメディ（白人のそれと同じように、視聴者を引きつけるためのくだらない番組）、ロサンジェルス暴動、センセーショナルな訴訟、黒人将軍たち、ファラカーン氏〔アメリカ黒人によるイスラーム組織「ネーション・オブ・イスラーム」の指導者〕、都市におけるラップや貧困、殺人、麻薬、死の回廊においてガスや電気椅子や絞首による死刑宣告を受けた者たち、これらの何一つとして予見しなかった。これらは、アメリカ合衆国人口の一定数を占める黒人たちが、自分たちらしさを捨てずに、その境遇を生き延び、国民の生活へと深く参入するためになされたありとあらゆる努力であり、地獄だ。このことは、フォークナーにあっては、予見しがたいことであった。すなわち、少なくとも作品の次元においては、彼はこのことに興味をもたなかったのである。

　私たちは、ある共同体をその歴史から「切り取る」という、この「事物《もの》化」の方法を認める。そうすることで、意味のある共同体のスナップショットは生じる。それは、嘘でも本当でもあるし、すぐれたものでもあれば現実感に欠けるものでもある。たとえばサン＝ジョン・ペルスの『讃歌』のなかで描かれたアンティーユのクレオール民衆。そこに、私たちは、長い脚と琥珀色の肌をした「黒人の女中」たちの魅力と、台所を祭式にして呪文を唱える「黒人魔術師」の言葉の眩惑を強く感じる。しかし、私たちは、彼らの置かれた立場、苦しみを和らげるようなアイデンティティの形態に達することの困難、最終的には彼らが作ることになる歴史との格闘といった彼らのドラマのうちに、一瞬たりとも入れない。こうしたことはサン＝ジョン・ペルスには見出せない。要するに彼は、少なくとも作品の次元においては、このことに興味を抱かなかった。

フォークナーによる黒人の描写は「農民的」だ。その描写は、何の見通しも示そうともしなければ、歴史のうちに何も書き込もうともせず、むしろ反対に、絶対的始原へ遡る。始原とは、大地が、その最初の居住者である北米先住民と、ヨーロッパやその他各地からやってきた白人と、彼らが奴隷としてこの地に連れてきた、押し黙った苦悩する証人である黒人のあいだで分かちもたれるという、そのことで大地が苦しんでいる時だ。したがって、フォークナーにおける黒人たちの「状況」は、この始まりの象徴である。つまり彼らはこの根源的劫罰に（またはこの簒奪に）責任を負わない生き証人でしかなかった。彼らは、〈歴史〉をつうじて、この劫罰を自分たちの手で担いはしないだろう。彼らは〈歴史〉を作らない。先住民は少なくとも本来の郡からは（オクラホマへの危険な脱出によって）実際のところ姿を消してしまったため、この問題が、根源的責任を負うという苦しみの種であるこの問題が差し向けられるのは白人だけなのである。

しかし白人は変わった。彼らは、作品の次元においてでさえ、ある歴史のうちに「入って行く」。スノープス一族の手口についてはこれまで多くが語られてきた。すなわち、新たな富裕層で成り上がり者のこの一族は、郡の空間に侵入し、少しずつ富を摑み（土地、店）、サートリス家やコンプソン家その他を彼らの根源的劫罰を堅固にする無のなかへ押し込む、あるいは彼らがスノープスのようになることで完全に堕落することを余儀なくさせる。こうしてサトペン大佐は一八六六年に彼の地所の入口に惨めな小さい店を開く羽目になる。またジェイソン・コンプソンは一九五〇年頃から少しずつとげとげしくなり、世に隠れた守銭奴として、病的に吝嗇くさくなる。

スノープス一族は責任を負わず、そのためにあまりに凡庸だ。彼らは大森林で暮らしたこともなければ、どんな契約にも署名したことがなく、どんな良い条件も手放すことはない。フォークナーの作品世界は、叙事詩的なものと一連の問いかけを蕩尽してしまう、このスノープス一族の増殖のうちで、最後には平板化〔散文化〕する。

それでもなおスノープス一族は次のことを意味する、すなわち、白人は変わったのだ。作品中で変わらないのは、ただ黒人だけだ。なぜなら、これは当然のことだが、彼らはこの根源的劫罰に責任を負っておらず、そのことに苦しみ、「ずっと堪え」、郡の不可能な条件を（彼らの境遇そのものによって）証言することを、絶対の任務としているからだ。絶対を変えることはできない。

黒人の描写はまったく不動のものだ。彼らは不変である。彼らを閉じ込め、彼らを意味する農民性は、『死の床に横たわりて』のバンドレン家のプアホワイトにとっての農民性とまさに等しく、絶対を見張る場所だ。ただし『死の床に横たわりて』の農民性は、フォークナーが田舎の環境を描く場合とは異なる。それは選ばれた農民の合唱隊の苦悩と聖性を帯びた驚異なのである。

起源（郡の起源とその呪いの起源）をめぐるこの隠された一連の問いかけに対し、作品はそのつど、永遠に後れて来る〈時間〉と〈死〉の無限の境界に至るまで）答を与え、より正確には、その答を提示する。黒人は、この問いかけのうちに居続け、それを受け入れてしまい、その問いかけから脱却できない人々であり、また、そうした人々を表している。

アフリカ系をふくむまでに拡大した家族は、ここでは系譜の構築を望むことがなかった。拡大した家族はこの意味で系譜作りの失敗にまったく直面しない。このようにこの家族が没歴史的で責任を負わないものであるとしても（私たちは、周囲から影響を受けた若い頃のフォークナーが、ニグロを、先を読めない子供のように見なしがちだったことを知っている）、サトペン家の滅亡、コンプソン家を腐敗させる衰弱、サートリス家の消滅、アイク・マッキャスリンの断念、エミリー・グリアソンの病んだ狂気のあとにもなお、それは存続し続ける。詰まるところ、フォークナーの予定表では、血の混交《メティサージュ》が黒人の変化の一つとして考えられていた。つまり、ある種の文化的・遺伝的スノープスとして、ムラートが現れるはずだった。少なくとも、この点は、いくつかの家系のうちに読み取れるものだ。だがこのことはいったん脇に措いておこう。

「郡の不可解で不可能な状況によってこの地は絶対的なものになる。すなわち、郡は解決策のない矛盾の場所であり、そこに生きる人間の条件は研究すべきものではなく、逆に問うべきものなのである」〔本書三九頁参照〕。この問いが「発せられる」とき、問いは憶測に満ち、問いが必ず有する残酷さや冷酷さは、この場所と、出身地がどこであろうとそこに実際に住む人々に対する無限の愛の網に絡めとられるのだ。

作品＝営みとは、現状報告書を作成するような、現実を描くような〈行為〉ではない。しかも作者は、何よりもバルザックの名とじつに緊密に結びついてきた、あの「注意深い観察者」ではない。より正確には、そこに認められるのは、「観察者」は重要だが、さらに重要なのは「注意深い」という考えだ。バルザックはそんな風に読者を脅していると思われてきた。すなわち、あなた方読者が十分に注意深くないのなら、何かを見落としているというわけである。フォークナーにとって、「注意深い」とは「酷薄」であると同時に「巻き添えになった」ことを意味しているのだと思う。ここに、暴きのもたらす目もくらむような緊張が生じる。矛盾の感覚、語り手に対する疑問視、この不可能なものの予感、不可能に対する情熱は、そこでは避けがたい。

《They endured.》彼らは堪え忍んでいた。彼らは堪え忍んだ。私の考えでは、多くの研究者が（しかし私が念頭に置いているのはおそらくミシェル・モール氏だけだ）、この《to endure》という動詞を持続の密度と関連づけてきた。この関連性はフランス語ではより一層はっきりしている。つまり、彼らは「持続のなかにいた（ils duraient dans）」という意味で、「堪え忍んでいた（ils enduraient）」のだ。フォークナーの詩学に従えば、黒人が持続のなかへすべり込むことができるのは（猫が、何もせずにじっと動かずにいることで、最後は永遠に打ち勝つと言われてきたように）、彼らが歴史を統べることができないからである。すなわち、悪魔をそそのかすこともなければ、領地を築こうとして地獄に堕ちることもなく、自分たちの血統を保証するというただそれだけのために人を殺すこと（こういう「真剣な」理由のために殺したり殺されたりする人々が――白人が――そうするように）もないからだ。もっとも、いかなる場合であれ、彼らがここではそうした手段を有していなかったことは措いておこう。彼らは執拗に持続するのだから、殺される他はないのである。最後のコンプソン家の人間の一人であるジェイソンは彼らとは反対だ。ジェイソンは、彼の姪クエンティンから養育費を着服し、彼の白痴の弟ベンジャミンに去勢を強い、不毛と侮蔑と怒りの夜と昼のうちへ突如として引きこもって、スノープスの、無残だが避けがたい台頭と繁栄を見物するに至る。

持続あるいは内なる持続《アンデュレ》〔忍耐〕は（これを徹底的に引き受ける、すなわち、フォークナーにおける黒人がするように、何の計算も予感も計画も企図もなく、これに絶対的に苦しむことによって）、〈時間〉の苦悩に打ち勝つ何よりも完全な、すなわち何よりも具体的な方法の一つであるのではないだろうか。

作品に黒人が象徴的に存在することのもう一つの「理由」は、彼らが土地とそこに生息する動物と結びつく要素であるからだ。フォークナーがある程度珍しい土地特有の動物を示そうとする場合には、彼は「あれやこれとニグロが呼ぶもの」という示し方をもっともよく行なうと言える。まるでニグロによるこの呼び名は、普段のものよりもずっと重みのある権威と呼称を備えており、しかもそれが事物の秘密の知恵を明らかにするかのようだ。土地や動物とのこの結合と融合の能力は、白人家系を築いた伝説上の始祖とその直系の子孫が特権的に有していたものでもあった。彼ら「叔父たち」（マッキャスリン、マッカラムなど）は、勇壮な狩猟を行ない、河川を渡りめぐり、きらめく冷気に包まれた夜明けのなかを手探りで進み、凍った小屋に寝泊りし、バーボンを闇で取引した。しかしこうしたことはすべて彼らにとっても彼らの後継者にとっても失われてしまった。自然との交感は土地の所有を正当なものとして確立できるようなものだったが、これは、サートリス家の物悲しい凋落とコンプソン家の病的な衰弱とサトペン家の底なしの失墜に沿って剝がれ落ちてゆき、スノープス一族の無情と悪徳と勝利の裏工作のなかに文字どおり沈みこんでしまった。フォークナーによれば、黒人はこの自然との接触を保ち続けてきた。黒人は、その属性によって、事物の古い秩序をもっとも伝える証人である。そしておそらく理解しなければならないのは、彼がいつかこの秩序の網の目を再び張りめぐらせる運命にあるということだ。

彼〔黒人〕は一人ではない。彼と同じく、出来事に対する権力も支配力ももたないまた別の人々がいる。それは、黒人（女中）であれ白人（おば）であれ、女と子供であり、郡の重苦しい過去から派生する絡まりあった運命の論理に直観で近づく人々だ。女と子供はこの過去に触れており、それをまさに作者のように心と頭のなかに一種じかに有している。彼女たちは一見すると思いがけない仕方で、つまり無秩序な仕方で振る舞うが、それは彼女たちの参照点がそこにあるからだ。つまり、他人には分からない事柄や多少ともたしかな考察からしか推測できない事柄を知っているという、この直観的知恵のなかに彼女たちの参照点はあるからだ。女と子供が、知っていることの一部や過去の一部を語る場合には、この参照点を利用することもその動機を明確にすることもない。おばたちは当然のこととして子供を産まず子孫をもたないが、そうした彼女たちにとって、過去の予感は自分たちが苦しみながら受け入れる運命と劫罰を認めることにいつでも通じている。子供にとって、この予感は、場合によっては死を招きかねない他所へと自分たちをむりやり送り出す、通過儀式の強力な要素だ。彼女たちの物語はいつでも後れて来る暴きである。すなわち、後に見るように、彼女たちは、現実全体を支配しているが、作者も郡の人々も読者も確信をもって把握できないあの祖型へ確実に遡行するのである。

女と子供（彼らの無垢）はこの原型の圧迫を他の人々よりも強く被っている。この人々が驚愕するのは、数多くの驚くべき不幸の後にも、まだそこにいて、そこで暮らし話しているという、ただただそのことだけだ。この驚愕は悲劇的なものに対するものだ。驚愕はだんだんと拡がってゆき、私たちが汚染と呼んだもの――その原理と拡大については後ほど評価しよう――をとおして進行する。驚愕はこの祖型、この原型、劫罰の明かされた闇であるこの原初的な「後れて来るもの」に源を発する。同時にそれはこの「後れて来るもの」の暴きを準備する。

フォークナーにおけるニグロ、すなわち「数に入る」者たちは、白人の女と子供とは異なり、過去を語ることはない（家の多くを預かっているディルシーなどの黒人女中でさえそうである）。彼らは過去について語らず、過去に苦しみ、その苦しみをとおしてなお過去を永続させる。彼らは過去を再創造するが、それは反復的であり、自分たちの「身の丈」だけにこだわっている。彼らは人を汚染することもできなければ、例外を除いて、どんな変化にも決定を下せない。その例外とは、たとえば、サトペンと黒人女奴隷とのあいだの娘クライティが、『アブサロム、アブサロム！』の終盤で、屋敷に火を放ち、この未曾有の破壊によってサトペン家の歴史の終わりを永遠に記念する場合などである。

フォークナーが書き始める時代には、元奴隷たちによる自伝が公に出版されていた。彼らは自分たちの境遇から逃れ、教育をとおして、奴隷制のシステムとそこから利益を得ていた者たちを審判する権利をすでに獲得していた。今世紀〔二〇世紀〕の初頭、いくつかの協会がまだ生きている最後の元奴隷たちを調査して、その生き残りに語らせようとしたことがあった〔三八四頁「九八頁」への補足」参照〕。一九三〇年代、四〇年代には、黒人の真の境遇を描写するリチャード・ライトの『アメリカの息子』と『ブラック・ボーイ』が出版された。南北戦争のあいだ、多くの家内奴隷が（だが畑で働いていた農耕奴隷とは断じて異なる）主人に従い、また彼らを助けたというたしかな事実があるとはいえ、リチャード・ライトの場合には明らかに、旧奴隷と旧主人とのいわゆる一体化や連帯の痕跡を、それらが隠されたり偽装されたりしたものであっても、まったく見出すことができない。リチャード・ライトの拒絶は全面的だ。そこにはいかなる禁欲も昇華もなければ、許しのきっかけすら存在しない。

ウィリアム・フォークナーがこれらの著作を読んだことはおそらくあった。彼がこれらに動かされることも影響を受けることもたぶんなかったように思われる。おそらく彼は、黒人の反逆の叫びが当然の成り行きだと認める一方で、それに責任をもつのは自分ではないと腹を決めていたのだろう。ただし全体を眺めれば、彼がこれに関して矛盾した意見をもっていたことが分かる。その意見は、人種共学化や、さらに二度の世界大戦の死者の慰霊碑へ黒人兵士の名前を（ただし「別の」リストに）書き入れることに対して、好意的な見解を述べるほどに矛盾しており、この見解のために、彼は最終的にオックスフォードでたいへん気詰まりな立場に置かれることになる。

フォークナーは公民権の闘士でも社会改革者でもなかった。むしろ彼は、その本性と役割からして——彼の書く行為《エクリチュール》は社会改革のための空間をあまり与えない——単なる反動家である以上に保守主義者だった。しかも彼は、後に詳しく見るように、南部の様々な不正に対して、誰かがそれを暴くことは受け入れないにせよ、目をつぶっていたわけではない。彼はこの点において、彼が考える以上に、合衆国の人間だった。アメリカ合衆国の市民は自分たちの社会に対して徹底的に冷徹な批判的分析を行なえるという、多くの民族には見られない長所を備えているが、この同じ明晰な分析家たちは外国人の視線が彼らの欠点を罰する場合にはこれをほとんど受け入れないか、受け入れてもまさにしぶしぶでしかないことに、私たちは気づかされるのである。

そのうえフォークナーはその階級の特権性とその郷土から自分を引き離すことができなかった。彼はアルベール・カミュについて次のように書いている。「私たちは同じ不安を分かちあっていた……」。それはどんな不安であったのだろうか。それは確実に、実存主義の思想家の心を揺さぶる不安ではなく、むしろそれとは別種の不安であった。すなわち、正義を理解すべきであるが、これが自分の仲間に反するものであるかもしれない以上、(正義を真実から切り離すことになるとしても)正義の声を発してはいけない、という不安であった。

さらに言えば、フォークナーが南部について「その判断をこのように宙吊りにする」ことにはもう一つの理由がある。彼は暴きの曖昧さを彼が展開する悲劇の原動力として必要としていた。南部の「不吉さ」を確かめる言明は、作品における暴きの過程を永久に中断するものだったのだろう。暴きの不可解な（いずれにせよ、語られない）繋がりのなかで、それをとおして、考えられる本源的な不正とは劫罰であることが明かされるのであり、過ちが悲劇の発端となるのである。文学は証言や立場の選択をしのぐ。文学が現実の考えられる評価という評価を超えるからではない。そうではなく、文学が現実に対するもっとも深遠なアプローチであり、最終的に唯一の有効なアプローチであるからだ。

こうした考えからフォークナーは黒人を容赦なく扱い、彼が作中に置くあらゆる人物に対してそうするように、荒々しく、一切の文体的配慮の類いもなく、ときにはきわめて型どおりのやり方で、彼が払うべき敬意と考える非情な公正性でもって、彼らを描く。

決まり文句。それは描写の流れに任せて、きわめて迅速に撒き散らされる。「見事なまでにじっと動かぬ、猟犬のように痩せこけたニグロの若者」[1]。さらにこの男は「黒人種特有のまじめくさった、素朴な喜び方をしながら」笑う。[2] または「黒人種特有の見事な感覚で演技の見せ場を心得て」いる、などなど。[3] こうした束の間の描出は、ぎこちない身体や素朴な魂としてのニグロの包括的な知覚、要するに、まさにニグロの形相をめぐる理論に従っている。この理論は露見せずに、ひそかに彼らのものではない肖像のうちに取り込まれる。それは型どおりのシルエットである。

実際、白人はニグロのことを理解できないと、作品中のある場所から（作品を横断する人物たちの誰かの口をとおして）語られる。しかも、一番近い星から、その場所を突如として別の角度で眺める、すなわち、「黒人は白人のことを理解できない」と捉える視差や視角は見出せない。あたかも白人だけが理解するという欲求を感じているかのようだ。ともかく、ニグロだ。それは、個々の姿の見えない群衆のような、あまりに型どおりのシルエットだ。これは〈他者〉の不透明性の尊重なのだろうか。それともアパルトヘイト・システムの始まりなのだろうか。誰にも侵されないアイデンティティの密度なのか。それとも無関心から来る怠惰なのか。こうしたことはそれぞれの人物によりけりであり、彼らは作中でその考えを表している。

仮借のなさ、あるいは非情な公正性。ニグロが登場する短篇の数はきわめて多く、長篇にいたってはなおのこと多い。しかも、白人はほぼ決まって、あるときは憎み、あるときは蔑み、またあるときは劣等性を平然と確認するなどして、ニグロに言及している。フォークナーは、こうはっきりと描くにあたって、いかなる残酷さを前にしてもたじろぎがない。どうやったら動物的な人種差別が、郡に住むこれらの人物たちの一部から滲み出るのかを確認することに、彼は取りつかれているのだ。それはフォークナーがついでに仄めかすものであり、彼の意見はまったく開陳されない。だから彼がこの人種差別に反対したり断罪したりしているのか、または容認ないし賛同しているのか、といったことを絶対に言うことはできない。

短篇「みな死んでしまった飛行士たち」[4]に登場する飛行士の一人は、ある予期せぬ状況を前にしたその驚きを示そうと、こう無造作に語り始めている。「おれはニガーはニガーだと思っていた」[5]。またオールド・ミス・ジェニーは、ナーシッサが申し出た助力を拒むためにこう言っている。「必要なことは大してないね、ニグロたちだけで十分用は足りるんだからね」[6]。これこそが、君たちを啞然とさせる描写（日常会話に差し挟まれる、ごく当たり前の言い回し）である。

仮借のなさ。これは一例を挙げるだけで十分だ。次の引用は、黒人に関して作中で発せられるすべての発言を要約している。「あとになって、バックおじは、自分が間違っており、小さな子でさえ知っているはずのことすら忘れていたことを認めた――ニグロをおびきよせたときには、そいつの真ん前や真後ろに絶対立っていてはいけないのであり、いつでもそいつの脇に立つべきなのだ。バックおじはそのことを忘れていたのだった」[7]。小さな子供でも……。というのも、ニグロの事物《もの》化はイデオロギーにかかわる事柄ではないからだ。それは本能に由来する。人種差別は心の奥底にある。

こうした描写、こうした決まりきった眼差し、こうした仮借のなさは、普通のニグロに関係している（「声の抑揚も変えず、どうやら何の努力も、何の思惑すらもなしに、ルーカスは、ニグロではなくニガーになった、謎めいているというよりは、むしろ本心の分からない人間、卑屈でもなく、自分を消し去ろうとするのでもなく、ほとんど匂いのような、時間を超越した馬鹿げた無感覚のオーラに自分を包みこむ人間となったのだ」[8]）。作中に束の間の痕跡だけを残して通り過ぎてゆくニグロがいる一方で、意味することを、「責任を負う」ことを引き受けるあの別のニグロがいる。この別のニグロはその不幸とその貧窮のなかにいる例外的存在だ。彼らの主人であり、そのあとは彼らの雇用者である白人は、彼らをひそかに尊敬し、眩暈に満ちた内的独白のうちで、おそらく彼らこそが唯一の生き証人であることを打ち明けてさえもいる。こうして、ルーカス・ビーチャムというニグロの遠い親戚の白人である、あのロス・エドモンズは、ルーカスとの人間関係をめぐる多くの問題を抱え込むことになる。「彼は思った、それも初めてのことではなかった――**おれは、自分の顔よりも年齢を重ね、ずっと多くのものを見ることで分別に長けるようになった顔を見ているだけではなくて、おれ自身の名もない先祖の血が様々に交じりあってこのおれを生み出したのとはちがい、大部分が一万年ものあいだ純粋だった血を体内にもっている男を見ているのだ**[9]」。このように、白人ロス・エドモンズがすでに自分自身を混血の産物だと考えていたのに対し、黒人種というルーカスのうちで優勢な種は、純血のまま残る。これこそが、無意識で無自覚だとはいえまさに人種主義的なやり方で、フォークナーが白人に対する黒人の優位性を認めていると言われてきた理由の一つではないだろうか。

サム・ファーザーズ、ルーカス・ビーチャム、ディルシー、ナンシー・マニゴー、他にもまだ数人いる。

スノープス一族の「最後の」物語が平板な記述《エクリチュール》に（郡の架空の年代記のうちに見られる迂回や錯綜や躊躇の痕跡はあとかたもない）、つまり、不確かさが入り込む余地のない、「後らせる」こともなければ「後れて来る」ものを生み出そうともしない、写実主義の記述に従っているとしても、黒人はここでもフォークナーの記述のうちで、きわめて特殊な地位を占めている。

スノープスと黒人という、郡のこの二つの「究極的存在」については、レジス・デュラン氏が、アラン・デヴェルニュ氏の写真集『ヨクナパトーファ、ウィリアム・フォークナーの国』（マルヴァル出版、一九八九年）[10]の序文において同様の指摘をしている。「フォークナーの世界は血統の悲劇の世界である。唯一存続するのは、適応能力と昆虫やネズミの貪食さをもっている者たち（たとえば、スノープス一族）か、環境のせいで、持続すること、待つこと、生き残ることが第二の本性になった者たち（奴隷の子孫、「堪え忍ぶ」者たち）である」。
　後者がどのようにフォークナーの記述のうちで扱われているのかを見ることにしよう。

　フォークナーにおける語りの技法の幅は、すでに言われてきたとおり、三つの「契機」ないし三つの叙法に及んでいる。これらは比較的表しやすい。すなわち客観的語り（荷馬車はこれらの道をがたがたと進んでいた……）、主観的語り（この森に入りたくなかったので、彼はここをただ迂回しようと心のなかで思うのだった……）、内的独白（そう、おれはこの騾馬を売りに行くと思い込みたかったのではなくて、ただそうしたかっただけだ……）がそれである。こうした叙法は、後れて来るものの欲動のもとで、その叙述自体によって（またそのうちで）難解になったり問題をはらんだりする。その叙法が、たとえ直接的あるいは「客観的」な語りである場合でもそうだ（荷馬車は自力で、誰も見通せなければ見抜けない何かに向かって進んでいるように見え、だからこれはこの道をがたがたと進んでいるようだった……）。それだけでない。これらの叙法は、ある同一の段落や同一の文のなかでさえも縺れ合うのであり、こうした場合は印刷上の取り決めが（私がここで従うのは、フランス語版で使用されている取り決めである）これらをそれぞれ区別している。この場合、第二の叙法（主観的語り）は時折り引用符に入れられ、第三の叙法（内的独白）はつねにイタリック体で、引用符に入れられ、しかも時折り丸括弧でくくられる。第二の叙法が黒人に対して適用されることは非常にまれであり、第三のものに至っては皆無に等しい。

フォークナーにとって語りや語りに沿った暴きは、白人（振る舞い、所有し、戦争を行ない、搾取し、決定する者たち）のみにしかかかわらず、したがって、意識の内面性、その深み、その動揺、その眩暈の場所である先の二つの叙法（主観的語りと内的独白）は、それらを独占する彼らの存在のみに可能であると考えるよりも、むしろ私はこの方法上の選択のうちには、自分はけっして黒人も先住民も理解できないだろうことを知り、実際にそう認め、また、全能の語り手を気どることも、自分にはうかがい知れないこれらの意識に入り込もうとすることもおそらく嫌いだ（さらに彼の目には馬鹿らしく映る）と認める者の明晰さと誠実さがあるのだ（要するにそれは、自然的であって、美学の秩序に従うという意味で規則正しくもある寛容さだ）と考えたい。

フォークナーの語りにおけるニグロの「形姿」は（ここでは「数に入る」ニグロについて話している）、現象学的様相を呈している。すなわちそれは、何の「深み」も渇望しないという、嘘のような姿だ。これらの証言者たちは、シルエットとして、暗い背景と南部の土地の重苦しい空気のなかで浮かび上がる。しかしこれらのシルエットは作者の操り人形ではない。それは途方もない影たちの群れであり、その輪郭、自分たちの周囲へ移動するこれらの予測不能なすべての塑像は、叫びである以上に喋る者たちである。こうした黒人の登場人物たちの態度と行動が反映し、時折り、倫理的な議論として翻訳されるのは、まさに白人の登場人物たちの意識においてだ。それはたんに、白人がこれらのニグロを自分より劣った存在であると確認しながら、彼らをいたわるというだけでない。場合によっては、白人は、一見するとじつに無秩序に見える彼らの行動を明示したり正当化したりすることについて、ときには、この正当化を表明することについて、なぜそれが可能であり必要であるのかを言い表そうと努めるのである。

「あいつ〔ルーカス、サンボ、ニグロ〕は、われわれを打ち負かすかもしれないぞ、堪えに堪え、生き抜く力をもっているのだから」[11]、「…」、「黒人は希望をもたないときですら忍耐力をもち、その果てに何もないときですら、遠くを見通す力をもっているのだから」[12]、「やつらはどんなことにも堪えることができるのだ」[13]。

そこには現実の明らかな理想化がある。たしかにそのために元奴隷と黒人農夫自身の物語は参照されているが、その物語は、南部の社会を成り立たせている二つの要素〔白人と黒人〕のあらゆる共犯的感情をまったくといってよいほど認めずに、南部主義者たちが「失われた大義」の後に想像するおとぎ話を追い求めるのだ。

それでも、南部社会、とりわけ「南北戦争以前《アンテ・ベラム》」の時代の南部社会を研究する歴史家たちのなかには、白人と黒人のあいだには間違いなく実際の文化的相互作用や「相互交換」があったと断言する人々がいる。それは、生活慣習、芸術、おそらく音楽にさえ及んでおり、宗教、手仕事、労働、余暇においても確認できるという。ただ、他の歴史家たちはこの観察にふくみをもたせている。争点は次のことであるように思われる。すなわち南部社会とは、支配する側と支配される側の二者を統合する文化を備えた社会なのか、それとも二つの分離した文化を組み合わせた社会なのか。だがどちらの場合でも、共犯なき「相互作用」はありうる。ともかく宙吊りのままの問いは次のようになるだろう。文化的相互作用あるいは「相互交換」は、混交、混血、つまるところクレオール化の兆しなのだろうかと。

フォークナーは南部の状況から疎外されていたのでもなければ、差別主義的な美しい月を追い求めていたのでもなく、黒人と白人の関係の闇を形而上学としてただただ全力で打ちたてるのを望んでいた。なぜなのか。郡《カウンティ》の確立（創造）の闇には、過ちと劫罰のもたらす、意識のうちでは解決できない、筆舌に尽くしがたいものがあるからだ。あたかも彼にとって、奴隷制の欠陥は倫理的な苦しみ、言うなれば〈存在〉の苦しみであって、抑圧と不幸がもたらす物理的苦しみを担うよりもずっと過酷なものとして担わねばならない、消しがたい堕落（〈歴史〉には存在しないもの）であるかのように、すべてはなされる。しかしこれはまた、奴隷制擁護者にとって、取り返しのつかない欠如でもある。

彼は労働者を容赦なく使ったり奴隷を死ぬほど鞭打ったりする現場監督を稀にしか描かない。不公平は他所にあり、それはここよりもずっと根深い（しかしながら『館』には、あのクラレンスがその暴力を解き放つ様が見て取れる。「…クラレンスとその一味は主義のためとしてニグロを私刑《リンチ》に処した。ニグロを一個人と見なして折檻したのでもなければ、チャールズの伯父ギャヴィンの話では、外観がちがい、それゆえ本質的に敵である黒人種の代表者として戦ったのでもなくて、(ギャヴィン伯父の話では、クラレンスもその一味も、それがそうであることを知ろうとしないので、この点に気づいていなかったのが)異人種であることを恐れていたから、私刑を加えたのだ」)。[14] フォークナーが、作品中では稀な教育的弁舌、まさにギャヴィン・スティーヴンズのそれにおいて、彼が「誤り」であると考えていることを露わにする場面がある。とはいえ、すかさずその考えを手荒く後ろに引っ込め、突然自信を取り戻すのだが。「「いや違う」と伯父は言った。「私はただ、不正はわれわれのもの、南部のものだと言ってるだけだ。われわれは、助けなど求めず、忠告さえもお断りして(感謝はしても)、自分たちでその償いをし、それを廃止しなければいけないんだ」」。さらにギャヴィン伯父は「われわれは、ルーカス〔ニグロ、サンボ〕に対しては、〔…〕その責任があるんだ」と付け加える。[15] これは人種差別に対する最大限の心遣いだ。だがもちろんギャヴィン・スティーヴンズは、これが真実だとけっして気づこうとしないのだから、そのことを知る由もない。

フォークナーは、郡に住む白人の登場人物たちの意識を打ちのめし苦しめるものを、後らせつつもそれを明らかにすることに専心する。彼の天才は、黒人の登場人物たちを不透明で不可知だが意味のある意識のような存在として操ることを直観的に選択している。

以上が登場人物について話してみたことであるが、これは言い古されたことである。郡には人々しか存在しない。彼らは作品よりも前に存在している。眩暈の形而上学はこのフォークナーの民をかくまい、いわゆる小説的なあらゆる取り決めから彼らを免れさせ、平板な物語の規範の外に集める。

サム・ファーザーズは、ここでは決定的に見える「特徴」を備えた人々の一人である。彼はあらゆる物事の始まりにいて、「大森林」の恩恵を受ける特別な存在として作中を通り過ぎる。大森林のなかでは、いかなる始原の場面も上演されない。なぜなら、この森とその住人はそれそのものとして永遠であり、自分たちのほかには何も所有していないように見えるからである。(相手を誘惑し、子を作る女たちはこの場所にはいない。狩人たちの女嫌いを語る物語のある側面を除いて)。これが、まさしく、まるで人から生まれたことがないかのように、サム・ファーザーズに関して言われることである。「彼自身が血の戦場であり、その勝利の舞台でもその敗北の霊廟でもある」[16]のだ。

彼は、奴隷の母親からニグロの血を、チカソー族酋長の父親イケモタビーから先住民の血を、半分ずつ受け継いでいる。

サムの父は簒奪者である。彼は、チカソー族の王位の正統な後継者だった甥を公然と毒殺し、やがて部族の長の地位に就くやいなや、ただちに土地の一部を白人に売り渡し(譲渡し)、黒人奴隷の取引をあからさまに行なう。ともかく彼は、この取引に関しては祖先のやり方を何一つ変えず、それどころかそのやり方を一層徹底した。

サムは、必要以上のことは何も話さず、原始林とそこに生息する動物との交感のうちで孤独に生きる。とりわけ彼は熊のなかの熊であるビッグ・ベンと交感する。大熊は深手を負っても(ヴアルカンやブーン・ホガンベックのように片足の自由が利かない。ブーンもまた大森林の始まりにいたが、やがて郡の歴史の終わりにいるようになる。ところで郡のなかの何人かのよく知られた人物は足が不自由である。また、フォークナーが片足が不自由なふりをしてみたのは戦争で受けた傷であると信じ込ませようとしたからだということを、私たちは知っている)、相変わらず生きている。

それでも寡黙な人サムは子供たち(赤の他人の、彼の主人の子供たち)には進んで意中を打ち明けている。その相手はアイク・マッキャスリン少年であり、ずっと後には、コンプソン少年である。あたかも無垢は真実の儚い王国であることを、サムは知っているかのようだ。

彼には子孫がおらず、それゆえ、血統をめぐるあらゆる野心を断念しており、そもそもその誘惑を一度たりとも経験しなかった。熊のビッグ・ベンにしても同様だ。この熊は、妻たち息子たちみんなに先立たれた、すべての「頭」にして「祖父」であるが、誰の父でもない。

サム。「……七十歳の老人であり、今や二世代のあいだニグロとしてとおってきたのだが、顔や様子はなおも父であったチカソー族酋長のそれであった……」[17]。

熊。「……孤独な、不屈で単独で、老いた大熊。子供のいない男やもめであり、死の運命さえ超えた存在——老妻に死なれ息子たちみんなに先立たれたギリシャ神話のプリアモス……」[18]。

さらには、「…さらにあの老いた大熊そのもの——妻もなく子ももたぬまま、あまりに長く生きてきたせいで自分が自分の生みの親になった大熊……」[19]ともある。

マッキャスリン一族、そしてコンプソン一族に融けこんだサム・ファーザーズは、黒人たちのなかで暮らし、彼らのように衣服を身にまとうが、彼の有する先住民の特徴を手放すことはない。彼は、これらの家族の奴隷で所有物であるのに、誰の命令も受けない。とにかく、彼がそれに同意しないかぎりは。彼の行動は、その動機が後れて来るものとして発見されるまでは、予測不可能なのである。

「ここの誰もが、おまえの父親やバディ伯父でさえ、サムに対しては、したくないことを何一つやらせなかったと知ってるだろう?[20]」

「少なくとも少年の目にはニグロのサム・ファーザーズの方が威厳があった――サムは少年の従兄弟のマッキャスリンとド・スペイン少佐に対してだけでなく、あらゆる白人にも、その厳粛で威厳ある態度を見せていて、ニグロが白人相手に見せるお手軽な笑いやへつらいで心を閉ざそうとするような卑屈さはなかった[21]」。

彼は少なくともマッキャスリン家の二世代にわたり狩猟と森の知識を伝授する。最初はアイクの甥で従兄弟のエドモンズ・マッキャスリンに、それから地所の真の後継者、「男系の血筋の後継者」であるアイク・マッキャスリンに。原始林の儀式をとおしてアイクを教育する物語は、『行け、モーセ』の内容を構成している諸短篇と、『これら十三篇』のうちに発表されたその他の短篇の核心を扱っている。アイザックというこの子供は、ほぼ瞬時にアンクル・アイク老人になる。彼もまた直接の子孫をもたず、事実上は所有地ももたない。それゆえ彼はこの地所の正統な継承者にもかかわらず、それを一度として要求することもなければ、相続した土地に住みつくこともない（十五歳年上の甥で従兄弟のエドモンズ・マッキャスリンの手中に、彼は財産と土地を明け渡したままだ）。彼は、およそ八十歳まで、狩猟をけっしてやめず、彼の真の地所である森を手放さない。だが森は文明に避けがたく侵食される。開墾する農民、投機目的の地上げ屋、徐々に性能が高まる自動車、徐々に便利になる商業流通網といったものに。

フォークナーの読者の多くがこのことを知っている。これは、読者に対する秘密ではなく、むしろ議論の余地のない明らかな真実だ。あからさますぎるほどの真実。だが結局考えなければならないのは、どうしてサム・ファーザーズ（この複数形は、彼に与えられたもう一つの名によれば、「二人の父をもつ者」を意味している）が先住民の血を半分引いているのか、またもしそうなら、どうして彼がニグロの血を半分引いているのか、またもしそうなら、なぜこの二つの血が同じ身体と同じ魂、すなわち同じ呼吸のうちに一緒に流れているのか、ということだ。というのも、サムは、ルーカス・ビーチャム同様に、けっして混血児や混交の産物を表していないのである。私たちの推測では、フォークナーはそのことをまったく肯定的に評価していなかった。

彼はいくつかの場所で、奴隷の血がチカソー族の王の息子の血のうちに流れ込むことのもたらす「堕落」というべきものを、また少なくとも、その裂傷と苦悩を強調していた。問題は奴隷の血であり、血の非正統性ではない。サムを生んだ女が酋長の妻ではなく、彼女が奴隷だったこと、ただそのことのみが重要だ。サム・ファーザーズは私生児ではなく、奴隷のニグロである。ところがサムは、彼の先住民の血を理由に、自分を奴隷と見なすことを拒むことになる（それでも私たちが思い返すのは、イッシティベハーの死の機会に逃亡した奴隷のことであり、この奴隷を追跡する先住民たちのことだ。「二人は共に沼にかけられた丸太の上にいた——痩せこけているが、身がしまり、丈夫そうな、疲れを知らぬ、死に物狂いの黒人と、ずんぐりした、やさしい顔つきの、すっかりやる気がなく嫌がっている様子をしたインディアンとが」[22]）。

これらの問いはすべて、そして血と人種をめぐるこれらの議論はみな、私たちの理解がとうてい及ばないまま、徒労で終わってしまうのだろうか。そうしないために私たちは、郡あるいは南部のうちでは人種が決定的に重要な事柄であるにもかかわらず、フォークナーがそこで言おうとしているのは人種とは別の事柄であることに気づこうではないか。彼は第一に、システムの罠に捕らわれた、白人、黒人、先住民といったこれらの人々の関係——詩学においては〈関係《ルラシオン》〉と呼べるもの——が驚くほど明らかに不可能であることを言おうとしている。しかも彼はまた、彼らの人種や境遇にかかわらず、どんな理由からでもシステムに対抗する人々の、名誉と勇気と意志を維持することを意図している。ある先住民が語る次の言葉を読むとき、このことがよく分かる。「この世ももう終わりだな。白人どものために、次第に台無しにされるんだ。長いあいだわれわれは幸福に暮らしてきたんだ、白人どもが黒人をわれわれに押しつけるまでは」[23]。フォークナーはいくつかの場所で彼の観察を前進させ、奴隷の所有者になった先住民が、白人よりも一層怠惰になり、肥り、残酷になる様を描いている。これは、過ちをおそらく共有させることを意図した、独特の観察だ。

ともかく私たちがこの老人の言葉の寓意を正確に理解するならば、奴隷制こそ、人間の本性を、誰よりもまずそこから利益を得ている者たちの本性を堕落させている、ということである。だからサムは、未完成なもの、完成の半歩手前にいるものとして描かれているが、そのサムがどうしてこれほど絶対に接近するのか。その理由は、彼が「続き」のない純然たる始まりであり、子供に対して以外には、いかなるときでも意中を打ち明けてくれないことによるのだろうか。

フォークナーは、コンプソン家の黒人女中ディルシーの意識の「なか」と同じく、サム・ファーザーズの意識の「なか」には入らない。サムは、郡の民を巻き込む悲劇の始まりにおり、ディルシーは、あるナチスの将軍のそばでポーズをとっているキャディ・コンプソンの写真をまじまじと眺めながら、それがキャディだと認めようとせず、ヨクナパトーファの遠方と呼んでもよいものの具体化を後らせることで物語を閉じる。このため、この遠く離れた、理解しがたい世界のうちで、郡の人々はキャディのように姿を消し、ゾンビになる。

サム・ファーザーズが黒人であり先住民であるのは、彼が自分のうちに同じ一つの過ちの多様な側面を集約しなければならないからである。生みの親イケモタビーは彼の兄弟・従兄弟を殺しただけでなく（正当な行為として理解されず認められないとしても、大目に見られた行為）、このために王位を簒奪し、奴隷の雄・雌を売買し、その雌の一頭とこの二股の存在（サム）を作ることによって、すべての均衡を保証する正統性をまず損ない、それから正統性の目に見える外形である血統を傷めた。これこそが、郡の悲劇のすべて、すなわちサートリス家、コンプソン家、サトペン家とこれらの家系に同伴する人々の悲劇なのである。

「付録――コンプソン一族」と『行け、モーセ』を読む際の信条として（「サムは、老ドゥームが自分と母親を奴隷として売ったことをおそらく恨んでいなかった。それ以前から荒廃は始まっていたとおそらく信じていたからだ――彼ばかりか父のドゥームのなかの戦士と酋長の血も、母から受け継いだ黒い血で汚されていた、と[24]」）、ずっと信じてきたことが、私にはある。それは、あのイケモタビー、（ニューオーリンズに滞在中に）フランス人の騎士によって「デュ・オム」と名づけられ（しかも私たちは短篇「紅葉」をとおして、この騎士がスール＝ブロンド・ド・ヴィトリと名乗っているのを知っており、その描写から想像するに、彼は最期を迎えた老ヴォルテールに似ていたにちがいない）、したがってチカソー族（あるいはチョクトー族？）の最高位の長を意味する「人間」の名を冠したイケモタビー＝ドゥームが、サム・ファーザーズの正真正銘の父である、ということだ。

　この同じ「紅葉」は、別の短篇「正義」と同じく（どちらもかなり前に読んだ）、「サムがパパと呼んでいた者」、つまりイケモタビー＝ドゥームの側近の一人で、たしかクロフォードという名で返事をしていた先住民が、どのように一人の奴隷の女を、彼女と暮らす奴隷の男と争い、相手よりも権力があるのを（この奴隷に比べた場合だ。もちろんドゥームと比べているのではない）利用して、この女と会う手筈を整えるのかを語っている。こうしてサムが生まれたわけだが、このヴァージョンでは、サムの父はイケモタビーではなかった。

これらの短篇はまたドゥームとその直系の後継者であるイッシティベハーとモケタビーの物語を混ぜ合わせている。だから私は、サム・ファーザーズの二重の父性をめぐる正確な叙述を思い出さないように（私は、どちらかというと眩暈を愛する読者だ）気をつけた。どちらのヴァージョンが最初だったのか、またどちらが正式に認められたヴァージョンだったのか。フォークナー研究者たちがこの問いに接近し、議論し、おそらく解決してしまった可能性は濃厚だ。ただ私は私自身の手でこの問いと格闘し、私がこの渦のなかで生き残れるのかどうかを試すことを望んでいた。

「付録――コンプソン一族」では、この同じドゥームが結局白人たちに母と子を売ったとされる。この箇所から、私はある視点についてかつて検討したことがあった。それは、奴隷制による父性（あるいは血統）の堕落についての一視点であり、不確実ではあるがそれなりの説得力のあるものだった。この視点に立てば、要するにドゥームは農園主サトペン（彼もまたハイチで母と子を捨てた）を裏返した狡猾な等価物であり、サムはエジプトで売られたヨセフ〔旧約聖書創世記の逸話〕のようなものであった。二つの短篇のヴァージョンはこの視点を反駁するものだった。なぜならサムの父、つまり彼の生みの親ではないドゥームは、母と息子を売り飛ばしてその血統に背くことはまったくなく、わずかな値段しかかからない商品から十分な利益を得ているにすぎなかったからである。

私は「紅葉」を読み返した。自説を諦めかけながらも、ドゥームがこの奴隷の女から彼の仲間

（臣下）を遠ざけようと絶えず実行する思いも寄らない策略は、ほかでもない次のことを意味していると、私は確信していた。つまり、彼は正義に適った行動をとっているふりをしていたのであり、そのあいだ、このニグロを守り、女とその相手の先住民のあいだの障害を増やしながら、実際はこのことを利用して、今度は自分がこの女のもとを訪ねようとしていたのである。ドゥームは腹黒いがそれ以上に本心が分からず、何に対しても完全に無関心である。彼は、どんな不幸の代価を払おうと、所有することを好む。彼はどうしてこれほど執拗に自分の臣下ではなく一人の奴隷の肩をもつのだろう。いや、そうではない。彼は自分の仲間である一人の他者から所有力を公然と奪うことによって彼の秘められた所有を覆い隠しているのだ。彼がこの女に目をつけており、しかもそれに成功したことも、誰一人として一度たりとも見抜けない理由は（読者も、おそらく彼の別の側近スリー・バスケットを除き、物語に登場するすべての人物も）、彼の本性のうちにある。彼はみんなを騙したのだ。まずニグロを、ついで同じ部族の男を騙し、そして読者を騙すのである。ただこの女だけが真実を知っているが、彼女には発言する権利が一切ない。

これらの二つの短篇はサム・ファーザーズの父性をめぐる物語を入れ子構造にしている。だから彼の父親は二人ではなく、三人いたことになる。つまり、表向きはサムの父であり、すっかり期待を裏切られた奴隷のニグロ。自分こそ父であると言い、最後までそう思われていた（「サムがパパと呼んでいた者」）イケモタビーの配下。そして本当の父であるが結局そのことを隠し、秘密のうちに勝利を享受するもののそんなことはどうでもよかった、ドゥームその人。

奴隷、臣下、王という、三人の男たちが一人の女をあたかも生気を欠いた物体であるかのように相争うというこの物語は、プランテーションの記録簿（強姦はそこの規則だ）のうちに、たとえドゥームの地所がコンプソン家やサトペン家の者たちやド・スペイン大佐などとじつに縁遠い関係しかもっていなかったとしても、はっきり見出せるものである。

　このことは眩暈となり、遺棄のうちにとにかく崩れ落ちる。この打ち捨てられた場所に、明らかにする分だけ隠そうとするフォークナーは、私たちを導く。

　同様に、先ほどから話題にしている「紅葉」のうちには、二人の父をもつ者《ハッド・ツー・ファーザーズ》がイッシティベハーの黒人奴隷の追跡（イッシティベハーの墓標に犠牲として供される）に参加するのを、束の間だが（ある境界の一方の空間で）確認できる。ところが参加するといっても、その男は重要な役割をまったく担わない、要するにチョクトー族の無名の成員の一人であり、とくに特別な理由も隠された理由もなく、ただそこにいるためだけに言及されているにすぎない。これとは対照的に、この同じサム・ファーザーズについて、「熊」や短篇「正義」においては、彼が母と一緒に白人に売られてしまったこと、そしてその生涯にわたってニグロの襤褸小屋で、荷馬車の車輪や犂の刃作りに従事しながら、暮らしていたことが語られている――ただし熊やキタオポッサムやダマジカの狩の期間である「十一月の最後の週」は別である。この時期、彼はコンプソン将軍、ド・スペイン少佐、マッキャスリン家の人間、ブーン・ホガンベックを連れ立ち、オールド・ベンを狩るというよりも探しに行く。彼はどのように、この同じ時期に部族から一度として離れたことのないチカソー族の普通の成員として、登場することができたのか。

　さらにまた、短篇「ウォッシュ」では、サトペンの息子が――これはヘンリー以外にありえない——南北戦争のあいだに名誉ある死を遂げたことがはっきり語られているが、私たちは『アブサロム、アブサロム！』をとおして、彼が腹違いの兄弟ボンを（一八六五年に）領地（サトペンの百マイル領地）の門前で撃ち殺し、一九〇九年までこの領地に身を潜めて生きていたことを知っている。これはサトペンが息子の戦死を信用すべき考えとして広め、郡の住民はサトペンに敬意を表してこの栄誉に同意したかったということなのだろうか。

たしかに私たちは、ここで問われているのが、多様で矛盾のないいくつもの瞬間、さもなければそうした見かけであり、郡を駆けめぐるこの「絶え間のない意識の流れ」であることを知っている。ある同一の出来事が、ここでは異なる時間にいる異なる人物たちによって、あるいは意見や興味や信条をその異なる時間のあいだに変えた同一人物によって、様々な仕方で生きられることもあれば、解釈されることもある。私たちの銘記する最後の言明が、それ以前の言明を無意味にすることはない。このために、フォークナーは空想を逞しくする読者や影響力のある批評が矛盾と呼ぶものにはまったくかかずらわなかったのであり、彼にとってそれらは矛盾ではなかったのである。だからニグロにして先住民であるサム・ファーザーズ（二人の父をもつ者）は、彼を見て彼を「知っている」と思う人に応じて、いくつかの場所で同時にチョクトー族の狩人でもあれば黒人奴隷でもありうるのだし、どんな機会にもそうでありうるのだ。彼はあらゆる矛盾から逃れる。それはフォークナーも、おそらく彼に従う幸福な読者たちも同様だ。私は、倒錯した血統と傷ついた正統性という仮説を、自分のために手放さず、依然手にしたままだ。

正統性の探究と血統の保証は、領地と家系を築こうと試みる場合にしろ、自分たちは世界の新たな創造のために選ばれた故に「創設者」、最初の人間になるのは自分たちだと思いなす場合にしろ、儚さと持続を同時に克服することを約束する。

イケモタビー（彼は、与えられたデュ・オムという名前から、その手で選んだ名前、すなわち呪いや劫罰を意味するドゥームを作り出した）は自分がこの最初の人間、この本当の創設者ではないことを漠然と知っている。

たしかに、数世紀来の堆積をなす人種が混じりあう場合には、この交雑の混乱を原初の統一性への回帰によって乗り越えようとする誘惑が強まる。人は〈存在者〉である偶然から自分の身をしっかり守るために〈存在〉の真理を追い求めるようになる。だからたとえば、人はすべてに正統性を与えてくれるような始原に立ち戻ろうと試みる。そしてこの正統性を何の欠陥も何の断絶もなく後世に伝えようと努力する。こうしてイケモタビーは、正統な血統という簒奪者たちの抱く強迫観念に取りつかれるのである。

彼がサムとその母親を売ったことを、私たちはこう考えることができる。彼はそうすることで過ち、あるいは親殺しの危険から自分の身を守ろうとしたのだと。ここで想起しておきたいのは、神話上ないし歴史上の征服を成し遂げた英雄の多くは、王または神の私生児であり、その血と苦悩のなかで自分たちの創設や不滅の正統性を作り上げたということだ。彼らは一人残らず自分たちの血統のうちで恐れを抱くか、苦しむ定めだ。たとえば、古代ギリシャの英雄ヘラクレス（彼は何であれ一度として王にならなかった)、ギリシャのもっとも古い物語の一つによればリディア王にしてアトレウス家(ゼウスの両方の息子)の祖先であるタンタロス、また、小さな部族の王の私生児でズールー族の皇帝になるシャカ〔アフリカの叙事詩的英雄〕などがそうである。ヘラクレスは、女神ヘラによって彼の身に降りかかった狂気の餌食となり、彼の妻メガラと三人の息子たちを殺め、タンタロスは息子ペロプスを殺し、その肉を神々の饗宴に差し出すが、これを冒瀆と受け取った神々は彼に永劫の罪を与えた。シャカは男子(彼の妻に無理やり産ませた唯一の男子)を、やがて世継ぎとなるわが子と敵対することを恐れて、殺させた。

私たちが思い起こすのは、これら王者たちの勝利の儚さであり、彼らの不滅(オリンポス山のなかに迎え入れられたヘラクレスは歴史から抜け出て、もはや誰も彼の消息を知らなくなる)は彼らの決定的な敗北に由来しているが、この不滅は死によって、さらには死よりもずっと過酷な苦しみを与える、家系という家系の不在(さもなければ、その誕生において呪われた子供)によって制限されていることだ。

先住民と白人と黒人が出会う、大陸の仄暗い片隅のこの仄暗い十字路で起こった悲劇はまさにこういうものだったのである。イケモタビーはそこで簒奪者と創設者の現実的にして象徴的な役割を、その不可能な役割を生きた。サム・ファーザーズはそこですべての父、すべての父祖の場所を、その不可能な場所を担った。私生児の征服者たちの勝利の手札の代わりに、彼に残されているのは、沈黙と消滅である。彼の父と彼はコンプソン家とサトペン家の運命を先取りしている。

こうした混乱と交雑と出口なき葛藤の場面のうちでは、贖罪の本質に立ち戻るのは避けがたいことなのだろうか。そうした場面では、自らを「デュ・オム」であり、最初の人間（「存在」の先触れ）であると本気で信じ込むことは避けがたいことなのだろうか。余計な指摘かもしれないが、最初の人間とはアルベール・カミュの未完の作品に選ばれた題名である。このなかでカミュは彼の幼年期と思春期を、純粋さとして、あるいは雑多な堆積として描き始めたのだった。今世紀初頭のアルジェリアはたしかに前世紀中頃のミシシッピとは異なるが、何を諦めなければならないのか、何に同意しなければならないのか、というサスペンスは同じである。

そして私たちは、これまでとは異なる人間性《ユマニテ》を、改めて、しかも全面的に開始するのだろうか。また、そのように始めることはできるのだろうか。

サム・ファーザーズが混血児ではなく、先住民であると同時に黒人であることはすでに認めたとおりだ。奴隷の血は彼の堕落を意味するが、彼はこの血を必要ともしている。それがなければ、解きほぐせないものはなかっただろう（サン＝ジョン・ペルスの「王の光の開拓地」——詩篇「幼年時代を寿ぐために」のエピグラフ——と『讃歌』の冒頭の「……そこでは大きすぎる樹木たちが、暗い素描に疲れ、解きほぐせない契約を結んでいた[25]」にも同じく見出せる）。

この解きほぐせないものこそが詩のテクストを作り出し、世界の無秩序を見事に積み上げながら、その無秩序を秩序立てる。

すでに見たように、サム・ファーザーズは沈黙する濃密な現存、取り返しのつかない現存を生きる。彼の役目は、計画も希望もなく、ただ存在することだけである。それゆえ、先住民と白人と黒人がその始まり以来、立場（先住民）と行為（白人）と情念（黒人）のあいだのヒエラルキーが存在しないものとして生み出してきた、この解きほぐせないものは新たにあるのだ。奴隷制のもたらした長き順応は結局この契約を解消した。重要なのは、この契約を作り直すことだ。

ディルシーはこのような悲劇の終焉にいる。すなわち、コンプソン家が滅亡するときに。私たちはプランテーション文学のうちに伝統的に見出せる、あの人物像を知っている。その人物は寛大な心をもっているか、あるいはもっと単純に無理な仕事に理由も分からず縛られており、主人たちの家族のために陰ながら犠牲になる、そうした奴隷や召使である。彼女は家族の真の大黒柱の一人であり、物事の決定を下せるのは彼女を抜きにして他には誰もいない。日常は彼女に属しており、このことは一般に次のように言い表せる。「彼女は台所と、寝室のある階では女主人として実権を握っている」。たとえば同じく私たちは、ルーカス・ビーチャムの妻であるモリーがエドモンズ家の母親を亡くした一人の子供に乳を飲ませ、「作法や礼儀——目下の者には親切に、同僚には高潔に、弱者には寛大に、年寄りには思いやりをもって、あらゆる人間に礼儀と誠実と勇敢さをもって接すること——を教え[26]」、育てたことを知っている。この子供がロス・エドモンズであり、私たちは彼の親であるニグロのルーカスに対する彼の困惑した顔を詳しく観察するだろう。黒人女が白人の子供にこうした貧乏紳士の理想を教える。フォークナーの証言によれば、まさにマミー・バーが彼のためにそうしたように。

黒人女中はカリブ海文学や南米文学のうちに見出される登場人物である。黒人女中が現実のうちの真実の一部におそらく対応している分だけ彼女を堪えがたく思う私たちは、その慣習的描写に対して何度となく激昂してこなかったか。

フォークナーは始まりの書物である『行け、モーセ』をマミー・バーに捧げた。

乳母《マミー》に捧ぐ
キャロライン・バー
ミシシッピ
（一八四〇〜一九四〇）
奴隷制のもとに生まれ
私の家族に惜しみなき
私欲を離れた忠節を
子供であった私に
量りしれぬ情熱と愛を捧げた

ここには献辞を捧げる作家の愛情と誠実さ（同じく観察できるのは、献辞を捧げた相手の名前の下に彼が書き込んだものは、オックスフォードや、たとえばキャロライン・バーの出生地などの他にも考えうる場所ではなく、彼のすべてを集約するミシシッピという名であることだ）が見出せるものの、この「献呈の言葉」は、似たような状況に着想を得た多くの書物が私たちを苛立たせてきたように、私たちを苛立たせるものだ。たとえば、ルイジアナから来たラフカディオ・ハーンの、マルティニックを舞台にした小説『ユーマ』[27]のなかに、黒人の女中（乳母、ダー）が素足に残忍に嚙みつく毒蛇に堪えながら白人の赤ん坊を腕に抱え、その命と引き換えに子を守る、という話があるように。

こうした「危害を与えないニグロたち」（彼らは主人にとって危険ではない）のために奴隷制は失効しない。それは苦しみであり、負わされた意義だ（だがこれは白人たちの意義である）。これらの人々は過去（家族の過去）について語らず、自分たちの強迫観念と狂気に駆り立てられて働いた白人たちよりもずっと奴隷制に苦しむ。

ディルシー（彼女の敵であるジェイソン・コンプソンは「黒人女」と呼んだ）は型にはまった人物ではなく、手ごわく、手のうちの分からない人物である。彼女の役目はずっと昔から、辛い日常から脱しながら、この家族の死、この家系の終焉、この創設の崩壊をそのつど全うすることにある。彼女は、ほとんどスノープス一族の人間であると言ってよいジェイソンの恐れる唯一の人物だ。彼女は解きほぐせないものが残り続けるということを希望のないままに意味する存在だ。彼女は心の広い女中ではなく、忌避できない証人である。思うに、彼女はサム・ファーザーズの実の母親を表している。より正確に言えば、サム・ファーザーズの生みの親はディルシーとしてついに母親となったのである——たとえディルシーがラスター、フロニー、T・Pという自分の子供たちを当てもなく成り行き任せにしているように見えるとしても。

私たちカリブ海の人間に対し、私たちの過去の預言的ヴィジョンは、黒人女奴隷たちが彼女たちのうちで上げてきた叫びを私たちに聞かせる（「眼は聴く」[28]）。「土を喰え、奴隷制の子を作るな（Manjé tè pa fè yich pou lesclavaj）」。これは女たちが主人やその種付けの代理人らによって強姦された場合、土を食べれば彼女たちの流産を早められるという信仰を仄めかしている。この唯一の叫びのうちにどれほどの苦しみがあることか！　ディルシーの苦しみと同じく執拗な苦しみ。

おそらくこの苦しみは（私たちの考えでは、これは普及はしたが希望なき抵抗の計画であった）数少ない犠牲の機会だけを生み出し、これら黒人女の苦しみは、ディルシーのそれと同様に、果てしない忍従のうちで凝り固まったのだろうか。

他方で、マルティニック、さらにはたぶんカリブ海地域全体には、白人男と黒人女から生まれたムラータという登場人物の型があり、今度はこの人物がほとんど公の女主人としてその地位を固めそれを保持することになる。ミシシッピでは寛大な心をもった女中を「マミー」と呼ぶように、ムラータを「ベル」〔美女〕と呼ぶようだ。

一七世紀と一八世紀のサン＝ドマング（ハイチ）とマルティニックにきわめて豊富な南国的官能文学は、うっとりとこの「産む女《クレアトリス》」を登場させてきた。だが、それはフォークナー作品には登場しない。もちろん、黒人情婦は数多く見られるが、妾のムラータは登場しないのである。ホーレス・ベンボウが交際する「産む女」は（実際は彼の妻だ）その特徴から非常にムラータに近く、ベルと自ら名乗っているものの、この範疇にはまったく属していない。「ベル」たちはここでは南部の優雅な官能の園を飾る白い装飾であり、ムラータたちとは無関係である。（例外的な）黒人たちは作中ではうんざりするほど道徳的に正しい人間であり、常軌を失した気難しさの持ち主だ。たしかに、道徳家なのだ。ただそうあらなければ、彼らは証言し「堪え忍ぶ」ための実際の術をもたなかっただろう。彼らはおじ、乳母ではありうるが、たしかにベルではありえないのだ。

これとはまったく反対に、この郡世界には根源的な反抗的人物像、すなわち、フォークナーに非常に近いウィリアム・スタイロンがその肖像を描こうと試みた、あのナット・ターナーのような、根源的な逃亡奴隷のスケールをもった人物は見当たらない。『征服されざる人々』におけるサートリス家の黒人召使の一人は悪意を胸に逃亡するが、その肖像はすぐさまある種のジャンルの決まり事のうちへ打ち棄てられる。フォークナーは解放闘争の同時代人ではなかった。ルーカス・ビーチャムやディルシーのような人物は彼らの唯一の不透明性にただただ基づいて心を閉ざし、頑ななままでいる。

これらフォークナーの黒人たちの多くは意外なことに交雑の産物である。それは公にはまったく認められていない南部の風習であったが、フォークナーがこの風習をこれほど取り上げていたのは驚くべきことだ。ルーカス・ビーチャムは老キャロザーズ・マッキャスリンの直系の子孫であり、サートリス家の黒人女中エルノラ（文中では「カフェオレ」と言われる）は老大佐の異母姉妹である。ほとんど白人であるクライティはサトペンの娘だ。拡大した家族の解きほぐせない網の目。ルイジアナにおいてまさにそうであるように、白人と黒人の血統はその網の目において交じり合う。しかしここで重要なのはこの点ではない。この混交が想起されたり、それが「別の方向」へと向かったり、何らかの混乱を引き起こしたりする、そうした機会はまったくない。私たちがここに見るのは、「境界線を越え」、ゲットーから脱出するか、せめてそうしようと試みる、個々の黒人女たちにとっての好機だ。しかしながら規則はあらゆる混合性を徹底的に忌み嫌う。隷属の体制においては普通のことであるように。クレオール化（これは混血に還元されるものではない）が進行するまさにこの場所では、基本原則はそれを罰することである。

クレオール化はフォークナーの気分を害するものそのものである。混交、混血、さらにその合力から生じる予見できないもの。

彼の問いかける太古のものが、絶えず変わり行くそれのうちにあるのだとすれば、これを実際にどのように摑み取ればよいのか。カリブ海というクレオール化の地は、太古のものを召喚しない場所だ。解きほぐせないものとは、混交のことではない。サトペンが家系を築く試みで最初の失敗に出くわす場所は、もちろんハイチである。この地でサトペンは自分が騙されたことに気づき、驚愕する。彼の妻には黒人の血が入っており、息子は混血児であったことが判明するからだ。しかし彼が郡に住みはじめたとき（「内に秘めた荒々しい苛立ちの完全な奴隷」）、彼が一緒に連れてきた野蛮なニグロたちはまだ英単語一つも知らなかった。「ニグロの連中とサトペンがやりとりする言葉がフランス語の一種で、ニグロ特有のわけの分からない不吉な言葉でないことに気づかなかったのは、さだめしエイカーズだけではなかったのである」[29]。間違いなく、この「フランス語の一種」とは実際にはハイチのクレオール語であるものの、郡の人間たちはこの言葉を「わけの分からぬ不吉な言葉」と思うことしかできない。サン＝ドマングやグアドループのすべての農園主がそうであるように、サトペンはクレオール語を話す。彼が自分のうちで滅したかったのは、まさにこの点である。

世紀の転換期に、原初の真実を探求する二人の放浪者がマルティニックに接近した。その一人は、この土地《ペイ》に魅せられた、ルイジアナ人ラフカディオ・ハーン。彼はこの土地の現実について数冊の小説と数多くの文章を書き（なかでも、ルイジアナ、グアドループ、ハイチ、マルティニック等のクレオール語の諺を集めた、『ゴンボ・ゼブ』という小品は貴重である）、その後、日本に向けて旅立ち、その地で文学的営為を成し遂げ、別人になった。もう一人は、ポール・ゴーギャン。彼はマルティニックに一、二年住んだ後に、オセアニアに行き、そこで画法を再発明した。本当は二人ともこのクレオールの、現実を変化させる玉虫色の煌めきを摑み取ることに困惑した（苦労した）はずであり、この現実を、強度のない、一種の軽さの変異、括弧に括られた存在のようについには見なさなければならなかった。少なくとも私はそう考えている。ハーンは日本人に、ゴーギャンはオセアニア人になるという、彼らのほとんど錬金術的な転成のもたらす極端な享楽と苦悩。彼らの意識にあったのは、他者性というものを説き伏せよう（慣れよう、わがものにしよう）と欲しつつも、その境界をうろつくことだけであったにせよ、この極端な享楽と苦悩は、彼らがクレオール化の享楽と苦悩を生きることも受け入れることもおそらくできなかったという徴であった。アンティーユでは抑圧と明らかな諦観の歴史の合力として現れるクレオール化が、彼らの目には気どったもの、荒廃したもの、本質の頽落にしか帰着しえないように見えたのであればこそ、そうだったのである。それゆえ、ハーンとゴーギャンはもっと重い場所を、千年以上続く伝統を、つまりは恒常性や起源を探し求めたのだ。時間は「交換をとおして変化するもの」それ自体を今の今まで検討してこなかった。

フォークナーは変化＝交換の運動を理解したが、それが郡に及ぶ場合には率直に拒んだ。彼は南部の状況を夢見る際に、ある驚くべき綜合を思いつき、（伝記研究者カール氏の評価に従えば）そこで黒人であり白人である唯一の人種を実現しなければならないと主張した。彼が混血した人種とは言わなかったのは明らかである。

黒‐白人は、堪えがたい憎悪を解消し、不正を放免するが、いくつかの絶対を保護する。黒人と白人はそうした絶対であるが、混血児は呪われた存在だ。これはサム・ファーザーズが混血児ではなく、黒人にして先住民であるのとまさに同じである。私の見当では、マッキャスリン家とサトペン家の黒人の子孫はフォークナーにとってムラートではなく実際には黒人であった（**「老キャロザーズは堂々と自分の家の裏庭でニガーに自分の私生児を産ませたが、夫であれ誰であれキャロザーズに楯突こうとした者はいなかったにちがいない……」**[30]）。プランテーションはこの子孫が黒人であることを裏づけている。この世界におけるムラートは、大森林が耕作〔文化〕の焼畑に侵されていったのと同じように、文明の進歩に蝕まれた混血児である。

フォークナーは、絶対の問題を展開するために、黒人を絶対として必要とする。黒-白人種が（いわゆる奇跡のように）出現するということは、忌まわしい混血を避けつつ二つの絶対を調和させることになり、したがって南部の統合を保持することになる。このことは、南部の白人は黒人種を嫌っているがじつのところはニグロを愛しているのに対し、北部の白人は黒人種という観念を愛しているのであって実際はニグロと交流をもたなければ愛してもいないという、ここで頻繁に繰り返される例の主張を思い起こさせる。フォークナーがそうしたように、黒-白という二つの絶対の（廃れた）連帯を南部の時空間において強く主張することは、合衆国における黒人たちの「生成」を見くびることである。フォークナーの主張する黒-白人はもはや役に立たず、合衆国における人種差別の矛盾を集約するものでも解決するものでもない。すなわち、ここにいるのはヒスパニック系、カリブ系、アジア系、東欧系移民であり、彼らはみな様々に異なっているし、白人と黒人双方とも異なっている。ニューヨーク移民研究センター所長リディオ・F・トマシ氏の話によると、ピーター・ブリムロー氏は『エイリアン・ネイション——アメリカの移民がもたらす災禍についての常識』[31]という著述において統制不能な彼らの流入を嘆いている。ブリムロー氏は本書で黒人が間もなく「第一のマイノリティ」という立場を失うことになるだろうと指摘している。

クレオール化は避けられない。

ブリムロー氏の著作とは反対に、フランシス・ピザーニ氏の教示によると、インターネットサイト「ニューヨーク・オンライン」上の発言の場は、言葉と人種が混じりあうことを強調する「ミックスはメッセージ」を信条として掲げている。このスローガンのもとで私たちが目の当たりにするのは、私たちを今もなお萎縮させる、鈍くぎこちない現実のありとあらゆる恐怖だ。たとえばユダヤの男と黒人女の息子は孤独のなかで塞ぎ込む以外にほかに何ができるというのだろうか。あるいはインドの不可触民の男とスカンディナヴィアの女の娘はこのメッセージを作り出す以外に何ができるというのだろうか。

私の親友の一人に、今は亡き詩人ジャック・シャルピエがいる（先立ってしまった友人たちのことを、ロジェ・ジルー、ジャン・ロード、ジャック・シャルピエ、カテブ・ヤシン〔グリッサンが若い頃に交流をもった詩人。グリッサンとこの四人はジャン・パリス編『新詞華集』（一九五七）で新進気鋭の詩人として取り上げられた〕のことを考えると、私たちは物故した詩人の集いをまさに続けている生者であるように思えてくる。彼らとは交流がなかったアルベール・ベヴィル〔グアドループ出身の作家でグリッサンと政治行動を共にした。筆名ポール・ニジェール〕。彼とは、太西洋のカリブ海側から、一緒に仕事をした。アフリカとヨーロッパ双方を熟知していたアルベール、そして、もう一方の地中海側から、私と一緒にさまよってきた友人たち。彼らはみな、書くことの責任に対する実に穏やかな感覚を有していた。また、プリスカ・ジャン＝マリ〔グリッサンの親友の一人〕。プリスカはすべきこと、また、しなくてよいことにかけては、疑いのない天才だった）。さてそのジャック・シャルピエは、華々しいバッカス祭や冗談や異教の祭りに興じるような、みずみずしいユーモア精神の持ち主であるが、その彼が四半期のあいだ教えていたブリンマー〔ペンシルヴェニア州〕でびっくりしたことがあったという。この大学施設の庭の一つを散歩していたかぶらぶらしていた、同僚の一人に出くわしたときのことだ。同僚は見るからに当惑し、動揺していた。おそらく落胆していたのだろう。その尊敬すべき教授は彼にため息まじりにこう打ち明けた。「なんてことだ、今さっき怖ろしいことを知ってしまったよ、有色の人間にユダヤ人がいたなんて！」ジャックがその同僚を（サミー・デイヴィス・ジュニアを引用することなく）慰めるには彼の驚くべき知識を深く探る必要はなかった。「ああ、シバの女王とその子孫のことを忘れちゃだめですよ！」これは、エチオピアのユダヤ教徒、ファラシャたちがイスラエルに連れて行かれ、多くの期待の後にそこで劣悪に扱われる前の話だ。

（世界の共有場《リュー・コマン》はどのように進んでゆくのだろうか。私の見つけたマルティニックの新聞記事――それは『マルティニック』ならぬ『フランス＝アンティーユ』紙に掲載された、一九九五年十二月十九日火曜日付けの、この原稿を書き終えた頃の記事だ――「インターネット上のマルティニック」の情報によれば、六か月以内に二万人以上が「マルティニックに関する掲載情報にアクセスをした。この情報操作を請け負ったのはオマール・ワソー氏の運営する「ニューヨーク・オンライン」である」という。つまりは私がピザーニ氏と話した、私としてはスローガンのほうに感心する、あの同じ企業である。話は要するに観光事業《ツーリズム》であり、同紙は記事をこう締めくくっている。「今後、インターネット経由で供給される情報を、とりわけ信頼性の高い濃密かつ「新鮮な」情報として周到に準備することに、マルティニックの将来はかかっている」。私たちは、私たちの時代の商業に合致する、新しい種類の文学のプログラムについて述べるべきなのだろうか)。

フォークナーに戻ろう。ソロモンとシバの女王、サトペンと、黒人の血を引いたハイチ人の最初の妻。その血は、本当は、ほとんどわずかな、表面的には分からない構成要素であり、まったく大したことではない。南部の狂気の形而上学には、しかし、混交から家系を築くことなどありえないとする、否定しがたい論理がある。黒と白の混交が正統性を付与できる家族とは、父系の血統を、したがって一族の創設を「内包する」ことのない、そうした拡大した家族だけだ。フォークナー作品のうちに召喚される登場人物たちの証言する、世界の解きほぐせないものの内部では、不幸と劫罰は唯一ありうる合力にとどまるのだが、その場合、混血とクレオール化は激しい拒絶と共に押しのけられているのである。

人から聞いた面白い話がある。これは、ルイジアナの世論で話題になったもので、おそらく尾ひれがついているが、それでもその話のおおもとには、間違いなくルイジアナで一般に信じられていることがある。ニューオーリンズのいくつかの文書館が一般に公開されなくなった。というのも、(カーニヴァルの舞踏会を主催しているという)上流社会のきわめて地位の高い人々が、自分たちの系統樹を調べようとして、その行政の記録のうちに、少なくとも彼らの祖先のうちの一人が「別人種」と関係するという深刻な過ちを犯してしまった事実を見つけてしまったからだという(だから短篇「エリー」において、ポール・ド・モンティニーは黒人の血を引いていると見なされる。彼は明らかにフランス人の名前をしており、また明らかにルイジアナ出身者である。

ルイジアナはこれに関しては、おそらく、旧フランス領故に淫蕩の地であるという噂のせいで、アラバマ、ミシシッピ、ジョージアといった深南部の州よりもともかく遥かに危険な（汚染された）土地であると思われてきた）。このルイジアナの逸話は、確実に幻想の産物だが、それでも人々が消すことのできないような、慣習や強迫観念を示している。これは数多くの映画のうちに見出されるものであり、たとえば、ある連続テレビドラマ（『北と南』であったと思う）に登場する白人の女は、じつは黒人であり、ある農園主と結婚することで弱み（不幸）を抱え込む。彼がこのことに気づいたら普通はそれに堪えられないからだ。これは『アブサロム、アブサロム！』のサトペンの身の上に起こったことだが、すでに強調したように、この不幸が彼に降りかかるのは、ヴァージニアやルイジアナやジョージアではなく、彼がハイチに二度目に赴いたときのことだった。

ハイチ、カリブ海、他所《よそ》、ともかくそれは、混血の烙印がプランテーションの隅々に押されているのではないかと思われている場所だ。そこにこそ、混交の脅威がある。フォークナーがこのようにこの根本的過ちを「ずらした」ことは（サトペンからすれば意図せざる過ちである。オイディプスは自分が行なうことを行なってしまったのを最初は知らないのと同様に、サトペンは息子の誕生によって初めてそのことに気づいたのだから）、たしかに何らかの意図をよく表している。だがどのような意図なのか。フォークナーは南部ではこのような災禍はありえなかっただろうと仄めかそうとしているのだろうか。見てきたとおり、実際はまったくそうではなく、「ミックス」の事例は他所と同じくここでも頻繁に生じてきた（たしかにルイジアナではもっと頻繁だろう)。実際フォークナー作品に表現されているのは、外界に郡が侵されているにもかかわらず、郡はそのことに気づいていないという直観だ。フォークナーはこの他所を、郡を脅かす、分からないものとして、すべての問題の元凶を担う場所として示している。彼は、プランテーション・システムは他所でもここでも異常をきたしており、このシステムを土台に家系を築くのは無駄であるという真理の諸前提を捨て去っている。そしてこの異常を、彼は過剰に形容するのだ。それは混交という、たとえ逆説的であろうと、暴力的所有と奴隷制のきわめて不公平な法が生み出した避けがたい報いなのだと。

郡は、劫罰、奴隷制による強姦から生まれた混血、つまりは国が生み出しつつも抑圧するまさにそのことによって、カリブ海、ラテンアメリカ諸地域というその直接の外界と結ばれてきた。もう一つの外界、ずっと遠いものだが大西洋の向こう側に、郡と〈全-世界〉とのもう一つの関係がある。それは二度の世界戦争だ。これらの戦争をカナダの操縦士たちの訓練場における遠い谺としてしか最初は知らなかったからこそ、それは南北戦争とほぼ同じくらい作家を魅了した。

フォークナーが何にもまして語るのが、兵士たちの不幸と、生き延びた者たちの呪いであること(一九一四年から一八年にかけての戦争の話である「勝利」のアレック・グレイや、南北戦争の話である「山の勝利」のウェデルのように——相反する、悲痛な題名——。この二人は戦後、孤独や引きこもりや不運に見舞われ、身を持ち崩す)はまったくその通りだとしても、この不幸のうちに彼にとっての偉大さが存在し、それが呪われた者たちのうちに募る沈黙、しかし、容赦のない沈黙の先触れになっていることを、私たちは読み取る。この遠くの(西欧の)外界は郡の劫罰と地続きである。すなわち、塹壕や、蝶よりもか弱い戦闘用ボートや、まるごと一つの連隊が呑み込まれそうになる亀裂や、野戦病院の悲嘆がそこにもあるのだ。

こうしたことすべてから逃れること、泥沼から離れること、軍旗の倒れた土埃にまみれて、黒人の侵入者が歩く墓地のなかで、もはや枯渇しないこと。登ること。星までも。主人公たちは不安定な機械を操るが、そのあいだ、彼らはまさしくこの不安定性を操り、これらの機械を彼らの不幸の道具へと変化させる。少なくともそこにあるのは、彼らが彼らと共に運ぶ劫罰、人間たちの無気力や不正が彼らの胸中に引き起こす嫌悪感のみだ。そこには解きほぐせないものも、偽りの見せかけも見出せない。そこでは人種の絡み合いによる誘惑も困惑も被らない。当時ニグロたちはまだ軍役に就いていなかった（少なくとも、大量に就いてはいなかった。彼らの技術的、精神的能力さえもが疑われていたからだ）。とりわけ空軍においてはそうだった。

今日私たちは、一九四四年から四五年のあいだに「有色」航空隊のなかで編成された、ニグロの戦闘機操縦士からなる、最初の中核メンバーたちのオデュッセウス的遍歴を跡づけた映画を観ることができる。映画は、彼らの示す英雄的精神と犠牲精神を表現しつつ、彼らが克服しなければならない不公平と不正を詳しく語っている。こうした苦しい試みの五十年後、コリン・パウエル氏は合衆国の軍隊の総司令官になった。白人はおそらく彼に面と向かって抗議しようとしなかったし、黒人も彼をあえて引き合いに出そうとはしなかっただろう。

ルーカス・ビーチャムは別の場所に立っている。『墓地への侵入者』における彼を見てみよう。

彼は、白人（マッキャスリン家の人間）から生まれているにもかかわらず、根源的な黒人だ。彼の堅固な沈黙は、過ぎ去ったことが孕む神秘の密度を高めることに一役買っている。しかし、いかなる時にも、読者は彼を有罪者だと思えない。彼が有罪の判決を受けるとも、私刑の危険を負うとも思えない。サスペンスはここにはない。ルーカスは犠牲者ではなく、事物《もの》の秩序の崩壊をもたらす侵入者なのである。彼の沈黙は、結局のところ神秘を一層濃厚にするためのものではなく、乗り越えがたい不透明性としてのルーカスその人が、解明、援助、理解、接近といったあらゆる試みに対する反抗を際立たせるのだ。その切り取られたシルエット（操り人形ではなく見通しを有する人物）は、フォークナーの徴である。彼はそこを、少なくとも深みを掘り下げるふりはしないが。

『サートリス』では、フォークナーはいかなる白人も（おそらく意味するところは「いかなる南部の白人も」）自分が黒人を理解していると言い切ることはできないと考えた。人種間の混交のあらゆる試み（あらゆる誘惑）を非正統的で罪深きものだと認める言い方。これはアパルトヘイトに他ならないのだろうか。

フォークナーにとって、たしかにルーカスは、白人（マッキャスリン家の人間）から生まれているにもかかわらず、混血児でもなければ、ましてムラートではなかった。何よりもムラートではなかったのだ。実際には、彼は黒-白人である。ともかく、黒人たちの意識の「なか」にけっして入り込まないフォークナーは、『行け、モーセ』では、彼らの意識を自分の意識にまったく置き換えずに、ただその周囲をあえて徘徊する。この徘徊は、埋もれた財宝の探求という、南部の人間のじつに理解しがたいように思われる強迫観念の一つに、ルーカスが憑かれる機会になされる。

　プランテーション・システムの敷かれた諸地方において（この円環は、ブラジル北東部《ノルデスチ》から始まり、ギアナ諸地域を経由して、ヴェネズエラ、コロンビア、中央アメリカ、メキシコのカリブ海沿岸、アメリカ合衆国のクレオール南部地域をとおって、カリブ海の島々の弧で閉じる）、これは集団的想像域の基調の一つをなすものだ。すなわち、大災害に備えて、あるいはその後に、家族の財産が埋められただろうと信じられている。たとえば、アンティーユ諸島を得たフランス革命、勝利したハイチ革命、アメリカ合衆国南部を荒廃させた南北戦争といったものは、財宝を埋める機会であった。金、宝石、銀器。ここに神秘、幸運《ブエナ・スエルテ》、アンティーユの呪術《カンボワ》を信じる傾向を付け加えてみればいい。埋もれた財宝のヒステリックな探求は〈知〉の探求のようなものである。すなわちその深みでは、努力をしても分け前は与りえないが、相変わらず疑う余地なく存在するものである。ルーカスはしばらくのあいだその誘惑に負け（「……自分のビジネス・パートナーにして保証人であるばかりでなく、実際に血の繋がりさえもある人間から盗んで、埋め金の隠し場所を探し当てる機械と交換したあの三百ドルの騾馬の一件もあった」[32]）、その後、賢明にそれを諦める。これは、小説『村』の終盤で、フレム・スノープスがライバルのアームスティッドを追いやった、あの狂気だ。穏健中庸な白人であったアームスティッドは、もうこのときには、彼の心を占めてしまい、彼の肉体を破壊する財宝探しのために、溝を掘り起こすことに躍起になった、盲目の機械以外の何物でもない。

これがルーカス・ビーチャムだ。「キャロザーズ・マッキャスリンが、黒人も白人も人間であった遥か昔に先住民からこの土地を手に入れたときには、すでにこの世に生まれていた……[33]」。

これが、彼の白人の親類ロス・エドモンズ（すでに述べたとおり、エドモンズ家の一人であり、ルーカスの妻であるモリーに育てられた、まさしくその人）が子供の頃、その目に映ったルーカスの姿だ。「彼はルーカスが父をザック旦那とはけっして呼ばないで、エドモンズさんと呼ぶのを聞いた。またどんな名前であれ直接その白人を呼びかけるのを避けまいとする様を見た。その避け方たるや、じつに冷然とした、いかなるときでも巧みになされた計算、たいへん念入りにしてゆるぎのない術策を弄するもので、しばらくのあいだ彼は、果たして父が、このニグロが父に対して旦那と呼ぶのを拒否していることを知っているのかどうかさえ分からないほどだった[34]」。

それから、そのエドモンズが青年期の頃に見たルーカス。「彼はある朝父の顔のうちに何かの影、何かの染み、何かの徴を認めた――それは、ルーカスと父親とのあいだに起きた何か、二人以外には誰も知らず、もし彼ら自身が告げるのでなければ永久に知ることのない何かであり、けっして人種のちがいなどから由来するのではなく、彼ら二人のなかに同じ血が流れているからというのでもなく、彼らが彼ら自身であり、人間であるからこそ起きた何かであった[35]」。

それから、「十代の終わりの頃」、つまりほぼ大人になっていた頃、「彼は、実際に何が起きたのかを知りさえした。女だったんだ、と彼は思った。**ニガーの女のことで**、**父とニガーの男が争ったのだ**、なぜなら、彼は、**白人の女のことで**、と考えまいとしていたことさえ認めるのを頭ごなしに拒否していたからだった」[36]（この争いの的はモリーであり、屈辱を受けたのはルーカスだった）。

それから、壮年期に、ルーカスの姿を思いめぐらせながら、「その顔は、彼の祖父マッキャスリンの顔のレプリカでも戯画でもなく、古い祖先の世代と精神を、絶対的かつ衝撃的な忠実さで受け継ぎ再現していた。その顔——老アイザック・マッキャスリンが四十五年前のあの朝に見たような、防腐剤をほどこされてかすかにミイラになったような、猛々しく征服されざる若い南部連合軍兵士たちの一世代全体を一つに綜合したようなその顔——そして彼は驚愕とほとんど恐怖にも似た気持ちを抱きながら、考えるのだった——あの男は、われわれ全部を一緒にしたよりも**老キャロザーズに似ているんだ、いや、老キャロザーズをふくめてもそうなのだ。あの男は、老キャロザーズと、われわれ全員やわれわれのような種族を生み出した地理と気候と生理全体の相続者でもあり、同時にその原型でもあるのだ、量りしれず、数えきれず、顔もなければ、名前すらなく、自分自身から生まれたあの男のみが、少しも損なわれることなく完全そのもので、きっと老キャロザーズがそうであったにちがいないように、自分自身の血をもふくめた、黒、白、黄、あるいは赤の一切の血を軽蔑しているのだ**」[37]。

間接的であるにせよ、一人のニグロの顔のうちに、南部連合軍の人種差別主義者の若い兵士全体の顔を「綜合する」するという厚かましさ、突拍子のなさがここにはあるが、そのことは措いておこう。むしろこの箇所から読み取るべきは、ルーカスが、サム・ファーザーズ、何ものにも屈服しない根源的な態であるオールド・ベンのように、たしかに「自分自身から生まれた」ということである。重要なのは、ルーカスには、直系の血筋も子孫もないということだ。血統も正統性もない。

ロス・エドモンズは老いる。ルーカスを歳月の経過と共に異なる眼差しで見てきたエドモンズは、ついにルーカスの主たる特性とは、彼が具現するモデルの永遠性にあると思うに至る。ルーカスは老いることがないのだ。

解きほぐせないものを生き、劫罰から逃れる唯一の方法とは、まさに〈歴史〉から逃れることであり、自己であることの完結性のうちに自己を保持することであり、希望も幻想も抱かずに、石化することである。これこそがフォークナー世界のニグロたちが行なっていることなのである。そしてルーカス・ビーチャムは『墓地への侵入者』において同様にそれを行なう。その際のルーカスの狡猾さ、巧妙さ、さらにはその決意は、ギャヴィン・スティーヴンズの若い甥を畏怖させるほどのものだ。

とうとう、フォークナーの作品世界の「終わり」において、ナンシー・マニゴー(『尼僧への鎮魂歌』)が現している達成について話すべきときが来た。私は、『尼僧への鎮魂歌』をなかなか最後まで読み通すことができなかった。私はこの小説を、炸裂した作品世界に付け加えられた形而上学的にしてピューリタン的な遺言補足書のようなものだと思っており、そのことに苛立ちを覚えていたのだ。私はこの作品は戯曲に切り詰められる、つまりそこにふくまれているナンシーの受難に帰することができると思っていた。ある人々が、この「戯曲」がジェファソンの物語の幕間に覆われてしまったと嘆かなければならなかったり、また別の人々が「戯曲」の演劇的特徴が希薄であることや「行為を欠いている」ことを嘆いたりしたのとまさに同じように、私はこの作品を戯曲と見なしていたのだが、結局、私はこうした作品が仄めかし、その果てまで導く総体を意識するに至ったのである。

ナンシーは、彼女の女主人テンプルがそうだったように、メンフィスの売春宿に住んでいたことがあった。彼女は今では聖なる領域に近づいている。しかし彼女は、言わばおぞましき行為をとおしてそこに近づく。その行為とは、テンプルの男児の殺害である。この殺人によってナンシーは、結局、テンプルを家庭のなかに引き留まらせ、「堕落した生活」の苦悩のうちに再度陥ることを言わば阻止するのである。以上が、この物語のにわかには信じがたい筋であり、しかも、読者はこの筋を目で追って理解するというよりも、読み取ってしまうのである。ただ絶対の観点でのみ、この嘘のようなことが許されうるのだ。ナンシーはこの絶対を、再度述べれば、形而上学的な意味での絶対を現している。彼女の行為は、起爆装置のように、テンプル・スティーヴンズが自分のために演奏する楽譜を、彼女の苦しむ意識の曲折を作動させることをめざしている。ナンシー・マニゴーは自己完結せずに、テンプルが罪を贖おうとする熱情に苦しむために、生き、死ぬのである。テンプルが生きて語るために、彼女は「堪え忍ぶ」のだ。

ナンシーは（絶対の）沈黙のうちで、またその沈黙によって指名される。ナンシーの声が聞こえるのはただ一度だけであり、それはテンプルとの対話の場面ではなく、テンプルのぞんざいな発言の余白で、独白する場面においてである。それを除けば、彼女は恍惚とし、苦しみ、穏やかである。この人物は白人のありそうもない孤絶を引き受けるという、フォークナーが黒人に期待することの極限へ達するのだ。

よく考えてみるとさらに驚くべきことがある。一個の沿革、一個の報告《ルラティフ》、一個の物語《ルラテ》の全体、つまりは（『行け、モーセ』において描かれるような）始まりの神話と、（「付録――コンプソン一族」において述べられるような）諸家族のリストと、（その他の長篇と短篇において語られるような）町の古文書保管庫に一挙に参画する、そうした土地の年代記の全体をつうじて、フォークナーはこの絶対的挿話を「囲い込み」、「形を与えて」いるのだ。ナンシーの受難の多様な契機は、この年代記の各章に対応しており、その逆もまた然りである。

『尼僧への鎮魂歌』において郡の歴史を細切れに説明する語り、すなわち、最初の白人たちの到着、先住民たちとの関係、監獄、裁判所、郡役所の叙事詩的な創建、諸家族（コンプソン家、サートリス家、マッキャスリン家とその他の家族）の概略を示す系譜、つまりは市民社会の建設を説明するこれらの語りと、ナンシー・マニゴーの「最後の」（現在の、同時代の）行為とのあいだには、何らかの共通性があるのだろうか。この監獄、裁判所、州知事の応接間がドラマの枠組みをなしていることが明白なばかりでない。最初からこうしたドラマ（霊感を受けた黒人女による白人女の児童の殺害）が事物《もの》の秩序のうちに、より正確には事物の無秩序のうちに書き込まれていたという考えもまたこれらの共通性である。フォークナーは、郡のこれらの叙事詩的起源をナンシーとテンプルの孤独が有するこの悲劇的結末に、延々と関係づける。

悲劇的なものはここでは、共同体の叙事詩的高揚が請け合えなかった何もかもを一個人が引き受けることから生じている。

あたかも『尼僧への鎮魂歌』が「物語全体」を集約しているかのようであり、あたかもナンシー・マニゴーが「最初の人間」ではなく、究極の人物であるかのようだ。少なくとも彼女はスノープス一族の出世主義からも「相対主義」からも出てこない人物たちの一人である。

フォークナーが構想する黒人たちは、作中では苦しみを秘め、語りえないものの聖域を守るのであり、抑圧された人間として抑圧に抗して立ち上がる権利ぐらいはもっている人々とは見なされないのだが、この黒人女はそうした黒人たちとは正反対の絶対的人物なのだ。

これら二人の絶対——サム・ファーザーズとディルシー、あるいはサム・ファーザーズとナンシー・マニゴー——のはざまに、マッキャスリン家とコンプソン家の長く、不毛に、しばしば壮大に繰り拡げられる粘着的なもの、サートリス家のはっきりと見分けがたい凋落、サトペン家の常軌を逸した襲撃がある。また、解釈を拡大すれば、たとえばバーデン家のような、プアホワイトの表立たないが不穏な動揺、そしてポパイの場合のような、いくつかの凶悪な現象の典型がある。そのように押し拡げれば、ついには、叙事詩的モデルが焼き尽くされて、サムとディルシーの時間的・空間的限界の向こうに、大量の黒人の奴隷や召使を所有こそしていないが、おそらくクー・クラックス・クランの一員であるスノープス一族という新たな現実主義者たちの冷酷な散文的平板が見出せる。

全作品の原理は疑う余地のないものであり、奴隷制と抑圧の上に築かれたものは長続きしえな

いという この点を、私たちは忘れてはならない。それでもそのように断言することで十分かと言えばそうではない。私たちがそう言い切るならば、フォークナーがそう言い切ったならば、これらの作品の存在が、世界の錯綜のなかで新たな踏み跡を私たちに指し示すことはなかっただろう。悲劇の高み、郡の住民たちの受ける劫罰と卑俗な不幸は、彼らが限界まで、自分たちの生きる必要性（彼らの力は彼らよりも強大である）を汲み尽くすまで、この原理と戦うことに由来しているのであり、この劫罰、この拒絶をまさしく聴診することから、作品は引き出すのである、教訓ではなく、新たなヴィジョンを。

さらにまた、ザッカリー・エドモンズ（あるいは彼の息子ロス）についての記述。「やがてある日のこと、彼の父親たちのあの昔の呪い、どんな価値に基づくのでもなく、ただ地理の偶然に基づき、勇気と名誉から発するのではなく、ただ不正と羞恥から発するにすぎない、あの古き高慢な祖先の誇りが、彼に取り憑いた[38]」。

そしてその後の記述。「こうして、彼は世襲財産に与った。彼はその苦い果実を味わった[39]」。

そして彼の種族の「最後の人間」であるジェイソン・コンプソン。「一八六五年、エイブ・リンカーンはニガーの連中をコンプソン家から解放した。一九三三年、ジェイソン・コンプソンはコンプソン家をニガーの連中から解放した[40]」。

そしてヨクナパトーファの黒人と白人のことを考えつつこう言うベイヤード・サートリス（どちらのベイヤードでもかまわない）。「人種、血、性質と環境によって反発し合う、対立する二つの観念……[41]」。

これら四つの文章のそれぞれにおいて、フォークナーがはっきりとそう言うべきであったことを別にしても、元奴隷主たちのうちに、孤独、苦悶、劫罰、偏見、頑迷さといったものが引き起こされているのを見れば、奴隷制とその余波の力がどれほど作用していたのかは分かる。この社会の慣習（白人の優位性のうちで迷わず信じられているもの）のもとには、一個の亀裂がある。この亀裂に興味がもてるのは次の場合だけだ。すなわち、私たちがこの亀裂をとおして、感性の転換が必要となることを見定める場合であり、そうすることで新しい諸関係、〈関係《ルラシオン》〉の新たな体験が熟慮されるようになるだろう。フォークナーの作品はこの転換において作用する。モラルの教訓ではなく、私たちの詩学を変革することによって。

奇妙だと思える点がある。一方で、フォークナーは破滅（「呪われたもの」）を宿命づけられた王国として、実を言えば奴隷制を支える構造のありふれた諸特徴、すなわち技術的停滞、独占的生産、頑迷な人種差別、代償に応じられる家父長主義、要するにカリブ海であれアメリカ大陸であれ、特殊であると同時に崇高の題材ともなるプランテーション世界に属するすべての場所に見出せる、まさに同じ特徴を有した社会を選んだ。だが他方で、作中ではこの劫罰の個々の具現化を仮借なく非難しつつも、実人生では、彼はこの「モデル」を徹底的に擁護してきた。彼にできることと言えば、多くの場面で分かりやすくするために若干の手直しを提示することだけであったにしても、擁護したことには変わりはない。私たちはこの問いについてすでに議論を重ねているが、本書をつうじて今後もこの問いを議論し続けるだろう。この問いは、文学作品が生み出される場所と、その作品が生命をもつ必然性そのものとのあいだに企てられる展望全体だ。作品は、「崩壊の解決」と呼べるようなものの代わりとはなりえない、分析や「解答」の提示とはまったく異なる方向に生育する。

混乱の闇に包まれたテーベは、町に蔓延するペストを枯渇させ、その悲嘆の声をとめるために、オイディプスの暴きを必要とし、デンマーク王国は、腐敗をこの場所から立ち去らせ、王位相続権をもつフォーティーンブラスを王座に就かせるために、王子ハムレットの警戒怠りない英雄的苦行を必要とした。ウィリアム・フォークナーは、ペストを患うテーベや腐敗するデンマーク王国のようなものとして、すなわち、悲劇的かつ叙事詩的な暴きを待つこれらの国々とまったく同等の場所として南部を選んだが、その「理由」もやはり確固たるものだった。すなわち、土地の所有権と所有者の均衡そのものを弱めるのは、正統性の頽落、血統の退廃であるからである。

悲劇的オペラを成り立たせるのはそうした「理由」ばかりでない。「理由」は、相関する時間と空間のサスペンスのうちに飲み込まれ、時空間の機械的、因果的歯車を狂わし、御しがたい純粋な力に変貌する。「理由」がたんに「理由」であったならば、ハムレットはそれを解決しえたであろうし、オイディプスは宿命の裏をかきえただろう。「理由」が純然たる力になり、その力を彼らに「及ぼす」、すなわち、均衡が言葉の場所において再び見出されるために、ハムレットやオイディプスの犠牲が必要とされるのである。

フォークナー作品のうちに開かれる巨大な深淵とは、彼にとっては、南北戦争あるいは分離戦争の敗北がもたらした犠牲であり、それが喰らい尽くされたことを、とはいえそのために均衡が回復されることもなかったことを示している。叙事詩的努力のすべての様相を示すこの戦争、いかなる贖罪の効果もなしえないようなこの戦争とは何か。ロンスヴォーで死ぬローランは、後のフランス人であるフランク族の民族の声を山々に響かせた。しかしスチュアートもリーもストーンウェル・ジャクソンもベイヤード・サートリス（ベイヤードの一人）も、彼らを繋ぎ合わせ、贖罪に近づけるような叙事詩に邂逅しなかった。目の前の者たちの勝利と同様に、偉大にして、あまりに勇壮、あまりに英雄的ではあるが、それでも「崩壊」を解決すること〔阻止すること〕をまったく導かなかったこの敗北とは何か。

フォークナーは作品の結構をこれらの問いと関連させて組成する。南部の根源的劫罰を埋め合わせられるのか。南部の正統性はどこに向かうのか。なぜ戦争は敗北における勝利も利益ももたらさず、不十分であったのか。悲劇的思考が「通常は」答えるこれらの問いは、ここ南部にあってはそうではない。私たちはその問いの後（すなわちこの答の不在）に次のような勧告を見出すのだ。「始まらないこの〈時間〉とは何か、〈生〉を想定しないこの〈死〉とは何か」。

彼は全知全能の小説家として、諸々の真実を推し量り、また先立ついくつもの問いを提起し、そして小説に登場させる人物たちの行ないを、それらにかかわるものとして、決定するのだろうか。実際は、まったくそうではない。先立つ諸々の問いは「理由」ではなく御しがたい純粋な力であり、それらは、一挙に、書き手と彼が作品のうちに召喚する登場人物たちにその力を押しつける。彼（書き手）は全知全能の小説家ではなく、深海に沈んだデルフォイの詩人、彼が作品に結集させる人々を伴って、〈認識〉の深淵でよろめく詩人なのである。フォークナー作品の「祖型」は、郡の人々によっても彼らに声を与える詩人によっても統御されないのである。

彼は、底辺から頂点まで、すなわち小屋から大邸宅まで、叙事詩的なものと悲劇的なものの諸原則を刷新したのだと考えられる。

叙事詩と悲劇による暴きは、伝統的には、失われた統一性というものを取り戻すことを使命としてきたのであり、これらの調停に保証されて、私たちは統一性を見出すのである。フォークナーの調停は、均衡への復帰の不可能性を受け入れ、それらから力と新しさを作り出すものである。その調停は、明らかな欠如を果てしなく示し続ける。したがって、叙事詩的カタルシスと悲劇的暴きはここでは結局欠如に至るしかない。その調停は多種多様性へ、私たちが宙吊りにされたアイデンティティと名づけてみたいものへと通じている。解きほぐせないものへ、過剰なものの集うその場所へ。

こうした理由から、郡の人々はほとんどつねに並外れており、非日常的であり、極端であり、怪物的である。それゆえフォークナーについての「知識」を「心理学」に結びつけて語ることや、人間の心の秘密に対する彼の洞察について語ることは、危険である。彼は、「ストックホルム講演」において、作家に課される義務とは「人間の心の永遠の真実」を対象とするものでしかないと言い切っているが、それは「自己との葛藤における」ものだと付け加えている。言葉の永続性が生まれるのはこの葛藤からである。フォークナーの「心理学」は、闇のうち、呪いのうちでしか効力を発揮しない。それは、言わば、名づけえぬものが形作る稜線上で驚くべき変異を見せるのだ。実人生においても作品においても、彼を誘惑するのは、研究でも、知識でも、心理への関心でもない。それは、少なくとも作品においては、底知れぬ深みである。クレオール化の拒否によってこの新たな深淵へと否応なく導かれる。こうして、まさに〈他者〉を拒否し、〈他者〉に攪乱されることによって作り上げられた南部世界と世界全体は行き場を失うのである。

ソフォクレスもシェイクスピアも、彼らの物語る悲劇が賭けられた場である、時代と場所を生きなかった。彼らは、正統性に対する深刻な不安に襲われていたし、またヴィクトル・ユゴーがアイスキュロスについて語る[42]あのあっけにとられた顔を凝視していたことから、彼らが悲劇を書いたのはきっと同時代人たちの教化のためだったと推測できる。反対に、フォークナーは悲劇の場面を生き、この悲劇の表現を引き受ける。彼にとっての南部、すなわち、彼が題材とする敗北した南部は、時代の遺物ではない。しかも、彼は晩年になって南部を本当に蘇らせたいと思う。プランテーション、馬、キツネ狩り、「平素の秩序のうちにあるすべて」。ところが、作品の全体を着想する遥か前、まだ若かりし頃から、前に見たとおり、フォークナーは飛行士の血筋を、「星までも《アド・アステラ》」を、戦争の英雄を自分のために考案し、片足の不自由なふりをして杖でそれを誇張することで、神話的傷を示そうとしていた。作品をものするための苦行に抜かりはなかった。英雄的精神で揃えた手札を得て、彼がうたうことになるこの失われた叙事詩の高みに達したいと前々から願っていた。それはあたかもハムレットが、演出家としてこの演劇の舞台を手がけながらもそれに合わせて演じることをせず、シェイクスピアの代わりに彼を主役とする戯曲を丸々書いたかのようだ。

フォークナーが想起し召喚する登場人物たちに関して彼が証明する「客観的」残酷性（彼が描くそのうちの何人かは、あたかも霊感や地霊の導きで想像されたかのようであり、また別の数人は、自然に従って再創造されたかのようであり、さらに別の幾人かは、一種の綜合として制作されたかのようであるが、フォークナーはけっして彼らを考案しているのではない。というのも、これら登場人物たちは作品とのかかわりにおいて書き手に先立つ必然性をすっかり帯びているからである）は、フォークナーその人がこの劫罰の踏み跡の上を進むには、彼らを伴わなければならないことが不可避であることに怒っている、そのことの何よりも明白な徴であり、また同時に、彼の有する（心中にある）優しさと共感だけが占める部分を彼らにきっぱりとあてがったことの徴でもある（だからこの部分に立ち返る必要はない）。

私は次のようにこの踏み跡《トラス》を作り直そう。彼はまず郡の民を寄せ集めることで、自らを介して、予感のなかにある根源的深淵を表そうと試み始める。するとこの深淵のなかで南部の成り立ち（困難な統合）の神秘はぐらつく。それから彼は叙事詩をうたいはじめ、その詩《うた》をとおしてこの成り立ちに結びついているように見える根源的過ちを贖えればよいと思う。ところが、彼はこの詩もその根本の契機（南北戦争を終結させた敗北）も混乱を解決できず、エルシノア城の腐敗を一掃できず、テーベの均衡を回復できないことを予感する。こうして彼はこの民を伴って新たな深海の方へ歩まなければならなくなるのだ。

私たちがその「解決」を想定できないような、一種の叙事文学があるということだろう。すなわち、それは、崩壊したものを崩壊したままにしておくだろう。それは、大森林を渡って、さまようことが第一の価値であるような、放浪する人々のほうへと導くだろう。それは、踏み固められた経路ではなく、不確かな踏み跡であるような一本の道だ。システムとはまったく無縁な、思いがけない予見不能な一個の開かれだ。それは、脆く、曖昧で、儚いが、世界をなしている相矛盾した破片という破片の光で輝くだろう。このような風にならなければ、伝統的な叙事詩的なものの枯渇によって死そのものよりもずっと冷たくずっと持続する一つの死が生み出されることだろう。

内実では、つまり南部の現実においては、フォークナーは、スノープス一族という成り上がり階級の台頭を認めることによって、叙事詩的なものの終焉を受け入れる。スノープス一族は、彼にとって、郡の「アメリカ化」と対応している。形式では、したがって、叙事詩的問いかけが弱まり消え去るのはスノープス一族の現実主義的散文においてである。フォークナーは晩年の書物の「散文的文体」を非難された。しかし、彼がただ説明しなければならないとだけ感じていたある現実について、一体どのようにすれば彼は自らの想像域を「こじ開ける」ことができたというのだろうか。そこには「後れて来る」ものは何もなかったのだ。だから、書く行為がなされなければならないとき、そこにはいかなるサスペンスもない。すべては平板に語られることだった。ここでの唯一のサスペンスは、スノープス一族の陰謀の進行がもたらす、悲惨な事態だ。フォークナーの晩年の書物は出来の悪いものではなく、目的に合致する論理を備えている。それらは、ねちねちと打算的に進む利益追究の罠にはまり、叙事詩的緊張を失うことによってその目的を達成している。彼はそうした書き方によってこそ、叙事詩的受難のこの無意味さを、そしてその帰結である南部のこの悲劇的で不毛な矮小化を、何よりも自分自身に対して、説明し、追認するのである。こうして、渡り商人《カーペットバッガー》、次いでスノープス一族（だが両者はおそらく同じ「種族」ではないだろうか）は南部を呑み込み、消化したのであった。

伝統的な叙事詩的なものの失敗は、文体の完全な散文化の前に、フォークナー特有の、これまでと異なる叙事詩の形態を生み出した。南部を成り立たせる祖型は、予感されるにとどまり、包み隠さずに言い表されることなく、暴きがなされることを原則とする、記述《エクリチュール》の様々な様式を導いたのだ。

私たちがその答を見定められると思う問い、この最初の問いのもたらす戦慄と直観、そしてその問いに伴う答は、的を射るものではない。だからそこから他の問いを立てなければならない。たとえば、不可能な勝利についての問いが不適切なら、敗北の無意味さについての問いを立てよう、というように問いは次々に続くのである。

暴きのうちでのこの問いの微妙な推移は（この暴きを、オイディプスが己に対して行なう探究により徐々に明かされるものと混同すべきではない）存在の宙吊り《サスペンス》へ、自然と人間の本性についての炸裂した（漂流し、波及する）着想へと誘う。果てしなく後れて来る答の方を目指す、拡散する記述の、この連続する過程をとおして。

フォークナーの特異性は、この記述の流れの諸様式を私たちの語るこの悲劇的暴きのリズムに合致させたことにあり、この後れて来る記述を必要としたことにあるために（したがって、フレデリック・カール氏は、そしておそらく氏に同意する他の研究者たちは、これを「傾斜する」記述、あるいは傾斜する状態の記述であると考えた）、私たちはいまだにこの記述の壮麗さを汲みつくすことも、記述のすべての深淵を訪れることもできずにいる。

これは文体《スティル》ではなく（文体はときにはその素材のあとを追うこともある）、記述《エクリチュール》の諸様式そのものの刷新、英米語を除いたあらゆる言語において価値を帯びうるような、そうした刷新なのである。フランス語のきわめて見事な翻訳は、郡特有の言葉づかい（農民や教養人のそれ）のもつざらつきを消し去ってしまっているものの、フォークナー作品の構造と意図をはっきりと際立たせることに一役買っている。翻訳の技法は文学的創作の円環のうちに今ではふくまれている。翻訳の技法とは、今日では、多様ではあるが一つに収束する詩学の意図を、あるものから別のものへと露わにする横断線の一つのようなものである。フォークナーに関して言えば、彼のテクストにおける後れて来るものの網の目は諸言語を横断するものであることに留意すべきだ。この作品は翻訳されるほど「理解」される。一つの詩学は、一つの言語から他の言語へと「移行」しうるのであり、これからは、私たちが世界のすべての言語のすべての詩学を考察するという、今のところは解きほぐせない豪奢な理由のために詩学は移り行くだろう。私たちは世界のすべての言語と向き合って考え、書くのである。

結局のところ、南部のあの人物たちの生成が自分たちには特別に関係があるわけではないと私たちが思ってみるにしても（世界中には多くの抑圧された民族が、虐待され、殺戮された民族がいる、そうしたことを私たちは知っているし、アメリカ黒人にとっては不当な状況が多々ある）、フォークナーとあの南部白人との勇壮な連帯に笑みを浮かべ、このことをめぐって彼が思いなしたことの不当さにときには気分を害するとしても、当の記述はきわめて今日的でもある同時代の感受性の放埒に預言的な方法で釣り合っていることを私たちは解するのである。

彼の示したところによれば、不確かなもの、問いうるもの、後れて来るもの、曖昧さと脅かされたものがなす網の目は、非体系的な様々な総体を最後には形成し、そこにおいて私たちの世界の絡まり合った様々な実在は（シュルレアリストの望みに従えば）一定のまま爆発するのだ。解きほぐせないもの。そして、この後れて来るものとしての記述のおかげで、このように描かれ紹介される人物たちはこうした眩暈の拡がりを獲得するようになり、存在のこうした宙吊り《サスペンス》を証明するのだが、それにより、私たちはその人物たちが具現ないし表象する（実際の）姿を忘れてしまう。それは人種差別主義者の農園主であったり、じっと見つめ続ける黒人であったり、罪の観念に苛まれる説教師であったり、無数の女中であったりするのだが、そうした人物たちは、ただこの宙吊りと眩暈を認めるためだけに、今日の様々な人間の在り方の節度《ムジュール》＝逸脱《デムジュール》を認めるためだけにいるのだ。

そう、フォークナーとは思考《パンセ》＝世界《モンド》の契機である。

作品中では、彼は完全に、自由に、南部人を束縛する見えない拘束から解き放たれて仕事をしている。作品中では、彼は、ニグロを不当に扱うことも、白人をなじることも、先住民を誹謗することもできるし、そのことで人種差別や土地の慣習に屈したと思われることもない。「私生活」に見られるのは、あのいくつもの矛盾と苦悩と後悔と悔恨、立派な口実がもたらすあの完全な窒息状態、あのありえない均衡の探求、要するに、あのためらいであり、そうしたことがフォークナーを少なくともじつに嫌な人間に仕立てあげ、隠れた人種差別――彼がおそらく南部の同時代の白人たちと分かちもっていたとはいえ、それでも確実に彼を苦しめるものであった人種差別――を表面化させてしまうのである。

そして、この種の個人の不幸を、言うならば居心地の悪さといったものを、北米先住民とアフリカ系アメリカ人が堪え忍んできた数々の苦しみに比べれば些細なことにすぎないという点で考慮に入れる必要がないとしても、私たちはこれを評定するべきであり、そうすることで、この居心地の悪さがフォークナーをして糾弾せしめた、様々な不正の規模を見定めることができる。

これらの不正、思考。

私たちはそれらをとおしてフォークナーの作品中の黒人たちに辿り着く。黒人たちがそこから出てゆくことは許されない。現実における彼らの運命を変えることをただただ急きたてる、非暴力のあらゆる企ては、書き手の憤怒を引き起こす。彼は必要とあれば(白人を守るために)自ら通りに出て行って黒人たちを射撃することもいとわないと威張って明言したことを認めなかった。[43]この乱暴な発言の際の彼はしらふではなかったと信じておきたい。彼は「私はミシシッピを選びたい」という言い方に示される象徴体系のもとにその当惑を隠す。しかしこのことに関して、彼は非常に意義深いテクストである「もし私がニグロだったら」を書いた(これは『エボニー』という黒人誌の一九六九年の巻に採録されており、[44]冒頭の銘句として一九五五年のフォークナーのコメントのまた別のものが掲げられている。「人種とか肌の色ゆえに平等に反対するということは、アラスカに住みながら雪に反対するようなものです」[45])。あえてこう言うなら、この文章はその慎重さ、とりわけその陰影の点ですばらしい。

フォークナーはこの文章で黒人にその解放の手段として、ガンディーのような道徳的な受動的抵抗を勧めている。これは十分に許容できる見解であるが、彼はさらにまた正しい作法(おそらく身なり、行儀、品行すべてにおいてだ!)、慎ましさ、品位、道徳的かつ社会的責任をもつことを黒人に勧めている。この文章はまわりくどいレトリックで終わるのだが、そのレトリックは、黒人が自由を獲得ないし奪取し、その後に自由をうまく維持しうるために、なんと黒人がその自由に値することを勧めようとしているのである。

フォークナーがこのように対象にする黒人たちは、ヨクナパトーファをけっして去ることもなければ、ニューヨークや合衆国のその他の大都市のゲットーをけっして知ることもなかった。麻薬、殺し屋、あばら家、歩道、堕落、絶えざる危険をどれ一つ知ることもなかった。なぜなら、南部の絶対的問題において黒人に絶対的役割を割り当てたフォークナーは、ロサンジェルス暴動を予見することは絶対にできなかったし、しかもその際に彼がニグロを撃ち殺しに通りに出ることはなかったはずだ。

彼は、実際には存在しない黒人と白人の連帯を保持するための悲壮な努力を行なった。だが、すでに合衆国は、もはや何も分裂していない別の国になっていた。そして世界中の他のどこでも、こうした提案(この種の隠れた、陰鬱な、意識下の提案)は、まったく相手にされなかったにちがいない。

彼は、一九五〇年代に、人種共学化を支持する立場をとったが、これがきっかけで彼はオックスフォードの白人住民からつまはじきにされた。この時代以前には、オル・ミスの図書館にはフォークナーの著作は一冊もなかった(スキャンダル本と見なされた、本人がまったくそう見なされたように)。しかし、啞然とするばかりだが、彼は黒人が白人に対して必要不可欠な存在になることを勧めているのである。第一に教育をとおして、しかも社会を動揺させることなくである。おそらくこの発言以上に人種差別的にして寛大であり家父長主義的な発言は見当たらないだろう。たとえ実際には、教育システムが——宗教的であれ世俗的であれ、ほぼあらゆる有色の男女がこのうちにふくまれるように——黒人の地位向上の最初の道具であると考えられるとしてもである。こうした歴史のすべてが複雑なのである。

老齢の黒人指導者W・E・B・デュボイスへの返信がある。この手紙は、エメット・ティル事件〔白人による黒人少年のリンチ殺人事件〕を裁こうとする裁判経過についての対話と討論へのデュボイスの招きに応じて書かれたものであり、人種統合を主題としている。フォークナーがある論説[46]で、黒人に今はゆっくりと行くことを求めるないし勧めるのはこのあとのことであった。「私たちのあいだには討論の対象たるような何かがあるとは思われません。私たちの見解はまずもって一致しており、あなたがとられる立場は道徳的にも法律的にも倫理的にも正しいものです。節度と忍耐を求める私の立場がじつのところ正しいこと、これが明白であると思われないのでしたら、私たちは討論の場において互いに息を切らしてしまうでしょう[47]」。

しかし、公共意識の危機の最中での裁判の経過について、ソクラテスの時代をなるほど髣髴とさせたであろうこうした対話の偉大さというものを、賞賛することはできなかったものだろうか。「南部の人間」はこの偉大さを直観しなかった。

これは一九五五年四月十六日のことだった。一九五六年三月に彼は『ライフ』誌に「北部への手紙」を、同年九月には「黒人指導者たちへの手紙」を公表する。彼は数々の声明を繰り返す。スノープス一族――この一族は南部の叙事詩的かつ悲劇的問題のうちにけっして入らなかった――にならって、この問題の絶対から抜け出して、今度はスノープスの複製となって権利を要求し、喚く人間になろうとする、そうした黒人をフォークナーは嫌っていたのだろう。

したがって、ルイジアナ州バトンルージュのサザン大学の学生たちには、私がウィリアム・フォークナーの重要性を褒めそやしていた際に、それを撥ねつける理由があったし、私のほうにも、彼らにフォークナーの重要性を信じさせる努力を重ねる理由があった。学生たちはフォークナー世界におけるどんな類いの役割も「堪え忍ぶ」ことはしなかった。どんな質の文学も、共同体の、象徴的でさえある事物化の価値をまったくもたらさないことを、私は教えられた。

とはいえ私たちはフォークナーをまっすぐ見つめなくてよいし、私たちが行きたい場所へフォークナーと共に行かなくてよいのだと、そう私は学生たちに言おうと（とはいえどんな見識に基づいて？）努めた。フォークナー作品には、存在の単一的な捉え方の転覆が、アイデンティティの絶対性を後れさせることが、言葉の眩暈があり、これらはおそらく作品を生み出したピューリタンの天才に対する、作品からの復讐をなすものだと、そう言おうと努めた。

「そして私は、この私が生を与えるべくこの世界を考案したのか、それともこの世界のほうが私に偉大さの幻影を与えつつ私を考案したのかを自問しつつ、時間と死について思いをめぐらせた……[48]」。

〈踏み跡〉

フォークナーの風景は葵《モーヴ》の芳香、メランコリーの力によって色あせる。フォークナーの風景が喚起するものを目に浮かべると、近くの風景であれ遠くのものであれ、自分たちの固有の風景を改めて描き出したいという気持ちになる。それはそうした葵の芳香やメランコリーの力によるのだ。靄の立ち込める冷たい朝の大森林、日照りと洪水から半ば逃れられない低地の丘、農地の境界をなしている白樺の囲い、小屋の後ろにある質素な水樽（これにはトタン屋根に垂れ下がる竹の形に伐られた樋と、樽から水を飲むための亜鉛製の蛇口がついている）、納屋からは見渡すかぎりまっすぐ遠くに拡がる綿花畑、ヴェルサイユ宮殿を気どった大邸宅を飾る大量の花々。どんな風景でもよいのだが、とにかくこうした風景に対して、私はある嫌な匂いを思い出してしまう。それは「マグノリアの花の冷たい香り」だ。私はマグノリアの花の香りを、幼少期に過ごした田舎に充満していたヴズの香りとはっきり区別できるし、砂糖精製用のボイラーというボイラーがこの地方《ペイ》から消え去った今でもヴズの香りを（ほとんど）好きなときにありありと浮かべることすらできる。

二つの芳香、すなわち記憶の香り（ヴズ）と想像上の香りは混ざりはしないものの重なりあうほどにまで迫りあっている。

マグノリアの花は強いが軽やかだ。マグノリアは大気を竜涎香《りゅうぜんこう》の匂いに染め、大気を囲い込み、より正確には、花のまわりに大気を集める。ヴズ（うるさくて陰気な人たちは私がヴズの「ズ」の音をzと転写するのを非難するけれど、フランス語表記のsでは音が軽いと感じてしまうのだ）もまた濃密な匂いを発するが、じつに陽気だ。サトウキビの焼けた花冠はあらゆる場所に等しく舞い散り、その花弁は一番遠くの丘陵《モルヌ》にまで届く。ヴズの香りをとめられるのはただ海だけだと思う。マグノリアの花の香りは反対に、アカシアの木立のもっともまばらなあたりで、その木陰に消えがてに身を寄せる。

あのかつての手つかずの森林では、アンティーユというこの地と深南部《ディープ・サウス》という彼の地に立ち込めるヴズの香りもマグノリアの花の香りもしない。あの南部のうちで歴史が始まる時——つまりフォークナーにとって白人たちが到着した時期——、白人たちは入植し、長い時間をかけて大森林のざらつき湿った匂いをマグノリアの花の螺旋に置き換えてゆき、やがてこの花が少し開いた窓の下でメランコリーの時を引き延ばすことになる。その様を、これから観察し、見てみよう。

この入植者たちは言うまでもなく冒険家である。しかし、彼らはかつてプリマス・ロックでメイフラワー号から下船した人々、すなわち、北部人《ヤンキー》——アングロサクソン系のプロテスタントの白人——の資本主義の堅固な基盤をなし、道具と技術をもって上陸し、高度に工業化されたシステムのうちでそれらを発展させることになる、銃をもった移民と共通するところは何もない。また彼らは、そのあとに続く数々の移民の波、すなわち、家族の土地を見つけるための先発隊である家族内移民とも共通するところは何もない。家族内移民は、最初に住み着いた集団に弱く、彼らに従属しながら商売をする中流の資本家（たとえば南米）に少しずつ変貌してゆくが、しばしばフライパンと調理用具の重みに打ちひしがれ、古びた旅行鞄の底やばらばらの手荷物の下に、全身の肖像画や、さらに後には故郷《くに》においてきた家族の肖像写真を隠している、そうした移民たちだ。言うまでもないが、さらに彼らは、ここに無理やり連れてこられた人々であるアフリカ人、すなわち、自分たちがかつて築き上げたもののあらゆる遺産を剝ぎ取られた赤裸の移民と共通するところは何もない。この移民たちのうちからやがて現れる天才が、（無意識のリズムと記憶の噴出のうちに）残存するあの唯一の痕跡を手に入れ、それを手がかりに、ジャズやレゲエといった、全員にとって価値があり、世界に語りかける声と語調を再構成するようになる。さらにまた彼らは、極西部《ファー・ウエスト》の英雄的開拓者たち、すなわち、大胆不敵な先住民の殺戮者であり、開墾者でも追いはぎでもある人々と何の共通性もない。西部の開拓者たちの熱情を少しずつ抑えてうまく体系立ててゆくのは、東部に由来するア・プリオリな絶対権力である法のみだ。したがって、今日でも、すべての究極的なアウトローたちの国である合衆国において、個人主義者の理想である

「とにかくやれ」《ジャスト・ドゥ・イット》に対するものとして、「それは違法だ」《イッツ・アゲンスト・ザ・ロー》という言い回しが力をもっている。しかし、こうした開拓者たちはすでに内なる移民である。

フォークナー世界における入植者たち、つまり大家族の最初の者である始祖たちは、こうした運命の外にいる。彼らは技術を装備してもいなければ、未来の資本家でもなく（彼らの一部、つまり移民ではなく、この土地に父祖の代からいる一部の白人と先住民は、「見事に昏睡している」のだが、「思いがけない」莫大な石油の恵みを利用することになる）、家族を抱えた移民でも赤裸の移民でもない。彼らは、遥か遠くまで欲望に突き動かされた東部出身の、社会のくずであれ社会の余剰（過剰）であれ、内なる開拓者ではない。そうではなく、彼らは冒険家で、もともとは田舎紳士であるが、その身分をいつも失っており、プロテスタントよりも（少数派である）カトリックである場合の方が多い。彼らはともかく計り知れないとでも言うべき二つの特徴で際立っている。その一つは、不幸、不運に見事につきまとわれている点、まさにアイスランドのサーガの英雄たちのように、ひそかな逆運を定められており、失敗を宿命づけられている点にある。もう一つは、すべての叙事詩的書物の英雄のように、彼らは決定的に、絶対的に、あのありえない〈場所〉に向かって、ある場から別の場へと突き動かされながら、流浪する点だ。そこに行けば、家系を興し、その正統性を見出し、血統を永続させることができるだろうという期待を胸に。

彼らは自分の子供たち、自分の息子にも（息子にすら）悩まされることはなく、子供に対してうっとおしい愛情を抱かない。ところが、彼らの頭はまさに血統の観念でいっぱいであり、それに取りつかれている。だから『サートリス』（そして『征服されざる人々』）において、南北戦争期に北軍部隊の追跡から逃れるジョン・サートリス大佐はこう考える。「それから再び、彼はメンフィスの安全な場所にいる二人の娘のことを考えたが、息子ベイヤードのことは一度たりとも考えなかった。というのは、サートリス家の不可避の運命は等しくベイヤードの運命でもあったからであり、そのことを考えるのはサートリス家の性分ではなかったからである」[1]。

原初の系図、血統の運命は、フォークナー世界のおそらくもっとも重要な家系だと目されるマッキャスリン家とコンプソン家に対して効力がある。ただし、サートリス家は実際のFalkner家にじつに緊密な仕方で由来するのだから、サートリス家はフォークナーの風景における最初の根っこのように現れるし、ひたすら災厄を招いてしまうサトペンは家系を興すというあの熱情と不可能性をもっとも極端に（あまりに聖書風に）象徴している。これらの家系は、打ちのめされ、疲れ果て、凋落するとはいえ、それでもなお（すでに）フォークナーが好む何か貴族的なものを有しており、要するにおそらく、周囲を徘徊する、あの呪いの恩恵に浴している。

それでも『村』の冒頭で、私たちは移民の描写に出くわす。この描写は、先述した移民の一般的モデルを再現しているように見受けられ、先ほど定義した二つの範疇、すべてを打ち立てる「銃をもった」移民と「家族内」移民には少なくとも当てはまる。この描写は「フレンチマンズ・ベンド」の創建の場面に見られる。

創設者。「名前さえ忘れ去られてしまい、彼の誇りと言えば、彼が密林から略奪し開墾した土地にまつわる伝説だけとなった」[2]。

その跡を継ぐ者たち。「あの呼称〔フレンチマンズ・ベンド〕は、記念碑のようなものとして残っていたが、その呼称は、火打石銃をもち、犬や子供たちを連れ、自家製ウィスキー蒸留器、プロテスタント賛美歌集をたずさえ、おんぼろ馬車や騾馬に乗り、さらには歩いてでもやってきた人々には、発音することはおろか読めもせず、今では、かつて生きていた人間とは縁もゆかりもなくなっていた」[3]。

孤独を糧に生きてきたこうした創設者たちは見事な失敗を定められている。彼らは銃をもった移民ほど「武器」を備えていなかったし、ホワイト・アングロサクソン・プロテスタントのような資本家になる見込みもまったくない。他方で、たしかに大勢の人々が創始者たちの跡を辿って生活をしてゆくが、その生活はありとあらゆる記憶の埒外でなされることになる。したがって、郡へ寄り集まってきた創設者たちが、私たちの思う以上に「家族内」（家族）的ではなかったことが少しずつ明かされてゆく。彼らもまた呪いから逃れられなくなるのだ。

「付録――コンプソン一族」は、すでにいくつもの災厄を経たヨーロッパからやって来て、スコットランドの古《いにしえ》の戦士であることを示す何かの運命を保持してきた、こうした家族の創始者たちや墓堀人たちの、起源と流浪とこの呪いを一挙に集約するものである。サートリス家については、『尼僧への鎮魂歌』の「回顧」によって情報が与えられており、サートリス家の共通の祖先がノルマンディー出身であることが示されているとはいえ、私たちはこの家系の道程や来歴を詳らかに知らない。サートリス家は（ここでは実際のFalkner家をモデルにして考えるのが適切だろう）、ペンシルヴェニア州とキャロライナ州に身を寄せてから、ミシシッピ州に新天地を切り拓きにやってくる。彼らの行程は特別なものではないと思う（いずれにせよ、ある州から別の州へと渡り歩く生活はここでは普段から行なわれていることであるし、今日でも合衆国の幹線道路《ハイウェイ》では例の移動式の家を見かける。人々はそれをテントのように他所に構えに行くのだ）。サートリス家の衰退はある種の宿命的な暴力に結びついたものにすぎない。絡まりあった血統は（ジョンからベイヤード・サートリスまで、ある世代から次の世代まで、ジョン＝ベイヤードという双子の兄弟からこの世代の末裔まで続く混乱＝対立によって）サートリス家の人間たちの感性と意志をないまぜにし、彼らの感性と意志を、家系の樹立という明確な責務から、だんだんと陰り呪われてゆくような種々の目的へと逸らしてゆく。

マッキャスリン家、コンプソン家およびサートリス家はその血統が少なくとも束の間であるとはいえ打ち立てられたのに対し、サトペンは取り返しのつかない失敗を情け容赦なく体現している。サトペンの血統は毒され、その領地は、クライティ――陰鬱なクリュタイムネストラでも（一切予言しない）カサンドラでもある――に焼かれて終末的光景と化す。

サトペンは家系を興そうと試みた。それはハイチでのことであり（彼は国と時代を選び損ねた。ハイチ革命が起こったあとのことだ）、彼は解決不能の事柄のうちもっとも根本的なものである、混血の問題に突き当たった。サトペンという人物を生み出したのは、幼年期に被った屈辱（黒人の召使が彼をある広大な屋敷へ勝手口からとおした）というよりも、むしろこの最初の死であったと言えるだろう。すなわち、サトペンを生み出したのは、彼自身が恐れていた雑種的な血の混交《メティサージュ》を見出したときだったのである。目に見えないニグロであるこの妻と息子を受け入れることは、まさに「創設」へと勝手口から入るのと同じことだったはずだ。サトペンの怒りがみなぎるのはこの想起においてであり、彼が熱狂に包まれるのはこうした危険からつねに逃れなければならないという切迫感のうちである。正統な男系の子孫を求める強迫観念は、サトペンがけっして多大な期待をかけなかったように見える息子のヘンリーが隠遁したあとには、サトペンのうちでただたんに男の子孫を求めるという狂気へと少しずつ形を変えてゆく。サトペンは彼の最後の許婚であるミス・ローザ(彼の第二の妻の妹)を犯そうとし、彼に仕える白人奴隷であるか、ほぼ奴隷といってよいウォッシュ・ジョーンズの孫娘ミリーを孕ませる。サトペンは自分が追い求める夢のためには何事でもやってのける。マッキャスリン家とコンプソン家であれば血筋の拡張として経験することや、サートリス家であれば名門家系の終焉として経験することは、サトペンにとっては取り返しのつかない情事なのであり、この情事の生み出す白人と黒人という二重の子孫は生まれる前からすでに息ができないのだ。

同じ根源的な欠如はどんな場合であれその宿命を強いる。コンプソン家には歴史と所有地の疲弊によって、サートリス家には形而上学的衰弱によって、サトペンには呪いの爆発によって。

同じ不可能のこれらの側面は、中継し合い、社会的ネットワークを構成するまでに至る。実際、コンプソン家の一人である将軍は「郡におけるサトペンの最初にして唯一の友人」であったし、彼は自ら息子と共にサトペンの物語を語っている。それはたとえばサトペンが南北戦争時代に彼の連隊の隊長であったジョン・サートリスの代わりをどうやって務めたのか、また、サートリスの内なる激しい怒りがどのようなものであったのかなどという話である。『響きと怒り』は『サートリス』のうちで網の目を張りめぐらせ、それらは『八月の光』のうちで、さらにまたそれらは『征服されざる人々』においてネットワークを結んでゆく。そしてこれらの作品は『行け、モーセ』に始まり、たとえば『墓地への侵入者』を追い越しがたい証言者としてもち、『サンクチュアリ』と『尼僧への鎮魂歌』のうちへ伸びてゆき、そのレースを『自動車泥棒』と共に終える。

　南部への「入植」に対するフォークナーのヴィジョンは、これらの開墾者の底なしの活力（しかも彼らはまだ合衆国ではない頃の合衆国に押し寄せ、その風景を変えてしまった――荒らしてしまった）を認め、それを讃えている。しかし、フォークナーのヴィジョンは極西部《ファー・ウエスト》の先住民に対する殺戮がもたらした悲劇については考えが至らず、彼が南部の者たちに与える役まわりは、結局は私たちの知っている平穏で、いくぶん堕落した人間というものだ。すでに見たとおり、このヴィジョンは黒人と白人の無意識的ないし無意志的な共犯関係をわざと誇張するものである。それでも、フォークナーのヴィジョンは〈創設〉の正統性と作品の永続可能性をめぐる問いを、郡において、したがってひいては南部において、どこまでも投げかけている。その問いとは、全体《トタリテ》－世界《モンド》における〈他者〉との関係に打ち震えながら、その関係を見定めるという問いである。

　このヴィジョンは、開墾者たちが、「アメリカ」の残った土地を、呪いの心配も形而上学的不安も抱かずに、遠くへ前進するように仕向けた、あの粗暴な緊張に対応するものではない。「アメリカ化」、すなわち、この大陸北部の平野や山脈《シエラ》や沼地や湖や渓谷《キャニオン》を横断してゆく合衆国の拡張は、フォークナー世界をひそかに揺るがすもの以上にずっと情け容赦のない暴力に由来するものだった。

ここからフォークナーと彼の国の世論とのあいだに高まっていった最初の不確かさの一つが頭をもたげることになる。植民《セトルメント》の最初の当事者たちを縛りつけ、したがって、彼らの直系の子孫たちにつきまとったであろう、「生きのびられないかもしれない」という、重苦しく理解の及びがたいこの種の考えを、合衆国の世論は受け入れるのを嫌がる。先住民の虐殺と黒人の奴隷制を平然と伴った、開拓者と創始者たちの活躍と勇姿と執拗さは、この国の住民の多数派にとってはずっと分かりやすく決定的なものなのである。

不可能な創設を特徴づけるもの（流浪、呪い、簒奪、犯罪）は、作品のなかでは、郡の住民の数と質を、地理的にも精神的にもその極限の境界まで画定する。

フォークナーにおける後れて来るものは、当惑を与えながらも、豊沃をもたらす。作品は、郡の目録を具体的かつ肉体的に作りながら、この具体、この肉をあらかじめ決めつけることなど絶対せずに、忘れ去られた始原を遡ろうとし、そこに秘密を探り出そうと試みる。しかし、初めからすでに、この土地のすべての具体とすべての肉体を決定づけていたのは、この秘密（創設が実現できないという秘密）である。私たちはそのことを知らないし、そのことを永遠に知ってもいる。絶対的な眩暈。

それが、私たちを魅了し、私たちをフォークナーのテクストのなかへと運び去る。私たちは彼がどこへ私たちを導くのかを知っているが、その認識は絶えずあとからやってくる。だからフォークナー研究家はじつに類い稀なる直観によって、子孫、呪い、時間と記憶の眩暈といった、まさしくあの何よりも重要な扉を叩くのだ。登場人物、そして著者と共に、時を同じくして、彼らの無知と驚きを分かち合いながら、そうした「根本原因」を再構成しなければならないことが、読み手の知性と直観を研ぎ澄まさせる。フォークナー作品について語ってきた人々は誰しも、自分たちを驚かせる予知的なこの配剤——まさしくそれは、事物《もの》が生じる(隠される)場としてのこれらの根本問題へ遡らなければならないという配剤——に、心を打たれてきたのである。

流浪の力は避けられない。それは郡の選ばれた人々を突き動かす。私たちはこの力を、野蛮にかぎりなく近い欲動と関連づけることができるだろう。その欲動は、開拓者たちを極西部《ファー・ウエスト》へと突き動かし、言ってみれば、彼らを太平洋に面した地の果て《フィニス・テラーエ》で実に劇的に打ち棄てたものだ。しかし、少なくとも開拓者たちはこの地を征服し、開墾し、全精力を傾注して、この地の光景を変えようと望んだ。流浪は彼らにとっては苦しみではなかった。

フォークナー研究家にあっては、流浪とは人間の乗り越えがたい次元である。その事例を全作品にわたってすべて調べる必要はない。例をいくつか挙げておけば、初期の作品のうちの一つ(「丘」)でフォークナーは「放浪の季節労働者」を登場させている。ただこれは、コンプソンの最初の人間たちが取り返しのつかない流浪をすることの予兆と徴にすぎない(「チャールズ・スチュアートは(…)合衆国から追放されたのではなく、喋ることで自分で自分を無国籍者にしたのであり、彼の追放は反逆行為のためではなく、その行為をあまりにも大声で吹聴したためであり、次の橋を作る場所に辿り着きさえしないうちに、背後の橋は一つ残らず焼き払ったと言いふらしたからなのだ（…）彼は息子を連れ、スコットランドの古い両刃の剣とタータンの毛織物を抱え、一家の伝統を守って、夜逃げしたのである」[4]）。また、『八月の光』の冒頭から結末にかけて、幸福で平穏な、行き先の分からない人生に導かれ（冒頭では「リーナは「私はアラバマからやって来た。ずいぶん遠くに来たものね。はるばるアラバマから歩いて。ずいぶん遠くに来たものね」と思い、歩き始めてからひと月も経たないうちに、もうミシシッピ州まで来たのね、と思う」[5]。そして結末では、「ああ、なんてこと。どうしたらこんなに遠くに来られるのかしら。アラバマを出てからまだ二か月にしかならないのに、もうテネシーにいるなんて」[6]）、リーナ・グローヴは州から州へ渡り歩く。さらにまた、『死の床に横たわりて』のなかで、アディ・バンドレン（生と死の双方における）とその家族は、〈死〉を予期し、〈死〉を通り抜けて、存在論的にさまよう。さらには、ジョー・クリスマスの放浪、キャディ・コンプソンの世界中の流浪、ベイヤード・サートリス（すべてのベイヤード）の常軌を逸したレースといったものも挙げられるだろう。このような流浪の才はここではカインを襲ったような呪いの帰結でもなければ、「さまよえるユダヤ人」に対して言われるような、世界におけるある状況がもたらしたものでもなく、ましてや探検家や植民地の建設者のように、見聞きすることや征服することとの情熱が眩く発揮されているのでもない。そうではなく、流浪とはある種の必然性によって個人の内奥から滲み出てくるものであり、この必然性こそが呪いを宣告するのだ。フォークナー世界の人間たちにとって、この「選ばれた者たち」にとって、流浪とは移動することへの偏愛や知ることへの狂熱というよりも、何よりもまず、逃走という不安な移動のうちに独力で自己を見出したいという不変的な欲求なのである。

私たちは、流浪の思考のうちに、この思考がサスペンスであり錯綜した筋立てであること（これらの語の推理小説的な意味ではない）を見抜く。すなわち、フォークナー的な流浪者は確固とした事物から逃れ、したがってシステム的思考から逃れる。システム的思考とは、あらゆる創設を、領土のあらゆる占有を計画し、判断を下すものであり、人間の存在（集団的、家族的、あるいは荒れ狂うほど個的な）と生の欲動の絶対条件をなしてきたものだ。郡を創設する人々はシステムには従わない。彼ら固有の複雑な筋立てと共有しがたい強迫観念が生み出す、カオスと野生のシステムのほかには。「住み着くこと」や居を構えることは、たとえそれに熱烈にあこがれるとしても、これらの人々には適していないのである。

私は、別の機会に、どうしてシステム的暴力が領土の暴力に相当するのかを論じなければならないことがあった。

父祖伝来的文化にあっては（そうした文化では、共同体は、けっして途絶えることもなくだから正統性を脅かされることもない血統を、つまり父と息子の連続性を共同体に完全に結びつける、創世記や世界創造の物語に依拠することで、共同体としての姿を描く）、領土に対する存在論的関係は非常に緊密であるため、この関係を拠りどころに、人は領土を拡張する——これが植民地主義だ——ばかりでなく、この結びつきの正統性との関連で、これから到来するもの、これから征服するもの、これから発見するもの——これが予言の力だ——を予見できるのである。これと同じ原理で、共同体は他所によるあらゆる侵害から自己を純粋な形で保とうと望むのであり、またこの他所のうちに自己を至高なものとして築こうと望み、その共同体が自己のために予見する未来を他所のうちで描く（他所に強いる）のである。同一なるものは際限なく続く。すべてのシステム的思考と、その思考が生み出した権力と栄光は、予見する、発見する＝征服するというこの二重の運動から生じるのである。

複合的文化は、西洋の拡大と共に、数多の相反する父祖伝来性の衝突と軋轢から生じてきた。複合的文化は世界創造神話に起源をもたず、古い父祖伝来性が提示する神話のうちにただ適合するだけだった。こうした複合的な文化に対して、植民地の拡大は自然に正当化されることではないのだから、これを正当化するのに別の「理由」を探さなければならなくなる。そうすると、システム的予言のもつ限りない力は疑問に付されざるをえない。予見の特別な場としての科学は、実り豊かな危機を経て、知識の様々な余白を想像することになる。美しきシステム的思考の特別な場にして、そのパロディの場であるイデオロギーは、結局崩壊することになる。

複合的文化のうちに失われたものとして考えられるのは、聖なるものの直接経験に触れること（神話を想い描くことができ、世界創造を直観する資質）であり、聖なるものの数多の多様な経験のなかから選び取る能力や、それらを混ぜ合わせ、可能な場合には、そこから綜合を生み出す能力を得ることとである。同じく考えられるのは、それぞれの文化が関係しあう今日的文脈のうちで、個人の自由が並外れたものとなり、そのなかで各人が複合的環境のうちで自分を「父祖伝来的」である、または父祖伝来的世界のうちで自分を「複合的」であると見なすのが自由となりつつあるということだ。

同じくこうも認められるだろう。すなわち、聖なるものとは、世界創造神話の言葉にならない経験や、それにかかわる神がかりや法悦だけに「根拠をもつ」のではなく、私たちがここで延々と語っているこの（文化と感性のあいだの、すべてとすべてのあいだの）関係の、まさに同じように言葉にならない直観にもまた根拠をもっているのである。

〈関係〉の解きほぐせないものが不可知になり、数えられないものになればなるほど、たしかに父祖伝来的文化は複合的になる（自らを解体する）傾向を強めてゆき、まさにそうなることで、複合的文化は〈創世記〉のうちに根づくという、父祖伝来的な経験と真理の古びた夢を渇望する。

ヨクナパトーファ郡とは何か。それは父祖伝来的な共同体でありたいという願望に苦しみ、そうした共同体には達しえないということにより一層苦しむ、そうした複合的な地方《ペィ》である（『墓地への侵入者』のおじは、フォークナー作品の数少ない完全に「イデオロギー的」な語りの一つのうちで、こう話す。「というのは、合衆国でわれわれだけが（サンボのことはいったん措いておこう。あとで話題にするから）。同質的な住民なんだ。要するに、どんな大きさにせよ、たった一つのそういう住民だということなのだ」[7]。またこう付け加える。「そしてサンボのルーカス・ビーチャムもまた、われわれと同質の人間なのだ、ただあいつの一部が……」[8]）。

同質的な住民、すなわち、父祖伝来的な夢。

ある領土での創設の「不可能」は、フォークナー世界にあっては、予見し、計画を立て、未来へと投企することの不可能性でもある（ただスノープス一族だけが予見する）。ここから後れて来る思考が生じる。後れて来る思考は、痛ましい興奮に駆られて、把握しがたい過去のなかへと遡り、それとまったく同じく、予言しがたい未来の見通しのうちで見事に消尽する（これこそがレジス・デュラン氏が『アブサロム、アブサロム！』を引用して指摘する「時間の漠然とした和らぎ」である）。ただスノープス一族だけが（一族の基盤を凡庸に確立することを）準備する狡猾な忍耐力を秘めている。

アイザック・アシモフ氏のSF小説に、一九五〇年前後に第一作を出版して以来、数世代にわたって読者を魅了してきた「ファウンデーション」というシリーズがあるが、このシリーズはここで述べた仮説を裏づけるものだ。ファウンデーションの力がなすのは、彗星と惑星と宇宙全体に関することを予想し、予見し、計画を立てるという権力を行使することである。アシモフ氏の物語もまた、〈歴史〉とは一にして至高のものであり、その他の異端の歴史（少数的、周縁的だと見なされる諸民族の特殊な歴史）は〈歴史〉に還元される定めにある、という確信に立脚している。これはシステム的思考と正統性の設立を裏づける、非常に面白い例である。フォークナー作品はこれとは反対である。

郡の人間たち（いわゆる「真の人物」、象徴的人物、数に入る人々をここでは指している）は——彼らの失敗をつうじて——システム的思考を、正統性を根こそぎにする。合衆国では、現在、正統性が示されるすべての領域では——家族をふくめた市民としての法的地位、精神生活、政治——正統性への強迫観念が見られるのだが、これは秩序の名のもとにもっとも頻繁に求められる、必要事の一つになっている。かくして合衆国は、フォークナー的な震えを受け入れなかった。これはおそらく他の観察者もすでに指摘してきたことであるが、合衆国こそ、領土征服という発想から現実に作り上げられた国である。この征服の神話と現実は、創世記の代わりをなすことだろう。ややふざけた指摘をしておけば、スポーツというゲームはそのほとんどが、理想的かつ強制的領土を目的にしている、つまり重要なのは自分の領地を守りつつも他者の領地のなかで得点を決めることなのだが、（ベースボールと並んで）この国の主要スポーツである、なかでもアメリカン・フットボールは各プレーのたびに各チームが征服した陣地を細かく測り、この測定が認められるか否かで、敵陣へ前進する権利が代わる、という数少ないゲームの一つである。領土征服は震えを経験することもなければ（熱帯の熱病に罹る場合を除けば）、問いを提起することもない。領土征服は、システム的思考から生じる。それは流浪ではなく、矢の投射だ。

　流浪とはそれと反対のものだ。流浪は、宙吊りの生として自己を保持する能力であり、創設的でシステム的な確信から遠く離れたものである。流浪はまた、他所へと向かう叙事詩的英雄たちの欲動でもある。他所に辿り着けば、根は強固なものになるか、根の欠如が埋め合わされるかもしれない。いったいどのようにか。根と欠如が同じものに由来しており、また根づきが排他的であってはならず、矢の投射と征服の欲動を許してはいないことを、断言するか、あるいは仄めかすかによってだ。それは、偉大なる創設の書が講じる予防策（根づきの眩暈としての流浪）であるが、この予防策はやがてこの書の信奉者たちによって忘れられる。彼らはこれらの書が表明している排他的な部分のみを記憶するからだ。

こうしたことはフォークナーのうちにすべて認められるのだろうか。そう、作品のうちにはある。いったいどのようにか。作品のうちには人々が身を寄せあって住み着いてもいれば、作品は国の現実をめぐって具体的に描かれてもいるし、読み手はこのなかで田舎の匂いを嗅ぐことも住民の言葉遣いを面白がることもできる。また作品は意見の表明やイデオロギーを振りかざすことで読み手を攻め立てることはない。そうした作品はどのように、ある文明、すなわち西洋文明のもっとも抽象的かつ理念的な原理と、その原理のもっとも隠された動機を一挙に突き止め、それらを批評に晒すことができるのだろうか。

流浪について見てきたところで、呪いの問題に立ち帰ろう。

入植者たちは、自分たちと共に（自分たちのうちに）呪いを運んできたのだろうか。たとえば、フォークナー世界の多くの移住者たちのように、また実際のFalkner家のように、イングランドとスコットランドを出自とするコンプソン家の先祖たちは、失敗に直面しても、みな同じ強情さに憑かれているように見える。この失敗は、サートリス家に烙印を押すことになり（ジェニー叔母はきわめて激しく糾弾する、「呪われてしまえ。サートリス家なんて、ベイヤードなんて呪われてしまえ！」[10]）、またサートリス家とコンプソン家を分かつものとなる。これによりコンプソン家は、その成員が交互に転落する敗北者の列に加わることで、劫罰を受けたほぼ唯一の家族となるのだと思う。あるいは、この呪いは、ヨクナパトーファ郡に新しい土地を獲得する際の条件それ自体から生じるのだろうか。

この入植者たちはイケモタビー（「土地を奪われたアメリカの王」であり「剥奪された者」。彼はこうしたタイプの最初の人間だったのか、それとも簒奪者にして殺人者だったのか）と取引していたことを思い出しておきたい。最初の取引は、黒人やブラック・インディアンの奴隷売買であり、次の取引は土地の譲渡であり（「それは叢林の話であり、大森林の一区画を金で購入したなどと愚かしくも信じこんでいた白人や、その一区画を譲り渡す権利があるような顔をしていたあまりに無情なインディアンについての、どんな記録文書よりも広くて古い大森林の話であった」[11]）、とりわけコンプソン家が彼らの物語の最後であまりに浪費してしまう、はっきりと直角をなすあの正方形の草地である。どういう人間なのかを同定しがたいこのイケモタビーは、この土地を何と交換したのだろうか。それは、六百ヤード競走を走れば無敗だが、ゴールの一ヤード先では倒れこんでしまうような馬であり、初代コンプソンはこの馬のおかげで、まだドゥームではなかったはずのこのイケモタビーの若い戦士たちとのレース（コンプソンは入念に競走距離を調整した）を主催して一山儲けたのだった。この馬は、フォークナー世界に住み着くあの架空の動物たちの一つだ。この馬は閃光のごとく駆けるのだが、あまり遠くまで走れない。それは短命《かげろう》の馬。それは所有地の名義の象徴。周囲の土地の繁茂する自然のなかでは不条理なほどに幾何学的である正方形の草地、周囲の土地の一部をなしているのではなく、そのなかの怪物的なこぶ以外の何物でもないようなものとしての正方形の草地。人工的で、根を一つとしてもたない所有地。これが当の人物であれば、ある白人が「デュ・オム」（最初の人間）と呼び、自分の手でこの呼称を「ドゥーム」、すなわち、呪いや劫罰を意味する呼称に変えた、イケモタビー。サム・ファーザーズ（二人の父をもつ者。彼は母親と正方形の草地の双方をこの馬と交換した。ただし、矛盾しているが、この双方がマッキャスリンに売却されないかぎりで）にならって自分からは子を作ることも、行動でも言葉でも何ら新しいことに取り掛かることを受け入れようとしない子孫たち。完全なる断種。

入植者たちの定住、獲得、取引は、そのことに同意する権利などもっていなかった男から得たものであり、奴隷売買というそれ自体のうちに衰弱を宿す取引の上に築かれた、非正統的なもの（最悪のもの、忌むべきもの）であったように見える。そうしたすべてがフォークナー作品のうちにはあるのだ。

たしかにはっきりと表明されてはいないものの、作品中で繰り返し述べられるのは、土地所有に対する平静かつ執拗な有罪宣告である。すなわち、こうした条件のなかで獲得された所有地に対する有罪宣告だ。

たとえば、アイク・マッキャスリン。「大地は、光や空気や天候がそうであるように、誰か一人のものではなく、すべての人間のものなのだから、彼は一切の土地を所有せず、また所有したいと願ったことも一度もなかった……」[12]。ここで見る例は『行け、モーセ』のうちにすべてである。

少年アイクはこの土地は先住民に帰属し、彼の家の者たちのものではないと考える。「自分たちが実際にはそれ［土地］を所有していることなど、それを自分たちのものとしてたしかに記録しているジェファソンの衡平法裁判所の台帳に書かれた、今では色あせ古ぼけてしまっているあの手書きの字と同じように些細な、現実性をもたぬものにほかならず、彼、少年こそがここでは客人であり、サム・ファーザーズの声こそが主人の代弁にほかならぬかのように思われるのだった」[13]。

このことはマッキャスリンには不十分だ。彼は、彼の甥であり従兄弟である人物のために、当たり前のように、相続財産を自分から放棄してしまう。「マッキャスリン・エドモンズは、アイザックの年上の従兄弟にあたり、アイザックの父の妹の孫息子、したがって女系の血筋の者であるにもかかわらず、当時のある人々にとっては、アイザックが受け継いでしかるべきであり、今でもある人々にとってはそうであるべきものの相続人となり、なおかつその遺贈者となったのである……」[14]。

そこには非-所有の眩暈がある。その眩暈は、大森林と叢林に対する情熱に結びついており、アイク・マッキャスリンの心を、生涯にわたって、つまりは凍えるバンガローのなかで寝たきりの老人となったアイクが、後悔の念のうちになんとも人種差別的で人を不愉快にさせる罵倒の言葉を交えながら、ただただ大森林と叢林の夢しか見られなくなるそのときまで、占拠することになる。

人間が二世代のうちに沼地も潰し、木々も切り倒し、川も塞いでしまったこの土地。（…）この土地では、白人たちは農地を借りてニグロのように暮らし、ニグロたちはわずかな区画を一緒に耕しては動物のように暮らしている。この土地では、(…)、高利貸しがはびこり、抵当に入れられ、破産するかと思えば、莫大な富が築かれ、中国人もアフリカ人もアーリア人もユダヤ人も、あらゆる種族とその子孫が一緒くたになり、ついには誰にも、誰がどの種族かを区別する暇もなくなり、気にもかけなくなってしまう……。[15]

フォークナーが『行け、モーセ』の全篇にわたって驚くべきほどくどくどと反復の技法を用いるのは、自然を破壊するこの人間の仕事を有効に批判するためだ。

「箱馬車は、綿ととうもろこしの干からびた茎のあいだを、最後の開けた土地を、太古の森林の脇腹に人間がわずかにかじりついてつけた最後の痕跡をとおって進んでゆく……」[16]。

さらにまたこうも書かれている。「ちっぽけな人間たちが、嫌悪と恐怖に駆られるあまりにうたたねしている象のくるぶしのまわりに群がった小人《ピグミー》のように、群がって切りつけた、古《いにしえ》の野性の生活……」[17]。

反復の技法は、この大森林、この叢林を讃えるためでもあり(「……彼が持ち帰った忘れがたい大森林の印象――それは危険な、とりわけ敵対的な感覚ではなく、深々として、鋭敏で、巨大で、瞑想するような感覚である……」[18])、この賛美によって、フォークナーは、そう言わずとも、これが原初の〈母〉であることを明言している。彼は叢林について何を(少なくとも「熊」の十五頁ほどのうちに六回か七回繰り返されるが、おそらく最初は読み手の注意を引かないもの)繰り返しているのだろうか。それは、大森林が人と動物に対してあたかも守護者のように身をかががめていいるということ、しかし、その身があまりに大きいために人がいつも感じ取るのは大森林の愛撫であり叱責であるということだ。

「叢林は、（…）身をかがめ、やや姿勢を低め、彼らを見まもり、その話に耳を澄ますものの、（…）、ちっとも敵意を示す様子もなく、ただ瞑想し、秘密を孕み、途方もなく巨大で、ほとんど無関心であるように思われた」[19]。

「それは彼らの頭上で、それぞれ別の隠れ場所に潜む少年、サム、ウォルター、ブーンの頭上で、途方もなく大きく、注意をこらし、分けへだてをせず、すべてを見透かしつつ、こちら側に身をかがめているように思われた」[20]。

「それに続く沈黙のなかで叢林もまた息をするのをやめ、息を詰めたまま、途方もなく大きく、分けへだてすることなく、待ち受けながら、身をかがめ、姿勢を低めるのだった」[21]。

「それはやはり、何かの生き物の仕業ではなく、ただ、あの叢林が、少し身をかがめ、その犬の無鉄砲さを軽い平手打ちで懲らしめたにすぎなかった」[22]。

作品は——そこで語られることとはフォークナー当人が語ることとはおそらく異なるものだが——「土地所有とは盗みだ」と述べるのでなく、所有地がここでは自然の秩序の死であると仄めかしている。それは根底的な有罪宣告であり、この土地へ「住み着くこと」に対する有罪宣告ではないにしても、「住み着くこと」のそもそもの方法とその手順に対する有罪宣告である。

これはルソー主義を単純化したものではないし、プルードン的な綱領でもない。これは汎神論的な現実（種々の自然物による生の息吹を与える連帯）を肯定するものであり、この現実の外では、社会的なものであれ政治的なものであれ経済的なものであれ、どんな人間的な要求もその意味を失ってしまう。ここにあるのは見事なまでに廃れた考えだが、この考えが、今日私たちを脅かしていることのもっとも深刻な問題へと導いてくれるものなのだ。そう、こうしたことのすべてがフォークナー作品にはあるのだが、ここではこの考えを検討しに行くことは（そこに行き着く暇がないので）できない。

呪いは二重のものである。一方の呪いは、最初の〈農園主〉たち、すなわちコンプソン家とサートリス家が自分たちと一緒に（自分たちのうちに）運んできたものであり、他方の呪いは土地の冒瀆のうちに根っこをもつものである。流浪者たちの受ける呪いは、この泥土から根こそぎにされた呪いにおいて一層強まる。こうして土地の疲弊と人間たちの衰弱は分かちがたく結びつくのだが、この結合に対しては、狩人たち（「白人でも、黒人でも、赤人でもなくただの男たち、忍耐する意志と剛毅さをもち、生きながらえる謙虚さと術《うで》をもった狩人たち[23]（…）」）のみが抵抗しようと試みる。狩猟期間が作り出すこの始原への回帰のもつ儀礼的役割についてはあとに取っておこう。今私たちが問わなければならないのは、この失敗した創設という脈絡のうちに、叙事詩的再構築とそのあとに続く悲劇的緊張がどの点でどのように絡んでくるのか、ということだ。

どうしてこの敗北は叙事詩的変転――敗北を結集の場所へと変容させるもの――を生み出さなかったのか。それればかりでない。さらにまた、どうして見せかけが、おそらく『風と共に去りぬ』のような、あのごてごてした装飾、蒼ざめた郷愁、不幸な文学性といったものが、この敗北から立ち現れてしかるべきだった、深い息吹に勝《まさ》ってしまったのか。

最初の答は、作品が郡の創設をめぐって仄めかしたままにしているものを分析することによって、まさしく与えられる。端的に言えば、略奪と犯罪の上に築いたものは長くもたないということである。伝統的な叙事詩的なものの原理を「確認」しておけば、始原に背いている場合や「根」が退廃している場合には、共同体の不均衡があるということだ。しかし、叙事詩的受難とそれに内在する意図が織りなす歴史において、この退廃が（ひそかに、漠然と）不正と抑圧――この場合には奴隷制とそのシステム――に結びついているのは、これが初めてである。作品は、この時間とこの場所における叙事詩的なものの不可能性をめぐる瞑想である。より正確に言うなら、作品はこの不可能に対する物狂おしさであり、または、叙事詩的なものを生み出し、作品が想定するありそうもないことを起点にそれを表現するための英雄的努力である。フォークナーはヨクナパトーファ郡においてこの不可能を増大させ、立ち昇らせることにより、この不可能を名づけることになる。

彼は、例の戦争について、彼の南部の同胞たちの勇気と熱狂を讃えている。ちょうどベイヤード・サートリス（ベイヤードのうちのジョン・サートリス大佐の兄弟）が、スチュアート将軍と共に、南部連合の戦列の前線に躍り出て突撃する場面を讃えるように。この描写は、優雅さにおいても、魅力においても、恐れ知らずな勇敢さにおいても、輝くばかりの大胆さにおいても、どれをとっても絶対にありえそうもなければ、無意味に挑発的であり、技巧的には無責任であると言ってよい。すなわち、この描写を「散乱したがらくたの下に潜んでいた料理人が、腕を突き出し、デリンジャー拳銃でベイヤードの背中を撃ったのです[24]」と締めくくっているのがどうでもよいことでないのなら、吐き捨てるべきほどの毒のある描写だ。こうしたかつての時代の騎士というものは、台所の使用人に背中を刺されて殺されるか、武勲に満足するかのどちらかで、「次の晩には、近所の人妻と寝ているところをその亭主に見つけられ、射殺されるといった連中[25]」なのである。

フォークナーはこうした機会に熱意と大いなる憐憫の情を示し、また、賞賛の念の虜になっている。しかし、それにもかかわらず、彼は一度として刺激の強い言葉(「まだ一介の奴隷商人にすぎず将軍にはなっていなかったベッドフォード・フォレスト[26]」)を手放すこともなければ、彼が描くものとの深い合一を保証する、あの非情なほど明瞭な描写を諦めることもない。

勇気や熱狂が足りなかったと認めるべきだろうか。たしかに足りなかった。ただ、勇気と熱狂は、こうした勝ち目のない場合に勝つためにではなく、敗北を「有益なもの」にするのに足りなかった。そこには別のものが、つまり西洋的思考の流れにおいて私が正統性と呼ぶものが、必要だったのだと思う。

フォークナーの、苦悩する慈悲深き天才、しかしその大胆不敵な天賦の才は、この正統性をめぐる数々の失敗を追い出し、そうした失敗を(創設することの不可能性と一緒くたにしながら)呪いや劫罰とあえて名づけようとしたことにあった。

いずれにせよ共同体（伝統的南部）は、このような作品を認知することに対してひそかな嫌悪を感じ（ただし、作品を上っ面の世間体で覆い隠すことで、作品を過度に見ないようにする場合は別だ）、逡巡のない、型にはまった再構成と賞賛を好む。南北戦争を題材にしてアンブローズ・ビアスが書いた、乾いた短篇小説やそっけない語りもまったく同じ理由で嫌悪される（フォークナーが生まれる三十年以上も昔に生まれた北軍派のビアスは、南北戦争をその開始から終結まで実際に「体験」した。たしかにビアスは、南北両方の生存者たちのように、戦争後にかつての戦場を訪問する際には拭い切れないメランコリーに襲われたことがあったが、それでもこの戦争のうちに叙事詩的なものを何も見出さなかった。いずれにせよこの戦争をとおしてビアスは、正義の揺るぎない価値を、真実と分かちがたく結びついたものとして作り出し、その他にもいくつもの強迫観念を生み出したが、おそらくこれらに取りつかれたためにビアスは大作家になり損ねたのだった）。残酷さの奥底にあまりに超自然的に辿り着くビアスの作品は、おそらくここでは（南部では）受け入れられることもなければ、あるがままに考えられる（理解される）ことすらありえなかった。

この正統性の喪失（創設する権利の喪失）は郡の名門家系で生じる血統の継承の失敗によって象徴的に例証されている。サートリス家はベイヤード（ベイヤードのうちの最後の者）とナーシッサの子供である男子を得てうまく「終わる」のだが、ナーシッサはこの子に彼女の兄の苗字であるベンボウと名づけることに決めたのだった。すでにお分かりのとおり、彼女はサートリス家の外でこの最後の子供を大事に育てることになるのだが、ジェニー叔母は名前の変更（子供は、亡き父親がベイヤードと名乗っていた以上、家族の慣例に従ってジョンと名乗らなければならないはずだった）がサートリス家の呪いからこの子を保護するものではないと預言している。

サトペン家は黙示録や、火事や、この家を代表する最後の者——間抜けで、しかもニグロ——の錯乱のうちに崩壊し、この子供は外の世界へと失踪することになる。

マッキャスリン家については、妻の死後、子孫をもたずに孤独を貫きとおすアイク叔父の人柄がすべてを物語っている。

コンプソン家は、その最後の世代が他のどの世代よりも呪われている。兄弟の一人は生まれながらの知恵遅れであり、もう一人は自殺し、キャンダスは呪われたまま失踪し、彼女の娘クエンティンは何の足跡も残さずいなくなり、終いにはジェイソン（「最初の正気なコンプソン家の人間であり、（子供のない独身者であることから）最後の正気なコンプソン家の人間」[27]）までもがほとんどスノープスに成り下がり、気難しく、己の敗北を反芻し、その下劣さを貪るようになる。

父系氏族、すなわち父系に支配される氏族は、崩壊する。

郡の普通の住民、より正確にはそのなかでも（動物であれ人間であれ）郡の紋章をなすものたちにとって、あらゆる子孫の喪失や血統の断絶は、掟の決定的破綻をも意味する。サム・ファーザーズ、ブーン・ホガンベック（ブーンが『自動車泥棒』の山場で売春婦に出会い、彼女と結婚するまで）、オールド・ベンを考えてみればよいだろう。

まさにこれこそがおそらく彼らの無比無類の証であり、彼らに残された唯一の崇高さであり、要するに、あの究極的な「断種」なのではないだろうか。普通に「存続する」根っこは、たとえばエドモンズ家、公平無私なスティーヴンズ家といった側面であり、そこにこの物語を解説する者、良心の葛藤を抱える者、緻密な記録保管者たちが集められる。『死の床に横たわりて』の不義の子供ジュエルは、バンドレン家の子供たちのうちでもっとも無垢であり、またもっとも保護されている。ジュエルは未来が受け入れるおそらく唯一の子供だ。

この世界では、〈おじ〉（黒人、白人にかかわらず伝統的な人間、すなわち慣習の守護者バックおじ、アイクおじ、ギャヴィンおじを別にしても、ジェイソン、ホーレス・ベンボウ）、〈おば〉、ときには〈祖母〉（先入見に満ち満ちた、差別主義者で黒人を本気で憎んでいる、ミス・ジェニー、ミス・ローザ、グラニー・ローザ・ミラード）の力が強く、〈父〉は影が薄いか、さもなければ凡庸だ。もちろんこの〈父〉が大佐である場合もあるが、この場合の父は遠くにいて無関心である。最後のコンプソン家の父は平凡な話（実際この話はサトペン家の悲劇的物語を聞いてヒントを得たものだ）ばかりする人物だ。短篇「正義」の末尾で、少女キャディが弟ジェイソンを罵りながら饒舌を繰り拡げたあとの、彼の返答の言葉を思い出しておこう。「ご覧、キャンダス、とぼくたちの父さんは言う」。ジェイソンの言は、〈父〉としての責任の放棄を端的に言い表すものであり、言ってみれば、不在の父の肖像である。バンドレン家の父アンス（もう一度『死の床に横たわりて』はおそらくこの物語全体のうちで、最も平凡な人物であり、幽霊や幻影に一番取りつかれていない（取りつかれているものと言えば金儲けぐらいだ）人物である。エミリー・

グリアソンの父、『自動車泥棒』の家出少年の父（すでにして最初の小説『兵士の報酬』の苦悩する主人公ドナルド・マホンの父も）、そしてその他の父たちは、郡の明らかなる論理がそう望むような精力的に決断する人物であるよりも、無言の共犯者であるか激昂はしても無力な者であるように思える。

父の血を引かないことは美徳となる。それは呪いを断ち切る方法だ。

ルーカス・ビーチャムについて語られること。「その名前自体〔ルーシャス〕を否定し、拒絶したのではない、なぜなら、名前の四分の三を利用しているのだから。そうではなくて、ただこの名前を手に入れてそれを変更し、もはやあの白人の名前ではなく自分の名前に変えてしまっただけなのだ、自分で作り上げ、自分が自分で生み出して名づけ、自分自身が祖先となる名前にしてしまっただけなのだ、ちょうどあの古い台帳がそれと反対のことを記録しているにもかかわらず、老キャロザーズ本人がそうであったように」[28]（「火と暖炉」）。

父が七十歳を過ぎてから生まれた老アイザック・マッキャスリンについて語られること。「アブラハムよりも後の世界に生まれでて、犠牲《いけにえ》となることを拒否する一人のアイザック〔イサク〕の姿を——父もなく、したがって犠牲の祭壇を難なく免れるアイザックを、なぜなら、おそらく今度は、激昂する神の御手はあの子山羊をお与えになることはあるまいから」[29]（「墓地への侵入者」）。

血統と創始は、黒人の拒絶と対抗（拡大した家族）、白人の呪い（「激昂する神の御手」）というこの二つの障害につまずく。

これはクエンティン・コンプソンについて語られること。「最後の人。キャンダスの娘。生まれる九か月前に父を失い、生まれたときから名前をもたず、染色体がその性を決定した瞬間から、すでに結婚しないように運命づけられていた」[30]（「付録――コンプソン一族」）。

郡のなかで対立しあい、自分たちの不透明性でもって対抗する人物たち。そうした人物はまさしく自分以外の何ものからも生まれることなく、いかなる子孫を有することもない。これによって、あらゆる創設の克服しがたい土台である、血統と正統性に対する拒否が裏づけられる。だいぶ前に「熊」におけるオールド・ベンに関する引用（**息子たちみんなに先立たれたギリシャ神話のプリアモス**）をしたが、この「熊」の引用をとおして指摘したように、この抵抗とこの単一性は人物に限られるものでなく、家畜であれ野生であれ、選ばれた動物の特性でもある。

これらの父性の「欠如」、これらの血統の継承の失敗は、フォークナーがほぼ至るところで女系が真の系譜ではないと、すなわち正統性を与えるものではないと示唆しているだけにますます意義深い。

アイクと、彼の従兄弟であり女系の血筋を引くエドモンズ・マッキャスリンについてはすでに見たとおりだが、おそらくエドモンズ・マッキャスリンその人と彼の子孫（ザカリー・エドモンズとその息子ロス）までもふくめた郡の人々全員が、自分たちを〔正統性の〕専有者であると考えていた。したがって、エドモンズ家の人間が苦しむのは、少なくとも自分たちの血筋を推測しなければならなかったからだ。

ニグロのルーカス・ビーチャム、私生児だが男系の血筋（白人）であるマッキャスリンは、ロス・エドモンズという、嫡出児だが女系のこの同じマッキャスリンにこの点で勝ることになるとは考えていない。ロス・エドモンズはこの点で苦しむことになる。

チカソー王国の簒奪者であるドゥームについて言えば、彼は「副酋長として、反逆児《ミンゴー》として、一族の母系に生まれた三人の子供の一人として、生まれたにすぎなかった」[31]のであり、不当に「酋長と、頭《ザ・マン》と、一族の男系に属する領地の正統な相続者」[32]の代わりをしていた。

最初の娘にアラバマというきわめて象徴的な名をつけ（この名には別の側面があると思う。それはミシシッピと共に深南部に属するという側面だ。とても美しく、またその一部をなす住民全体――黒人――にとってはとても怖ろしい名でもある。アラバマ、ジョージア、ヴァージニア、ミシシッピ）、その娘に生後九日目〔五日説もある〕で先立たれた、フォークナー。もう一人の娘ジルに愛情を注ぎ込もうと努力するが、どうやらまったくこの娘を理解しなかったそうであり、彼女を理解することに切迫性や必要性があるとは思ってもおらず（しかし私たちは本当にこのことについて何かを知りうるのだろうか）、妻エステルの最初の子供たちの面倒を見るのに注意を向け、心を配ったフォークナー。彼は息子がいないことに苦しんでいたのではないだろうか。いずれにせよ郡の人々は、血統に関するフォークナーの先入見を分かち合っている。

こうした主張と示唆は、（作品における）父性が、少なくとも系譜を創設するために役立たず、枯渇するようになり、さらにはフォークナーが、子供を独占しようとする母の正統的権威に真に服するというよりも、その生涯を受け入れたように見えるだけにますます際立つ。しかし、ただ母の権威のみがフォークナーの才能のうちで最初から信じるべきものだった。

植民地の伝統的な環境であればどこであろうとそうであるように、ここでも先駆的女性たちに活力を見出すのはほど遠い。母たちは透きとおるように白く、病弱で、不在で、いつも変わらず美しく、ほぼきまって子供にかまいすぎるのだ。

（サン＝ジョン・ペルスの『讃歌』にはこうある。

君の母はなんと美しく、なんと白く見えたことか
疲れ気味に、とても高いその背を屈め、
シギンの二重の大葉をのせた
重い麦わら帽子、さもなくば日よけ帽子を君に
しっかり被らせてくれるときには……[33]）

白人のおばと祖母たち、子を産めなかった、あるいは子を産むことをやめてしまった彼女たちは、危険に身を晒す覚悟と決断力を体現している。イケモタビーの母であるモハタハーもまた、愚かな外見のもとに活力と秘密を宿した、バロック的で魅力的な人物である。

フォークナーおよびその小説作品を読むとなぜ叙事詩的なものと悲劇的なものが思い起こされるのだろう。この作品（主題と対象）の場は一個の共同性であり、この場に築かれるすべての個人的冒険――小説――は、何よりもこの場に光を当てようとする。冒険と苦悩の装置と枠組としての共同性だけではなく、この苦悩が注がれることになる、あらゆる人間的営為の成否としての、その可能性と不可能性としての、共同性を照らし出すのである。

正統性をめぐる、その衰弱の劇《ドラム》と復興の行程は、伝統的な悲劇の基本原則をなしている。なぜなら正統性とは、西洋諸文化において、存在の筋道に、あらゆる共同体を創世記に結びつける暗い道に通じており、そうすることで共同体をその至高の権利のうちに打ち立てるからだ。

それゆえ、絶対の秩序にもたらされる最悪の災厄とは、血統の堕落によってであれ、息子や後継者を名乗る侵入者の簒奪によってであれ、（正統性が系統のうちに具現化している場合には）この正統性が断絶することだろう。正統性の衰弱は、都市《ポリス》の荒廃や王国の腐敗といった、もっとも本源的な災厄を引き起こす。反対に、正統性を託された者たちの背負う決定的な罰とは、自分の正統性が一度でもぐらつけば、血筋の者（この場合、男の子孫であり、とりわけ長子）から一撃を食らわされることだと言える。

崩壊と崩壊の解決〔阻止〕、正統性の喪失とその回復は、シェイクスピア悲劇にいつでも見られる要素であると思う。ハムレットがひそかに感じるのは自分がデンマーク王位の正統な後継者ではないということであるし、マクベスを突き動かすのは正統性を熱狂的に求める夢であり、このせいでマクベスは底なしの奈落に失墜するのだが、これはリチャード三世が不可能な権利を得ようと陰謀を――むなしく――めぐらすのとまったく同じだ。また、ブルータスとカッシウスを駆り立てたのは、ユリウス・カエサルの非‐正統性である。オセローは正統性のうちに反逆的要因（混血）を持ち込む。キャピュレット家とモンタギュー家は、互いに激しく相容れない別々の正統性を体現している。リア王の娘たちは正統性を滅ぼすことを望む、等々。シェイクスピア悲劇においても、ギリシャ悲劇のうちに見られるのとまったく同じように、簒奪者であろうとなかろうと、英雄の死（供犠）に基づいて、大抵の場合、均衡の回復がなされる。

ソフォクレスの『オイディプス王』、正統性の悲劇を創りだしたこの例においては、英雄は、崩壊を生み出す簒奪者であると同時に、正統性を握っている唯一の人物である。しかし彼は、正統性を失墜させることによりこれを破壊した。オイディプスが、説明も注釈も前提としない、一個の絶対であるのはこのためだ。犯罪者であり犠牲者、裁き手であり供犠者という側面を同時に併せもつ彼は、彼一人で充足している。王国の正統な後継者が、周囲に悪疫《ペスト》と悲嘆の種を蒔きながら、父殺しと近親相姦によって、自らの手で正統性を破壊する……。この語りえないものを解説したり説明したりすることはできない。

どんな簒奪の帰結よりも勝るのが、近親相姦が作り出す、正統性の絶対的孤独である。オイディプスの近親相姦――これまでになされたことのなかった唯一の行為――以来、これこそが他の追随を許さない究極的犯罪であると言える。それから後に悲劇を揺るがしてきた正統性の扇動者たちが苛まれるのは、近親相姦の誘惑であって、それ自体ではない。簒奪者たち、あるいは自分たちの望まない状況に運命によって置かれた者たちは、（近親相姦という）行為に移ることはない。彼らは、自分たちがいるべき場所にはいないという感情が生み出す心の動揺を、近親相姦の誘惑のうちに投影する。これは正統でないことのもたらす堪えがたい居心地の悪さに対する、彼らなりの戦い方であり、この戦いによって、正統性の根本をなす掟を裏切ろうとするのだ。

正統性は、近親相姦の営みと絶対に相容れないものである。正統性に壊滅的被害をもたらしうる絶対悪が近親相姦であるからだ。あらゆる共同体の、静謐または波乱の密度が創世記とあの否定できない起源から生まれる確信を典拠に評価される諸文化にとっては、少なくともそうである。途絶えることのない血統の流れだけがこうした結びつきを保証する以上、正統性の暴力的な中断(何よりも近親相姦によるもの)がまず引き起こすものとは、脱血統化《デザフィリアシオン》である。

世界には、正統性(したがって、システムと典拠としての血統)がこうした絶対的な重みをもたない諸文化がある。その文脈では、こうした迂回は取り返しのつかない事態であるとは見なされないだろう(それでも近親者による強姦の数を確認して驚いてしまう。その犠牲者は、アンティーユの田舎では大概思春期前の娘か義理の娘であり、実父か義理の父によって犯される。これが文化的な貧しさや文化的構造の喪失の様態に結びついた現象であるとか、田舎の生活やたんに貧しさの条件に結びついた現象であるとは言うまい)。いずれにせよ、脱血統化は、複合的社会において、あるいは拡大した家族からなる社会において、共同体にとっての劇《ドラマ》と不均衡を直接生じさせるものではない。これはおそらく、オイディプス――神話とコンプレックス――は普遍的ではないと述べる場合に、意味深く簡潔に、私たちが言い表したいことなのである。

シェイクスピアの主人公《ヒーロー》のうちで正統性を握っているのは、『テンペスト』のプロスペローだ。プロスペローはミラノ公国の王位を追われるが、このことが共同体に対する災厄を引き起こすことはなく、簒奪者である彼の弟は最初からどちらかと言えば愉快な気質をした略奪者であるかのように紹介されており、要するに、公爵の許しを請う心積もりがすでにしてできている。

実際、『テンペスト』はプロスペローの「ミラノ公国」(西洋)の正統性を全体-世界に拡張することを目的としている。これは植民地的な行為と理性に対する預言的ヴィジョンである。『テンペスト』は悲劇ではない。したがって、これは崩壊を解決することをめざしたものではなく、犠牲の英雄を求めなければ(野蛮なキャリバンはむしろ、プロスペローの善意に対する恩知らずで、反抗的な対象として見なされる)、血統の問題にほんのわずかに(子息をもたないプロスペローの娘が登場する場面で)触れるにすぎない。

ここで例証されるのは知と行動の単一性である。すなわち、四大元素の知識を統べる者は、彼が発見する世界を正統にも自由に操ることができるということだ。シェイクスピアが構想し、劇を上演した地球座《グローブ》の建造物がきわめて象徴的に(これが当時の建築様式であったとしても)円形《シルキュラリテ》=世界《モンド》を再現していることは無視できない。

フォークナーにおける叙事詩的なものと悲劇的なものは、これらの有する不可能につまずく。だがここにこそ、フォークナーにおける叙事詩的なものと悲劇的なものの偉大さと新しさがある。

これらは語る。崩壊の解決はここでは想像もつかないことであり、血統はここでは叙事詩的なものと悲劇的なものを変質させる簒奪や堕落から身を守る術をもたないと。また、サートリス家、コンプソン家、サトペン家、こうした静かにあるいは激しく呪われたすべての家系が並外れた不幸に襲われるにもかかわらず、正統性は悔い改められず、それどころか反対に居心地の悪さは国全体に蔓延すると。まさに南部全体が、正統的なものの崩壊によるほとんど破滅的なまでの犠牲者であるばかりでなく、象徴的な場であり、この正統性が砕け散る、王朝そのものなのである。

南部とはデンマーク王国であり、なおかつ、全体として、また同時に、正統なフォーティンブラス家であり簒奪者ハムレット家である。ここでこそフォークナーの村《ハムレット》はまさしく完全にシェイクスピアのハムレット（*the* Hamlet）となるのだ。オイディプスやハムレットのような犠牲に捧げられる英雄が不足しているように見えるのはこのためだ。そこには人々が苦しむ痕跡の全体が必要なのである。一個の人種がまるごと必要なのだ。『尼僧への鎮魂歌』におけるナンシー・マニゴーは単なる一人物ではない。彼女は黒い謎である。彼女は、黒い謎でなかったのなら、存在に値したはずだ。並々ならぬ努力にもかかわらず、彼女が、テンプル・スティーヴンズを救い出す手立てとして、テンプルをその子供（その血統）をとおして傷つけようと欲したのは、もはや驚くにあたらない。脱血統化はこの深南部のあちこちを襲い、呪詛の風は王子の一家にのみ吹くものではない。

血統はもはや徳をもたず、悲劇的なものもまた、崩壊を解決しえない。

フォークナー作品は『テンペスト』のようには語らない。フォークナーにとって、正統性と知と権力は和解できるものではないし、そもそもこれらすべては一遍に理解しうるものでもない。ヨクナパトーファ郡の「郵便切手」のなかでも、〈全-世界〉のなかでもそうである。領有と植民地支配の行為のなかには、プランテーションとその周囲には、それにしがみついている限り、何か朽ち果てるものがある。それは奴隷制とその避けがたい派生物としての、何よりも強姦の上に築かれる、混血だ。フォークナーがこのことを（しばしば分かりにくく訴えながらも）一度して語らなかったのは、彼がその肉体（彼の南部）のうちでこのことを真に考えて苦しんでいたからだ。

フォークナーは、こうした叙事詩的なものと悲劇的なものの無限の開放（結局は叙事詩的なものと悲劇的なものの失敗だが、この失敗がそれらを完全に刷新する）をもたらし、ニーチェ以降、それを「再考する」ためのもっとも全面的な努力を企てた。それとは、深い奥行をもった西欧の存在論が数世紀以来立脚してきた〈存在〉の観念と、現実における〈存在〉の派生物であるアイデンティティと帰属だ。これらは晒されているのではなく、ある民族や群衆の背後やうちに隠されている。実際、私たちはそうした群衆の一人ひとりの個性に打たれ、そのあとに、その個人からその人物の属する共同体を認めさせられる。この群衆のなかで、私はサトペン大佐の極限の事例と、近親相姦に立ち戻りたい。

兄妹間の近親相姦の誘惑は（コンプソン家のキャディとクエンティンの発熱するるひそかな誘

惑、サトペン家のヘンリーとジュディスの悲劇的で衝撃的な誘惑、ベンボウ家のナーシッサとホーレスの優しく散漫な誘惑――とはいえ、ベンボウは「襲いかかろうとする鳥のように、まじめに、熱心に聞こうと身構えて、(…)両手越しに妹をじっと見つめていた」[34]と『サートリス』のある箇所で語られている)、脱血統化を伴い、それを神聖視する。現実的であれ比喩的であれ、まさしく双子であることが、互いが互いに抱く難しい愛情をとおして、血統の衰退を痛ましく表しているように。このことを確信するためには、サートリス家の歴史のうちで、ベイヤードとジョンたちが繰り拡げる、目も眩む大混乱を解きほぐそうとしてみれば事足りる。とはいえそれは、マッキャスリン家の系図のうちでマッキャスリン、キャロザーズ、エドモンズの血統を、黒人と白人の血の系譜を再構成しようとしてみるのと同じようにややこしいだろう。兄と妹のあいだの近親相姦の誘惑は血統を抹消する。まさしく拡大した家族の縺れが血筋としての血筋を、すなわち創設の排他的媒介物としての血筋を殺すように。これこそがサトペンの長男チャールズ・ボンがおそらく理解していたことだ。なぜならチャールズ・ボンは、彼の被った一方的な離別の恨みを晴らし、近親相姦のうちでサトペンの創設の夢を潰えさせる目的で、腹違いの妹ジュディスと結婚しようとしたと考えられるからだ。こうしたものは、フォークナーが隠すことのできるもの、あるいは彼ができるだけ後らせることでしか明るみに出すことができないものの例であると、今一度言っておこう。

双子であることがここで意味するのは、それがアフリカ的信仰において意味してきたものとは異なっている。

（フォークナーのまた別の性向は、ほとんど本能的に、アフリカ的様態や様式と関係を有し、それを用いていることである。拡大した家族、非常に把握しがたい「血縁関係」のネットワーク、双子への神秘的信仰、動物——とくに犬と馬——をめぐる、仮想であれ現実であれ、とにかく魔術的知、〈おじ〉の重要な役割といったもの。

プランテーションの書でもあるサン＝ジョン・ペルスの『讃歌』と比較しておこう。

「……すると〈おじ〉たちは母にひそひそと話しかけていた。彼らは門口に乗馬を繋いでおいたのだ。そして〈屋敷〉は羽の生えた木々の下で持続していた[35]」。

〈おじ〉たち、母、〈屋敷〉。この植民地的世界における、持続の要素（ただし馬のことも忘れないでおこう）。アフリカ的慣習はここではその解きほぐせないものを、そしてまた母の混濁した受動的豊かさを、硬直した父系氏族に強要する。そこには「相互交換」があり、アフリカの痕跡は拡がっていったのだ）。

幸福なアフリカ的信仰とは反対に、ここでは、双子の父は超人ではない。本物であれ象徴であれ、双子であることは、系譜の生成を前にした、運命のためらいを表している。バックおじとバディ伯父は、彼らの父が死んだ当日に、バンガローに一人きりで住むために、奴隷たちを住まわせていた家族の住居を捨てる。フォークナーの世界に関しては、あたかも運命はどっちの敗者が勝つかに賭けているかのようであり、それによって、相通じる没落に「責任をもつ」のはこの二人のうちのどちらであるのかを示そうとしているかのようだ。それは（サートリス家の）ジョンなのかベイヤードなのか。そのどちらかは決まって闇に向かう。双子であることは、正統性が不可能であると露呈する恐れがある場合に、正統性の呪われた流浪となる。血統は、風が運ぶ砂のうちに見失われ、近親相姦の誘惑は、この不可能を固定させる輪を閉じる。あらゆる兄弟愛はそこで混濁し、あらゆる双子性は呪いの刻印を受けるのだ。

このフォークナー世界のなかで、「実現した」近親相姦は存在したのだろうか。かつて私は『アブサロム、アブサロム！』のテクストに続く「年譜」と「系譜」のなかの記述を読んで、驚いたことがあった。それはミリーに関する記述だ。彼女の子供が女の子であったこと、このことは、その母もその子も自分の馬小屋にすら迎え入れたくないほど、実の親である老サトペンを大いに落胆させた。思い起こせば、子供が生まれたこの同じ日にウォッシュ・ジョーンズはサトペン大佐を草刈り鎌の一撃で殺し、自分の孫娘と生まれたばかりの曾孫娘の喉をかき切って殺したあと、何が起こったのかを確認しにきた隣人たちと保安官ド・スペイン少佐によって殺される。これがその箇所だ。

「年譜」から

一八五〇年　ウォッシュ・ジョーンズ、サトペンのプランテーションの廃屋となった釣り小屋に娘と共に移住。
一八五三年　ミリー・ジョーンズ、ウォッシュ・ジョーンズの娘を母として生まれる。(…)
一八六七年　サトペン、ミリー・ジョーンズと関係する。
一八六九年　ミリーの子供生まれる。ウォッシュ・ジョーンズ、サトペンを殺す。[36]

「系譜」から
メリセント・ジョーンズ
ウォッシュ・ジョーンズの娘。生年月日は不明。メンフィスの売春宿で死んだという噂。
ミリー・ジョーンズ
メリセント・ジョーンズの娘。一八五三年生まれ。一八六九年、サトペンの百マイル領地にて死ぬ。
名なしの嬰児
トマス・サトペンとミリー・ジョーンズとのあいだの女児。一八六九年、サトペンの百マイル領地で生まれ、同日死ぬ。[37]

この記述によれば、ミリーはウォッシュ・ジョーンズの娘の娘であり、さらに(「系譜」によれば）メリセント・ジョーンズの娘である。注意を喚起させるものなどない、あまりに特徴のない記述だ。ミリーの父に関しては、どんな人物であったのか、まるで言及されていない。テクスト（すなわち、小説のテクスト）もまたこの父について何も語っていなければ、メリセントに関してすらほとんど語っていないと言ってよい。ミリー、メリセントは、このテクストが気にとめるにはあまりに目立たない人物であるということなのだろうか。にもかかわらず、彼女たちは巻末の略述に記載されている。ミリーは、老いるサトペンにとって男系の血筋を作る最後のチャンスであり、誰でもよいような人物ではない。

思い切って明るみに出すときにはその分だけ隠すフォークナーのことである。サトペンがウォッシュ・ジョーンズをふくめた郡の全住人におそらくそのことを隠しえたように、ひょっとしたらフォークナーは、サトペンこそがミリーの父であることを隠していたのではないだろうか。サトペンは男子の後継者を欲するか、あるいはそれをもてないことに憔悴していたが、その男子の後継者を最後の最後に得るためには、己の血しか信じられないという決意をサトペンが狂気のうちに固めたことを、フォークナーは隠していたのではないだろうか。サトペンの物語は、ハイチで「混血」の犠牲になることから始まり、近親相姦によって終わったのではないだろうか。サトペンは犠牲者であり加害者として、最初にニグロの無視できない存在につまずき、次いで血統の呪いにつまずく。まさにオイディプスが自分の母親と子を作ることで正統性を滅ぼしたように、サトペンは自分の娘をたぶらかすことで家督継承の不可能性を完成させたのではないだろうか。とんでもない仮説ではある（フォークナー読解が導きうる、読解の極北の一つ）。しかし、この仮説はサトペンの狂気じみた偏執と合致するものであり、この偏執のもたらすもっともありうる帰結であり、たとえこのことが隠され、全員が知らず、ミリーさえ知らないとしても——ただし当然メリセントは知っており、老ウォッシュ・ジョーンズも最期の日に知ったと考えられる（この点は、サトペンが彼の馬小屋の粗末な隠れ場をミリーに与えるのを拒んだと聞いただけで、ウォッシュ・ジョーンズがその怒りを爆発させたことから理解できよう）——、さらに、たとえ私たち読者に静かに棄却されることであるとしても、それでも遺棄された郡に途方もない終止符を打つものなのである。

（突然見つけたのだが——クライティがサトペンと黒人奴隷の女とのあいだの娘であることは知っていたが——『アブサロム、アブサロム！』の「意識の接触」の場面の一つで、クエンティン・コンプソンの祖父が（彼が息子に語り、さらにその息子が息子クエンティンに語った）あるとき信じていたことによれば、サトペンの百マイル領地へと八分の一混血女の母に連れられやってきたボンの子供は「たぶんクライティの子供、サトペンが自分の娘を孕ませて作った子供である」[38]のだ！　サトペンがこの近親相姦をなしえたと考えるのはあながち間違っているわけではなかった。だがおそらく、こう言えるのであれば、この仄めかしは真実を覆い隠す（あるいは知らせる）ためのものにすぎない。クライティが（その外見に反して）黒人で、ミリーが白人であるのがそのちがいだ。ジェイソン・コンプソンのように、たとえニグロの子を作っていたにせよ、ニグロにうんざりしていたサトペンにしてみれば、これがその境界を分かつものだった）。

凶暴さに取りつかれた彼は、知らないし、知ろうとしない。近親相姦が正統性の否認そのものであり、取り返しのつかない否認であることを。このように「実現した」近親相姦が、オイディプスのそれとは逆ではあるが、同じ壊滅的な帰結をもたらすことを。直接的な（事件にかかわる者たち全員の死）、後れて来る（〈領地〉を滅ぼす最後の火事）帰結。

大森林の原初の輝きへと立ち戻らなければならない。ほとんど儀式であるかのようにして、狩人たちは、荷馬車や箱馬車に乗り、なかでも一番偉い人物は専用の馬に乗って、この森に毎年集まる。彼らはオールド・ベンという根源的な〈熊〉を狩ることを至上の目的としているが、各人の理解するところでは、ダマシカやアカシカやオポッサムやその他の小物の猟獣を殺すのと同じように、この熊を殺すことなど問題にならない（熊の死体が足元に横たわっている場合にすらそうした考えを抱こうとしない）。しかし、この大森林のうちでは大抵の場合は見分けのつかないオールド・ベンの踏み跡《トラス》を見つけ出すのがいつも関の山で、それ以外のときには、オールド・ベンが身を動かすときに立ててくれる物音や背後に残してゆく匂いに気づくといった程度である。オールド・ベンは原初の状況（すべてが可能であった、絶対もまだありうる状況）を侵略することに対する抵抗を表している。狩猟の空間と時間とは、人間たちの歴史の中断《サスペンス》のようなものであり、世代の連続をめぐる時間が不可避的に重なり続けることに対する拒絶のようなものだ。「熊」の狩人のあいだには人種は存在しない。マッキャスリン・エドモンズやコンプソン将軍は、この狩りのあいだ、自分たちの特権を捨て去りはしないが、原初の動物に遭遇する場合には——

重要なのはせいぜい踏み跡を辿ることぐらいだが――、彼らはサム・ファーザーズよりも自分を優位に思うことはないし、サムと異なっているとさえ思わない。一年に一度、人種的亀裂が崩れて消えるのだ。これはまさに、南部の全地域、とくにカリブ海とブラジルにおいて、カーニヴァルの期間はプランテーションの壁と人種の垣根が消えてなくなるのと同じだ。狩りの時間とは、叢林の原初の真実を求めるカーニヴァルである。

　これらの狩人たちは、その使命に従って、妻をもたない。あるいは彼らは、野営キャンプが続くあいだは、自分たちの世界から妻を排除する。キャンプのあいだ、彼らは好んで自分たちの女嫌いについて語る。これはフォークナー作品において、ア・プリオリにおかしなことだ。というのも、作品中で示される血の繋がりは、禁欲の徳とも、償いの赦しとも、教育の権力とも、一切無縁であるからだ。もしも社会生活の規則に合わせるのでなければ、もしも、黒人の乳母によって大抵は行なわれる、かなりの点で同情をふくんだ半ばピューリタン的な厳格な理想を教え込むのでなければ。真実を探求するという本質的な生活を営むなかには、あるいは、少なくともその隠された規則に接近するなかには、数に入る先祖も子孫もいない。狩人は一人きりで踏み跡を辿る。これが通過儀礼の代価だ。個となることは弱さを伴うことではない。それは、アメリカン・ドリームのように、社会的成功に資するものではない。それはこの成功の合言葉である「やればできる《ユー・キャン・ドゥ・イット》」や「とにかくやれ《ジャスト・ドゥ・イット》」ではない。それは失敗の苦い喜びですらある。個となることは絶対に属している。

　これらの狩人は現実の埒外にいる。叢林のなかへ分け入るとき、彼らは、がむしゃらに利益を追い求め、森林を破壊し、遺産を食い尽くそうとする不幸な人間たちの世界から、離脱する。彼らは狩りのうちに何を求めるのか。自分の所有地を諦め、自分のもとに集う家族を諦め、節度ある社会生活をすべて諦めた上で、あのアイク・マッキャスリンは生涯を賭けてそこに何を求めるのか。それは、動植物からなる〈自然〉と複数の人類が、開拓、所有地、遺産、人種の売買などによって自らを変質させることになる汚染を免れたままでいる、あの分離不能の時間へむなしくも遡ることだ。そう、この探求はむなしい。なぜなら狩人が求めるこの原始の無垢は、苦しみに対するどんな答も彼に与えないからだ。彼はただこの苦しみを堪えながらも、それをただ見分けるにすぎない。彼はこの答に到達しえないことを知っている。根源的な〈熊〉であるオールド・ベンを弾丸で仕留められないのを知っているように。しかし彼の偉大さはそれでも試みることにあり、彼の誇りは失敗に逆らって求め続けることにある。

フォークナーにおける場所は、ここで二重のものとなる。一方には、事物の見かけ（叢林を囲い、脅かすもの）があり、生活への日々の順応があり、我慢強く堪え、嘆かずに持ちこたえ、謙虚に受け入れなければならないもののすべてがあり、要するに、「進歩」による避けがたい悪化を刻印された、現実がある。もう一方には、現実の埒外に（通過儀礼を経る以外には入れない場所、すなわち、名づけられないものの叢林）、近づきがたい生の隠された論理がある。そこには、この不屈の真実としての真実、この事物の迂回、この暴き、この問われない問いの論理があり、これが生きとし生けるものすべてに命じ、限りなく後らせる。

重要なのはまさに次の点だ。つまり、一方には平板な現実——そこに宿る怪物を明るみに晒して提示するもの——があり、他方には原初の真実の領域——人間がその秘密を摑み取るに至った際には、この現実の怪物的なものの重みを量ることを人間に許さなければならないもの——があるが、この二重の領域を開拓するために、フォークナーは、二つの役割を同時に担う言語《ランガージュ》をあたかも自然に作り出したかのようだ。この言語は、フォークナー世界を描き、また同時に、その描写のうちでは語りえないものであるにもかかわらず、描かれたものを十分に意味する（露呈する真相として築き上げる）ようなそれを語ろうと努める。フォークナーの記述《エクリチュール》は、なおも同時に、この露呈しうる真相にもまた到達しえないのだと絶えず言い聞かせ続ける。フォークナーにおける記述《エクリチュール》行為の振幅はこのことから生じている。

フォークナーの記述《エクリチュール》は次の三つの要素に由来している。一つ目は、隠された真実（たとえば郡の創設やその正統性が不可能でありうるような、この先行する、原初の真実）であり、これは現実の描写を支配している。二つ目は、この描写それ自体であり、これは（このように原初の真実の直観と予感が描写を決めている以上）幻視的なものでしかありえない。最後は、この真実の秘密がいかなる瞬間にも告白されないという不安が保証されていることだ。

この三つの要素、この三つの様態、つまり隠されたもの、描かれたもの、言い表せないものは、一冊の書物（たとえば『アブサロム、アブサロム！』）のすべての道のりから、ある章や、ときには一文のなかまで中継し合い、この中継をとおして、読み手は、知りうるものに接近するのに一番密接した方法である、不可知なものの眩暈を感じる。記述《エクリチュール》がそれによって同時に、さまよいながら密生し、揺れながら駆り立てられ、決めながら中断すればするほど、眩暈は読み手の心を捉える。だから私はこれを後れて来る記述と呼ぶのだし、別の人物はこれを傾斜する記述と呼んだのだった。アルベール・カミュが『尼僧のための鎮魂歌』の語りの技術と対話部分を参照しながら評価したところによれば、これこそ息もつかせぬ記述である。

　記述《エクリチュール》の後れて来るもの（傾斜するもの、息もつかせぬもの）は、流れを同じくしながら続いてきた切れ目のない小さな波をとおして、確信をもってそこに到達することなど絶対にできない、祖型に遡る。フォークナーのほかにも、祖型の有名な例がいくつかある。たとえば、ジョイスの『ユリシーズ』に対するホメロスの『オデュッセイア』。だからここには紋切型《リュー・コマン》＝共有場がある。街におけるブルームの流浪は、地中海におけるオデュッセウスの流浪を繰り返している（キルケの洞窟とダブリンの売春宿など）。しかしジョイスの記述はユリシーズの道程を「明るみに出す」ことをめざしていないし、それを再現しようと試みているのでもない。祖型との関係、ジョイスであれば熟慮、嘲笑、客観性などでありうる祖型との関係は、人間のいくらかの条件が備わる、混濁した、不確かな、無意識的な、隠された要素を見つけ出す試みをおそらく示している。しかし、祖型は、それを象徴する分身、それを「客体化した」分身とは異なっている。ブルームはユリシーズではないのだ。

　フォークナーにおける、語りの祖型（始まりの条件、不可能な確立、南部の否認された正統性——ほかならぬこの私がこうやって言うのだ）は形式的にはまったく表現されておらず、明確な実在もなければ、語られる対象よりも客観性を備えているわけでもない。作家の仕事は、この祖型を啓示することにある。しかしながらその仕事は、祖型の苦痛に満ちた等価物を現在のうちに晒し、この啓示が永久に繰り延べられることを表すのだ。過去の知られすぎた不可知と現在の知られすぎない現実とのあいだの必要であるが実現不能な対比。

（彼が『アブサロム、アブサロム！』に言及する際、この作品の祖型をなしているのは『旧約聖書』の物語ではない。『アブサロム、アブサロム！』の祖型は、たしかに聖書を典拠にしたり聖書的な調子によって高められているものの、作品中では仄めかされるだけでけっして告白されない、血統に降りかかる災厄である）。

記述《エクリチュール》の比類なきサスペンスは、〈物語〉の創始する力を否認し、まさにそれによって別の次元を創始する。この別の次元とは、語りの詩学ではなく、語られるものが語りえないもの――語られるものを宿しているもの――と切り結ぶ関係の詩学だ。フォークナーが私は失敗した詩人《フェイルド・ポエット》だと言うとき、その意味するところは、彼にはこの別の次元をすでに開拓したのだという自覚があるということだ。この次元において記述は、自らについてためらい、その上をうねりながら、今度は詩との不可能な出会いを引き起こす。曖昧なものと明白なもの、知られないものと呪われた知識、記憶とその反対物である懐疑、とてもなめらかに展開する時間とあなたを混沌のなかに叩き落とす時間、赦しを与える死と野蛮に裏切る死、これらのものの出会い。

『響きと怒り』と『アブサロム、アブサロム！』という二つの小説については、ときに次のような提言もあった。すなわち、これらの小説はヨクナパトーファ郡、ひいては南部全体の年代記であるばかりでなく、それらの形式と技法を反映する点などにおいて、メタフィクションとしての様相を呈する、文学上の革新的作品であるとする提言だ。「敢えてそうしたのだ」、新しいものを作ったのだなどと考えるのが好きなフォークナーのことだから、彼はおそらくそうしたことに貢献したのだろう。フォークナーは自分が文学のテクニシャンであり魔術師であると見られるのをとても好んでいた。

こうして、ごく少数であるとはいえ、この提言を支持する人々においては、フォークナーの著作の意図や素材（ほとんどの場合フォークナー作品の内容は農村小説、地方小説、心理小説として読まれて、見事な成功例だなどと明言されるのだが）を、その形式から切り離したようだった。その形式は、所どころで、より正確には今話題にしているこの二つの小説に『死の床に横たわりて』を付け加えた三つの小説において、一般化した、当然ながら普遍的な価値を帯びることで、記述《エクリチュール》の革命的近代性に寄与する、と考えられていた。

真実はこうだ。これらの小説は『八月の光』や『墓地への侵入者』を始めとしたフォークナーの全作品よりも技巧的には革命的ではない。作品の総体こそが革命的である、すなわち作品の総体こそが、文学史上いかなる前例も見ない固有の有機的必然性を有しているのだ。知ってのとおり、フォークナーが西洋文学の偉大なる瞬間を注意深く研究ないし熟考していたとはいえ、そのことは変わらない。彼は独学の人であることを、研究したことがなかったことを、農民であることを自慢していたが、おそらくこうした挑発的な虚勢はすべて一つの感覚を表している。彼は、因習的な公的文化の仕来りのうちで自己を形成した完全な「ジェントルマン」なのであるが、その仕来りをそのまま継承した本人は、自分を束縛し麻痺させるものから逃れたのだと感じていたのだ。

これらの小説がその形式によって強烈な印象を残してきたのだとすれば、それはこれらの小説が、後れて来るものを前進させ、祖型に遡る必要があった作品生産の時期に書かれているからだ。それは「語りの」手法、つまり、直線的に連続する手法ではできなかったことだ。この頃のフォークナーは、バリケードを強行突破し、通り道を無理やり作らなければならなかったが、この道は、推測可能な機械的な結論へと至るようなものでは絶対になかった。勝てる見込みの少ないこのギャンブルに勝ったという感情が、「恍惚」と「予測した驚き」を語るフォークナーを高揚させる。

フォークナーの著作は、そのどれもが作品総体のうちで割り当てられたそれぞれの役割を果たしている。だからこうした基準を考慮することを抜きにしてはあの著作の美学的成功を判断することはできない。暴きと後れて来るものの小説のなかで作用しているものに比べた場合、『村』の記述《エクリチュール》と構造の緩みもまた必然性をもっている。ゆえにスノープス一族(略奪の経験しかもち合わせておらず、それをあさましく発展させる)が前提とするものに遡ろうと望むことなどまったくおかしなことだろうし、後れて来る記述が用いられるならば、この場合は啓示するものも隠すものも何ももたないだろう。

実際、話題にしている三つの小説は強烈な印象を与える。なぜならフォークナーはこの時期に問いの核心にいたからであり、不確かさにかろうじて遡り、汚染を拡大し、裂け目を開かなければならなかったからだ。

しかし、たとえば『墓地への侵入者』は、ただ一つの流れに沿って流れる定めの、混濁した素朴な不透明性のなかを前進しうるだけだ（すでに述べたとおり、これはルーカス・ビーチャムの不透明性だ。「いまいましい傲慢で不遜な黒人、たとえこいつが殺人犯でなかったにしても、さもなければ、それに価しないにせよ、少なくともその六十数年の生涯を、それを求めるかのように生きてきた……」[39]――「それ」とはすなわち私刑《リンチ》だ）。この不透明性は、この著作を他の著書から切り離してしまえば（作品の総体における黒人たち――そして侵入者――の占める場所と役割を考察するのを拒んでしまえば）、未熟なもののように見えるにすぎないもの、絶対にありえないものだ。喩えるなら、『失われた時を求めて』を築いている構造の総体から「スワンの恋」（オデットの平凡さ）を切り離したいと思うようなものだ。

短篇に関しては、これらを「成功作」だの「不出来の作」だの「失敗作」だのと懸命に整理し、ときにはその整理に熱中する人たちがいるが、こんなことは馬鹿ばかしいにもほどがある。フォークナーは短篇作家でも長篇作家でもなかったし、彼にはそんなことはまったくどうでもよかった。彼の短篇は耕作と除草と掘削の道具であり、それが現場での仕事道具だった。後に見るように、彼が短篇を積み上げるときは、作品の求めに応じてそうする場合である（しかしそれは飯の種でもあった。それを必要としていたわけだ）。作品を準備するという意味では、これらの短篇は『響きと怒り』と同じく「革命的」であるし、作品を完成させるという意味では、これらの短篇を全体性において捉える場合、『アブサロム、アブサロム！』に匹敵する眩暈に至る。

なぜならフォークナーが接近する現実のもとには、この郡の祖型が存在するからだ。だから記述《エクリチュール》は説明でも、心理分析でも、描写でも、物語でもなく、暴きの危険を担った記述である。なぜならこの祖型はけっして知られないからだ。だから記述《エクリチュール》は、技巧的には何にも帰結せず、そのすべてが不可知の眩暈に至る、様々なアプローチの連続のうちに自らを集める。

なぜならこの知られないことをひそかに堪え忍ぶ祖型は、知りたいという私たちの欲望を（その欲望は満たされないものだが、全般的な均衡をもたらす条件のようなものとして）熱烈に掻き立てるからだ。だから、それぞれのアプローチは、他の記述と異なりつつも連帯する、問われ続ける記述に属する。そこでは語られることはその反対物を含意し、見られ描かれることはそれをふくむ不可視のものを前提にする。

私たちは隠されたものをとおして明らかになる暴かれたものをより一層強く感じることができる。作品のなかで「理解できないもの」こそ、私たちが理解したと思うことの輝く暗い全容に接近する一助をなすのだ。


フォークナーが慎重を期していたことの一つ（じつを言うと、考え抜いた上での決心なのか、卓越した文章家の反射的な書き方なのかは分からないのだが）は、原因と結果を同時に生じさせることをまったくしないということである。彼は分散させる。彼が所有地（所有への渇望）に後れて来るものを構成する要素の一つとして烙印を押す場合、彼は（『行け、モーセ』において）大森林の破壊、風景の変質、不滅なものの喪失に依拠することによってそうするのであり、それは、たとえば、老アイク・マッキャスリンの口（ないし思考）——同時にまったく「進歩主義的」でもなければはっきり言って心地よいものでもない罵言の洪水——をとおして語られる。「われわれは強欲に取りつかれてこの秩序を覆してしまったのだ、このためにわれわれは敗れてしまったのだ」とは、彼は言わない。フォークナーが、奴隷制と人種差別に関する彼の信念だと思われるものを展開する場合（『八月の光』）、彼はその信念をそこに出てくる人物たち（ジョアナ・バーデン、ジョー・クリスマス）にかけられた呪いの宿命の一つに仕立てる。「われわれは一つの人種の苦しみを貪って生きてきたのだし、この人種を奴隷制のうちに追いやって、卑劣にもその仕事から利益を得てきたのだし、だからわれわれはあの戦争で負けたのだ、北部人《ヤンキー》に敗れた以上にわれわれはわれわれ自身に敗れたのだ」とは、彼はけっして一挙に言ってしまわない。

彼は祖型の諸要素を分散させる。とくにその諸要素を、イデオロギーの論理という見せかけの影に結びつけることや何らかの道徳的声明に関連させることだけは絶対にしない。彼は祖型の諸要素をまるで何かの道すがらに示すのであり、それらから金科玉条を引き出しはしない。以下はこれについてR・N・ラインボー氏が述べていることだ。「彼は原因を見分けようと懸命に努力するのではない。彼は結果を確認する。登場人物がひとたび創造され（すなわち、実物をモデルに再創造され）、彼から切り離され、彼が登場人物のために選んだ舞台装置のうちに解き放たれれば、登場人物は自由となり独立するのだ」。この指摘にあえて付け加えるならば、フォークナーは「原因を見分ける」のであるが、彼はそれを隠し、何よりも作者当人から隠すのであり、これこそが著述の後れて来る構造を決めているのだ。繰り返そう。作品が原因（郡の根源的劫罰という祖型）を結果（郡の人間に個別に降りかかる劫罰）に一目瞭然に結びつけていたならば、作品は教育的なものであったであろうし、ともかく――今度は作品の方が――何の結果も生み出せなかっただろう。

反対に、郡の人間は、祖型に対して自由であり（クエンティン・コンプソンは自殺し、ジョアナ・バーデンの父は、四歳になったばかりのアンナを罵倒することで――墓地で――奴隷制を支持する白人たちの呪い――彼女に心的外傷を与える。クエンティンの場合、これは彼が汚染された結果であって、誰それの不幸ではないし、またジョアナの場合、これは彼女のうちでのピューリタン的矛盾であって、奴隷制に反対するというまっさらな概念でもなければ、当時は重要であった黒人たちの境遇や運命に対する何らかの慨嘆ではない）、劫罰を信じたり信じなかったりすることから自由である。彼らが従うのは、自分たちは何らかの規範のうちには閉じ込められたままではいないという、唯一本当の強迫観念だ。郡の人間は自分たちの信じることを死ぬほど守るが、これにより教条を拒む。最終的には、そこにこそ彼らの共同性がある。彼らは統一体に抗うのだ。

作品の記述《エクリチュール》はこの自由と切り離せない。したがって作品の記述は原因と結果を切り離し、暴きを後らせ、現実の知覚を屈折させる。フォークナーが祖型を「語る」ことがあるとしても、彼はその道を示すのではなく、その踏み跡《トラス》を示す。暴きと汚染はこの不確かで消しがたい踏み跡をとおるのだ。それにすでに見たように、彼が悲劇的呪いを郡の全体（人々の狂気、大胆不敵な風景、野性的でかつ飼い慣らされた動物たち）へと拡張させるたびに、彼は、それと同時に、その理由を絶対に明言しないように気をつける。

記述《エクリチュール》の技法は、暴きに生気を吹き込み、踏み跡を辿ることを可能にし、汚染を伝播させるものであるが、これは、祖型が作品の地平を堂々と歩きまわる著作において際立って実践されるのだ。こうした著作における記述は短篇のときよりもずっと「直接的」であり、スノープス一族の三部作においては徹底的に「平板」である。凡庸さが勝利する瞬間には、あたかも呪われた苦しみを探る余地などもはやないかのようであり、ほとんど自由と化したこの平板さにおいては、あたかもすべてが静まり返るかのようだ。

この意味で、逆説的であるが、スノープス一族は「解決」のように、すなわち唯一堪えられうる可能性を有した、崩壊の解決であるように見なしうるかもしれず、ジェイソン・コンプソンは彼らの企てに関与し、凡庸で邪険なスノープスのうちの一人へと生成するのだ。少し前に述べたこととは反対に、スノープス一族は暴きも後れて来る記述《エクリチュール》の技巧も必要としない。彼には不正取引の帳簿さえあれば十分なのだ。そのことに同意しなければならない。偉大な文学とは、自らの手で自己の限界を把握しそれを告げるのだ。

ある激烈な場面で、フォークナーは、たった一度でそうするのを好むように、彼が言外に仄めかすものをさらにうまく隠そうと、作品全体の祖型が出現し、爆発するのを放っておく。あるマッキャスリンがアーカンソーの黒人に突然切り出す。「分からないのか」と彼は叫んだ。「分からないのか、この土地全体が、南部全体が呪われており、この土地から生まれ、その養分で育ってきたわれわれは全員、白人も黒人も、その呪いを蒙っているということが？　かりにわれわれ白人がその呪いをこの土地にもちこんできたとしよう……」[40]。しかしこの同じマッキャスリンはすかさず理屈をこね始め、時間を稼ぎ、この北部の黒人が自由について「果てしない愚かしさと、いかなる根拠もない希望でしかない話を、調子よく朗々と」べらべらと喋っていると思う。

『行け、モーセ』の最後から二番目に収められている短篇「デルタの秋」と、『征服されざる人々』の最後の短篇「バーベナの香り」は、それぞれの著作において同じ役割を果たしている。これらの短篇は二つの物語の内容をまとめている。一方はアイク少年の通過儀礼とそのアイクの老いについての物語であり、他方はヤング・ベイヤード・サートリス（ベイヤードの一人、彼についてはすでに話題にした）の暴力への通過儀礼の物語だ。私たちはそこで悲劇的な不可能性を感受し、どうにもならないように見える孤独がもたらす無気力に強烈に感応する。たしかにサートリス家には系譜（不滅の祖父たちと狂気の若者たちの行進――これを断ち切ることはできない）があり、またたしかにキャロザーズ・マッキャスリンの子孫はエドモンズ家の系統をとおして増えてゆくが、この二つの場合（この二つの短篇）において私たちが強く感応するのは、すでにここには、系譜が終焉するような、ある種の了解を得た衰弱があるということなのである。

この終焉がもたらすものとは何か。それは、郡の、作品の、二つの不可能、すなわち近親相姦と血の混じりだ。すでに述べたとおり、ベイヤードにとっての終焉は、身内のために振るう暴力を諦めることであり、たぶんこれは、愛とか幸福とかと呼ばれるものを、近親相姦の断念によって諦めることでもある。アイク・マッキャスリンにとっての終焉は、混血を嫌悪しながら乱暴にそれを拒絶することだ。

自分の所有地であると見なすのを拒んだバンガローのなかで半ば寝たきりとなったアイク・マッキャスリンは、若く美しい女の訪問を受ける。彼女は、アイクと共通の祖先であるキャロザーズ・マッキャスリンの甥の孫娘であると、その素性を明らかにする。彼女は三親等か四親等の従兄にあたる若きエドモンズを愛したことがあり、身ごもっている。この訪問の動機を知るエドモンズは、先まわりしてアイクおじに会いに来ると、紙幣の詰まった封筒を彼に預け（あるいは黒人の使用人を介して渡し）、この若い女にこれを手渡して、ただ一言「駄目だ」と伝えてくれるように頼んだ。エドモンズはおそらく最初から知っているのだ。アイクが、この訪問客と激しい口論をするなかで、彼女が黒人女であることに嫌悪と驚きをもって気づくことを（「洗濯物を引き受けて暮らしているだと?……というと、お前さんは……」[41]）。たしかにキャロザーズの子孫だとしても、彼女はこの家系の黒い系譜に属している。私たちはここに『アブサロム、アブサロム！』の主たる議論の前提（派生物）を見つける。すなわち、近親相姦的な結びつき（しかも従兄弟同士の関係はここではかなり遠い）は考えられうるが、人種の混交は絶対に認められないのである。

ベイヤード・サートリスは、南北戦争のあいだから戦後にかけて、完全この上ない暴力を経験した後に、暴力をなお一層暴力的に諦める。ベイヤードは、彼の父ジョン・サートリス大佐を殺害した男に一人きりでピストルもたずに立ち向かうことで、家族の伝統の基盤をなしてきた長い一連の殺害に終止符を打ったのである。この出来事の前日、彼はまた、最近大佐の妻となったドルーシラ——戦争中に大佐と行動を共にし彼の連隊で「男のように」戦った、勇猛果敢な若く美しい女——のキスを許した。近親相姦の誘惑がここにある。ベイヤードは、父がすでに死の圏内にいると考え、そう悟り、この件に何の関心も示さなくなる父に、自分の行ないを告白するだろう。ドルーシラ（罪を悔いつつ、この死に絶望し、息子が父の仇を討つのを諦めたことに憤る）はサートリス家の屋敷を離れてしまい、ベイヤードに残されるものと言えば、ドルーシラがその髪を飾り、ベッドに散らした数本の美女桜の香りだけであり、その香りが消えずに邸宅を満たしている。バーベナの花の香りは、近親相姦への誘惑（キスをする場面）を引き立たせつつ、その（そして暴力の）断念を伴う。ベイヤードがジェニー叔母やルーヴィニアと一緒に屋敷に一人取り残されてしまうとき、ドルーシラの部屋の半分開いた扉をとおして（「部屋を使っていた人間がもういないことがいやでも分かる開き方」[42]）、彼は枕の上に美女桜の一枝を見つける。その香気は「夕暮れ時の薄暗いその部屋を満たしていた」[43]。

暴力と、あまりに早く押し殺される愛の物語の黄昏には、バーベナの香りはマグノリアの香りに勝っている。バーベナの花の香りは、その香りの強烈な伝播力によってではなく、秘密の信念をふくむことで勝っている。バーベナは、豊かな香りを発するが、秘められた、室内の花だ。私たちはその芳香を吸い込む、すなわちそれを組み込み、同化吸収することができる。それはまた無意識の領域でもある。本章の初めにプランテーション・システム全体をマグノリアの花に関連づけたが、それはこの花がプランテーションの外的な壮麗さを確かなものにしているからだ。マグノリアの花はバルコニーのほうに向かい、大庭園の木立を飾る。

私の見解は脆く、維持するのが難しいと気づいていた。プランテーションを飾る花は、マグノリアだけではなかったし、打ち明けられないいくつもの秘密がこれらの邸宅のなかに埋め隠されている(そこには、たとえばほとんど修繕されていない屋根裏部屋には、精神薄弱か気の狂った子供たちが、人目に晒されることなく隠されていることがたまにある。ジェイソン・コンプソンが弟ベンジーにそうするのを許したように)。

ベイヤード・サートリス(最後の者)の未亡人であるナーシッサはオールドミス・ジェニー(ヴァージニア)に自分がメンフィスに行って連邦政府の役人(この男はユダヤ人であるとテクストが示している以上、彼は無実ではない)を相手に売春をしていたと告解するのだが、それは彼女に宛てられた何通かの匿名の脅迫状を回収するためであり、この脅迫状がいつの日か他人に読まれるかもしれないと考えると堪えられないのであった。その時、ミス・ジェニーは開いた窓に腰をかけて、ナーシッサの話を高飛車に二度さえぎる。

「感じるかしら?……ジャスミンよ」。

彼女はかつてジャスミンの種子をキャロライナ州からミシシッピ州へ運んだ。彼女は凍てつく夜に、異教の巫女のように、紙で熾した火や蠟燭の火でジャスミンの苗を囲いながら過ごし、大寒波から苗を救ったのだった。

ジャスミンの花は壮麗さにおいてマグノリアの花に匹敵する。この装飾用の花々は何か執拗でずうずうしい、あらゆる匂いを発している。「藪か灌木の茂みのような場所を白い花々が覆っている——ジャスミン、スピラエラ、スイカズラ、おそらく摘みきれないほど無数にある無香のチェロキー・ローズ……」[44]。アンティーユ諸島では、これとは別の花々に、あの装飾的な花々に、私たちは見とれる。この花々はまた、マルティニックのラ・トラセの道、つまり踏み跡《トラス》の道の両脇のように、行きづらい場所に植生している。この花々——アルム、バリジエ、ロワデロワ、ポーセリン・ローズ——はまた、長いあいだ花をつけ続けるが、香りを放たない。

マグノリアとジャスミンに関しては、これらの花は〈大邸宅〉の住人たちの混濁した諦念を伴わないし、その秘密を共有することも明るみに出すこともなければ、その芳香のうちで苦しみを緩和することもない。

〈『サートリス』の結末では、ナーシッサ・ベンボウ・サートリスは、彼女が受け取ったあのとんでもない屈辱的な匿名の手紙に対してとても奔放な態度を取り、しかも匿名の差出人の正体を見抜く。反対に、短篇の「女王ありき」では、彼女はその手紙の存在に衝撃を受けている。こうしたヴァリアントや「矛盾」は郡の混乱をよく示している）。花と植物――ペチュニア、リラ、ジニア、ベゴニア、ダチュラ――はむなしいほど気高く、装飾的で、壮麗である。こうした女性名詞の名前をもたない花は別だ。たとえばデルフィニウムは威嚇的な花のように感じられるだろう。

こうしたすべての花々は気づかない、この場所の混乱に。

これらの花は強迫観念を引き起こさない、藤の花やスイカズラや美女桜がそうするように、後から強迫観念を鎮めるだけだ。

これらの花はプランテーション・システムにはなじまず、あるいは、むしろこのシステムの二重の境遇（大邸宅と奴隷小屋）とは別の側に初めから植えられている。本当は、これらの花はアンティーユの植物ア＝トゥ＝モーにとても近い。この植物は、グレンヌ＝アン＝バ＝フィユのようにすべてを治癒し、穏やかな潮のように層状に拡がり、またカンペッシュ木のように子供たちの脚に多くの傷をつけるのだが、これらの植物は、栽培されたものや野生のもの、聖なるものや卑俗なもの、小屋の前に蒔かれたものやアンティーユの草原《サヴァンヌ》に短く生えるありふれたものだ。私は庭園の花――ジャスミンやマグノリア――を、すべての徴、現実に対する見かけ、内部に秘められた真実に対する外的な華やぎの徴と見なしたのだった。

しかし、美とはいつでも真実の輝きであるわけではない。真実とはむしろ故意に言い落とされる、隠された、後れて来るものだ。チェロキー・ローズが摘みきれないとしても、紅茶用に煎じられる植物は他にも多くある。屋敷の植物（喩えるなら、あの優遇される使用人たち、忠実すぎる奴隷たち）は鍬の植物（綿花畑やサトウキビ畑で、死に物狂いで生き続けるあの奴隷たちの伴侶）ではないし、たいそう誇らしげな庭園の植物（人々の想像域をごく当たり前に魅了するあの気高い花々）ではない。

スイカズラ（言うまでもなくクエンティンのための）や藤の花（クエンティンの父であるコンプソン氏をとても魅了する）や美女桜（ジョンの息子ベイヤード・サートリスのための）といった植物もまた、発露の植物として、危うく生じかけたものすべて、つまり捨てられたものや諦められたものの不確かな痕跡のようなものを残す。

ヨーロッパの豪奢を乱雑に複製する客間で、あるいはヴェランダの無気力な影に隠れて、バーベナの花の香りは呪いを和らげ、メランコリーの時を引き延ばす。屋敷の外で、「夜の熱気に包まれて」、マグノリアの花（あるいはジャスミンの花）はひそかに燃え尽きる。

現実、後れて来るもの

郡の「普通の」人々である白人（「彼らはプロテスタントで民主党員で子だくさんであった。村のどこにもニグロの地主はいなかった」[1]）は、善人であれ悪人であれ、農夫も捜査官も、狂人も正常な人間も、保安官も殺人者も、同じモデルに合わせて仕立てられている。彼らは、容赦も妥協もない同じ頑固さをいつでも余すところなく示している。金銭目的で人を殺す場合であっても、彼らは金銭には関心を示さず、社会生活における快適さにも、礼儀にも、関心を示さない。田舎では、彼らは荒れ果てた粗末な小屋で暮らしており、どんな闖入に対しても銃を使って身を守る。町では、彼らの一番立派な集いは、監獄か裁判所の前で行なわれる（こうした場所に集まる人々は公の事件を少しだけ気にかけ、たとえば有罪判決を待つ被告や私刑《リンチ》が必至のニグロを見に――「私刑後の冷えた余燼を平然と眺めに」[2]――、また怪しげな取引の行方を聞きにやってくる。

その取引の機会に、彼らは犠牲者を毎回陥れるスノープスの魔術に舌を巻く)。あるいは、食料品店の軒先の階段か馬貸しの馬屋の近くか床屋の声が聞こえる場所で行なわれる(この手の人々は何もすることがなく、とりわけ世間の噂を糧に生きている)。売春宿での集まりは、劫罰がそこに堆積するか贖罪が生じつつある場合を除けば、集いの数に入らない。

こうした人々の一人ひとりが、思い通りにならなければ汲みつくせもしない隠された目標を追い求めている。物語の目的は、この目標を明るみに出すことだ。人々はコンプソン家やサートリス家といった名門家系の人間の混濁した複雑さを持ち合わせていないものの、固定観念のもたらすあの避けがたいこわばりを、この名門家系の人間と共有している。そう、まるでこの土地が、貴族階級から落ちぶれた演説家と平凡な毎日に疲れきった民衆とを分け隔てるより先に、同じ未完の泥土によって全員を石化させてしまったようだ。

彼らの「心理の」多彩さは、よく言われるように、人間の心や精神の奥底を観察したり、その多様性を一挙に捉えたりする、小説家フォークナーの技量や力量に(作品内では)由来するのではない。そうではなく、何よりもまず、ただたんにこれらの人々を「見る」、誰も見ていないかのように見ることと、そのつど刷新される語りの様式に乗せて、唯一の同質の人種、つまり激しく執拗な性格を備えた人種の代表者として彼らを描くことへの頑なな意図と意志からなる、フォークナーの資質に由来するのだ。

ここから「典型的」長篇小説(尽き果てた名門家系、狂信的なプアホワイト、動かないニグロ)と、この「普通の」人々を増殖させ、郡の時間と空間のうちに縦横無尽に配置する「駒さばき」などの短篇小説との連続性が生じる。ここには一切のステレオタイプはない。土地自体の生成、より正確には土地の運命、その運命の人質、その不可能の場所は、同一の姿勢のうちに住民たちを結集させる。だいぶ前〔本書第三章〕に「語り手に対する疑問視、この不可能なものの予感、不可能に対する情熱」と述べたことをここで思い起しておこう。

フォークナーはそこで彼が語る人々と出会う。

フォークナーは実生活と精神生活のこの側面に魅了された。不可能を試みないということこそ、フォークナーがある作家に対して、何よりも進んで非難したことだと思われる。彼はヘミングウェイに対して、自分たちを苦しませる秘密のライバル関係を掻き立てながら、言葉少なくそのことを非難した。フォークナーの考えでは、ヘミングウェイは十分に不可能を試みたとは言えず、フォークナーから見れば技巧を愉しむ「文学の技巧家」の側にいた。しかしこのことは同様に、あらゆる文学的企図(彼はヘミングウェイのうちにはそうしたものを感じ取れなかった。彼はヘミングウェイを見くびっていたとさえ言えた)の背後には到達できないものがあり、詩人はこの到達できないものを、自分の作品を越え、また作品をとおして、正面から見据えなければならないと彼が思っていたということでもある(フォークナーは、自分の企図がまだ十全に明確になっていなかった最初の頃にとりわけ、作家たちに対して挑発的な評価を下して時間を浪費してきた。たとえば『兵士の報酬』にはこんな傲慢な指摘がなされている。「ジョーンズはカトリックの孤児院で成長したが、ヘンリー・ジェイムズのように、退屈な長話をあたかも本当らしく語るのが得意だった」[3])。

いくつもの可能がある。それは生活を続けるためや、愛する人々を愉しませるためや、同種の人間たちの賛同を得るためや、自分を必要とする人々を助けるためなどにしなければならないことだ。それから、不可能がある。この不可能のなかで、私たちは一人きりで立っている——私たちのまわりで現に脈打つものを何も握り締めることはできないか、ごくわずかにしかそうしえないことをすでに知りながら。同様に、これを試みること以外に価値のあることなどないと知りながら。

フォークナーにとって、文学において不可能を実現するとは何を意味しているのだろうか。思い切って言うなら、それはおそらく南部の不可能を語らずに語ることであり、そうすることでこの不可能の、言い表しえないもののすべてにわずかに遡行する記述《エクリチュール》を生み出すことであり、おそらくはこの記述のもつ唯一の力によって何かをそこで変えることである。私の考えでは、あの最終地点を除いて、フォークナーがおそらく何かを変えたとするならば、彼がなしたことは、自分の国の外へ、自分の国から遠くへ離れたことであった。

フォークナーは、この国が一個の苦しみであること、そしてこの国が不可能なものへ生成するのを見る。ドストエフスキーにとってのロシアや、皇帝シャカの叙事詩を記録するトマス・モフォロにとってのズールー王国のように。彼はまた、この苦しみが抑圧された人々の苦しみではなく、むしろ簒奪者や正統性をもたないためにそれを切望する人々の苦しみであること、さらには簒奪の不幸がこの苦しみをまったく軽減しなければ、非正統性を補償するものでないことも見る。その時、彼は理解する。己に由来し、己の過ちから生じたと言えるこの謎めいた呪いを、その全容は摑めないにしても、解き明かさなければならないのだと。呪いを理解しようと試みる、いや、苦しみのなかを生きようと努め、どのように呪いが作用し、何によって呪いから解放されるのかを見定めるためには、絶え間なく流れを遡りながらも、この呪いをめぐる知識を絶え間なく後らせなければならないのだと。そのための方法はただ一つ。誰一人として行ったことのない国の暗部のなかへ深く入り込むことである。

一つの河は一つの国だ。人は国に住むように河に住む。ナイル河、ガンジス河、コンゴ河、揚子江と同じく、ミシシッピ河は神話を水のなかに混ぜ合わせている。北米先住民諸文明の父祖伝来的なその神話は、ミシシッピの河岸を渡る多くの人々によって複合的な形で受け継がれ、新しい様相を呈している。言うのは簡単だ。しかしここではたとえば、ルイジアナ州セント＝フランシスヴィル周辺で質素な渡し舟に乗るだけで十分だ。この舟で一方から他方の河岸に、農民の貨物トラックや旅行客のレンタカーに囲まれて風情も何もなく渡るとき、苦しみと憎しみと冒険の名状しがたい過去の風が、あなたの顔に触れ、機械が放つ煙と雑じり合うのを感じるだろう。別に難しくない。間違いなく慣習的なものだが、避けがたく、説明しがたいもの。

この種の慣習を見下すべきだろうか。そうではない。なぜなら河はあなたに、すべては異なるが、変わったものなど何もないのだと同時に語るからだ。まるで河岸と河の中央では、難解で見分けがたい同一の素材が沸き立ち、辛抱強く自己を保持し、進化するのに抗っているかのようだ。これは混沌－時間《カオ＝タン》を暗示するイメージである。この時間のうちでは、生成の、変容の論理、ずっと先に生じる活力といった観念そのものが遥か昔から渦巻いているように思える。

河は直線性の法則には従わない。河では私たちは同じ水に足を二度浸けることができる。

飛行機で横断する地域を機内から眺めるときに河に感嘆するように、河は長い湾曲部から生じるのではなく、絶えず自己を追い求めては再発見し続ける円環のようなものから生じる。河は時間のなかを行き来し、不動の漂流のうちで時間の流れを変え、これをかき混ぜる。その印象は、たとえば、バトンルージュ近郊のガス工場地帯の亡霊にも似た佇まいによって裏づけられる。これらの工場は近代性を何も想起させないが、改装して一新された残存物が鏡のように光を反射し、ルイジアナの午後の湿気をふくんだ輝きのなかに煌々と立ち現れる。


ライン河やリオグランデ河のように、ミシシッピ河は境界地帯《フロンティア》をなしている。すなわちそれは、名前のない亀裂の両側から現実を積み重ね、これを未知へと突き落とす。渦の力によって定まる流れをものともせず進む舟のように、昨日が明日を追いやるカオスの時間から、この濁った体験を周囲の至るところに掬い上げる逆説。シャトーブリアンは、すでにロマン主義の幻想の虜であったものの、移住者の眼で見たあのメシャスベ河を想像し、その河を渡った。

ミシシッピ河が貫流する（築き上げる）これらの地方《ペイ》は詩情を感じさせない。あなたの顔に吹きつける神話的な風はざらついているようだ。綿を積んだ荷の数も、軋む音を立てる荷車の数も多すぎる。さらに、絞り首にされたいくつもの死体の前で、あの三角状の十字架は燃えている。もちろんこれだけではない。原因は犯罪だけではない。この巨大な運搬の河が何かのなかを、農地を、次いで山を、再び農地を貫き、それらをたっぷりと切断してゆくように見えるというのもその理由だ。この河にしがみつく農地や山にとって、未来とは不確かだ。それらはありそうもないことや予期せぬことのなかへいつでも落ち込む準備をし、今にも落ち込みそうである。そう、これは境界地帯をなす河なのだ。

フォークナーは、作品自体のなかで、〈河〉に決定的な頁を費やすことは一度としてなかったように思える(『ホリデイ』誌一九五四年四月号に掲載された、ほとんど自伝的な文章「ミシシッピ」についてはまだ言及しないでおこう)。ミシシッピ河を見渡すようにして描かれた、この流れに似つかわしい壮大な描写は一度としてない。『野生の棕櫚』における、対位法的に語られる二つの物語のうちの一つ「オールド・マン河」でさえも、そうした描写は見られない。この物語のうちでは、〈河〉は集積場や美しい景観のような対象としては描かれない。〈河〉は人物であり、生きた肉体だ。〈河〉は、氾濫し、渦巻き、堤防を決壊させると、〈河〉に対して戦いを挑む人々の一員になったかのように、この物語の他の人々の苦悩のなかへ入ってゆく。

同様に思うのは、音楽——少なくともこの河と切り離せない音楽(ゴスペルからブルースやニューオーリンズのジャズまで)——がフォークナー的な場にはひどく欠けているという点だ。小説家はニグロたちを音楽家としては見なかった。彼に似た一部の人々はおそらくこれこそは野蛮人たちの音楽であると考えていただろうが、フォークナーがそう考えていたようにはまったく思えない（とはいえ、さきほど遮ってしまった『墓地への侵入者』の引用の続きをここで見てみたい。「そしてサンボのルーカス・ビーチャムもまた、われわれと同質の人間なのだ、ただ、あいつの一部が、白人種の最善のものにではなく、その二流のものに逃げこもうとしているのだ——あの安っぽい、見かけ倒しの不純な音楽、安くてきらきらするほんとうの価値のない見かけ倒しの金……」[4]）。『兵士の報酬』のまさに最後の頁では、黒人が空間を聖歌で埋め尽くしており、フォークナーは、じつに教育的手法でそこで何が起きているのかを説明しようと試みる。「暗闇は深まり熱気は強まる、過酷な労働の時が終わり月光を浴びるこの土地で、彼らの激しい性の渇望は強まる。そしてそこから、黒人種の秘められた情熱は愛撫の歌のうちで生じるのだった。取るに足らぬことでもありすべてでもあった」[5]。（この最初の小説のうちに見られる）機械的な説明。説明的で、自惚れた偽りの見識に拠った、完全に的を外したもの。

じつを言えば、私はたんにこう思っている。文学におけるフォークナーは、シュルレアリストの大半がそう見なされてきたのとまったく同じく、メロディやシンフォニーを解する耳をもっていなかったのだろうと（ただし、フォークナーは自作のシンフォニーの調べに関しては、けっして間違えない。「この赤銅色の光の末期は、沈黙と期待のインターヴァルのなかへ消えゆくトランペットの音の黄色い最期のように聴こえると、ほぼそのように彼には感じられた」）。

ハーレムにあるションバーグ黒人文化研究センターのホールの床には、世界中の河の輪郭《トラス》が描かれており、学術的だが並外れたネットワークをなしている。そこでは、これらの河をめぐるラングストン・ヒューズの詩の抜粋が、蛇行する河の流れに沿って凝った手法で彫り刻まれ、紹介されている。コンゴ河、ミシシッピ河、ユーフラテス河、ナイル河は中央の円を占めている。そのまわりにはガンジス河、アマゾン河、ボルガ河、セーヌ河、ラティボニ河〔ハイチ〕、コートザコアルコス河〔メキシコ〕、揚子江、マランビッジ河〔オーストラリア〕が流れている。ヒューズの抜粋のなかに、“I bathed in the Euphrates when dawns were young”（「夜明けが若かった頃（あらゆる夜明けの夜明け）に私はユーフラテス河で水浴びをした」）というのがある。さらにここで興味深いのは、次の夜明けだ。“I heard the singing of the Mississippi”（「私はミシシッピ河が歌うのを聞いた」）。これをクレオール語風に言うなら“J'ai entendu le chanter du Mississippi”となる。

（ハーレムのなかでも危険で有名な地域に面し、そこの住民全員から圧倒的に敬意を払われているこのションバーグセンターでは、多くの資料を調べることができる。なかでも興味を引くのは、トゥサン・ルヴェルチュールの自筆の宣言文や、グレゴワール神父の『ニグロ文学』[6]という希少な著作の初版や、一九〇〇年から三一年にかけてアメリカ合衆国で実行された私刑に関するタスキーギ学院の統計表だ。もっとも、この統計表に載っているのは、少なくとも公的に分かっている件数である。

統計によると、州ごとの件数リストのなかでもっとも多いのはジョージア州であり（三百二件の私刑、つまり一年間で約十件の割合）、次いでミシシッピ州である（二百八十五件）。それからテキサス州、ルイジアナ州、フロリダ州、アラバマ州、アーカンソー州と続く。同期間では、主に合衆国の北東部に位置する、新しい州のみが私刑の舞台とはならなかった。少なくともこの期間には私刑が見られなかった次の州名も引用しておく価値はあるだろう。コネティカット州、コロンビア州、メーン州、マサチューセッツ州、ニューハンプシャー州、ニュージャージー州、ニューヨーク州、ロードアイランド州、バーモント州がそうだ。もちろんこれだけでは私刑が少なかったとも多かったとも言えない。ニューヨーク州は奴隷を「解放」したとよく言われるが、合衆国の独立以前のニューヨークは、サウスカロライナ州に次いで、奴隷を一番所有していた植民地であったし、奴隷制は一八二七年までは慣例としてあった。ブレント・ステイプルズ氏の署名する『ニューヨーク・タイムズ』紙一九九五年四月二十二日号の短い記事――私が興味を引くだろうと思われる新聞の切り抜きと一緒にこれを私のところにもってきたのは、気のきく学生数名だった――の報告によると、マンハッタンでは、マディソン・スクエア、ワシントン・スクエア公園、ニューヨーク公共図書館、ウォルドルフ＝アストリア、シティ・ホール公園、連邦政府調達局の真新しい建物のような有名な建造物や場所は、アフリカ人と貧民の墓地の上に建てられたものだ。最近その一つが発見されたばかりだ。

「一万の墓を掘り返してホテルを建てる？　墓地に木を植えて公園として祝別する？　一八世紀や一九世紀ならばためらったことだ……」)。

そう、フォークナーは一度として風景を事細かに描かなかった。風景はせいぜい人の意識をとおして展開されるにすぎない。たとえば、『墓地への侵入者』の主人公の白人少年は、「動かない峯に向かって、そして強い松の樹脂の匂いが始終吹きつけ、ハナミズキの花々が、今や本当に、長い緑の回廊に立っている尼僧たちのように見えるなかを[7]」車を走らせる。

それから、主人公は文字どおりこの国を自覚する。「彼の眼下には、一枚の地図のように、ゆっくりした音のしない爆発のように景色が拡がっていた。東の方には、緑の尾根が連なり重なりながらアラバマの方へと消えてゆき、西および南の方には、畑と森とが格子のようになって、青く薄もやのかかったような地平線の彼方へと消えてゆき、その向こうに、雲のように、長い堤防の壁が拡がっており、大河それ自体は、たんに北から流れてくるだけでなく、あの「北」の遥か彼方の土地、その境を区切るあたりから流れこんでいた――ここはアメリカの臍の尾なのだ……[8]」。

このときの風景は、まさに状況であり、土地や国ばかりでなく、その住民や、さらにその予見不能な生成をも示している。それは、カナダから最果ての南部である、郡の世界‐内‐存在者まで、瞬時に見渡され、意味を与えられる。

私たちは、サン＝ジョン・ペルスとエメ・セゼールの描いた風景のうちに、この同じ空間と意味＝方向の拡張を見出す。たとえば、セゼールの『帰郷ノート』におけるマルティニックをめぐる次の描写。

「何一つ囲われていないわが島、この群島《ポリネシア》の後方に立ち上がる陰りなき勇気、前方には、その背筋で二つに割れている、われわれと同じ貧困のうちにあるグアドループ、ネグリチュードが初めて立ち上がり、それが自らの人間性《ユマニテ》を信じると述べたハイチ、そして一人のニグロの扼殺を遂行するフロリダの滑稽な小さな尻尾、そしてヨーロッパの足スペインまでその巨大な体軀を毛虫のように這わせるアフリカ、その素足を死神が大鎌をふるい刈り倒す」[9]。

　アメリカスの風景はこうした拡張にふさわしい。アメリカスの風景は、人の手で耕されていたところで、その度外れの活力《デムジュール》〔即興の律動〕を何も失わない。しかもその度外れの活力は風景の広大さとは関係ない。波打つ平野、多くのアフリカ人が無数の鉄球の重みで沈んだ大西洋に埋もれる耕地、プランテーションから離れた山間に隠れるカリブの庭——この庭で木々は根をぶつけ合いながら支え合う——、がたがたと揺れる小渓谷、差し迫る噴火の余白のうちにあたかも置かれた、すべてがダイヤモンドの島。このように、あらゆるものは開かれ、他所を召喚し、風とサイクロンを巻き起こす。解きほぐせないものは、溶岩となる樹液の伝染のように拡がってゆく。

　このような多様な場を描写し、写実的に転写しようとしたところで、これらの場は見かけが示すものよりも多くのことを語っている以上、けっして十分に描くことなどできない。これらの場は遠くへ拡がってゆく。フォークナーは描くのではない。風景を至るところに拡散させるのだ。事細かな読者は私の誤りや見落としをたぶん指摘して、きっとそれらに私を向き合わせるだろうが、そうした読者が描写的な頁の全体から有用な頁を見つけてくれたら、私はそれを喜んで読むだろう。なぜなら、私たちはフォークナーのテクストをすべて読んだことなど一度もないのだから。フォークナーのあるテクストから何らかの断片を見つけることを私たちが幸福に思うのは、その箇所が残りの部分とやがて接続すると分かっているからだ。

「偉大なる原初の人、古き神話の僕」とモーリス＝エドガー・クワンドロー氏がフランス語版『野生の棕櫚』の序文でフォークナーを形容したように、フォークナーは、風景よりもずっと、四大元素の波乱の活力に触れている。彼は、空気であり風である猛々しいサイクロンや、水であり雨である根こそぎの洪水や、土地であり動く砂である呑み尽くしてやまない地割れや、火であり火事といった四大元素の波乱の活力に触れ、人間存在へのそれらの混濁した反響に触れる。闇の言語《ランガージュ》でもってしか語りえない、これらの原初的繋がりに触れるのだ。原初の要素は激昂のうちでしか人間と出会うことはない。私たちは、凪や静けさによっては、古代の焼尽や、もっとも深淵な合一と結びつくことはないのである。

作品中では、ミシシッピ河は背景としてあちこちに姿を現す。それは荷車の視界を遮るものであったり、見ることはできるが降らない雨であったり、肌という肌の下の見えない湿気であったりする——不幸の小さな音楽があちこちで聴こえるかのようだ。

そのような手法でフォークナーは、もっとも暗い場所にまで、「もっとも本質的な場所」にまで遡行する。まさしくそこは誰も行ったことのない場所だ。彼は人々の日常を書き込むこともなければ、風俗画を描くこともない。もちろん、これこそ純然たる風景の肖像だと言える、作品総体の上に装飾のようにはっきり際立つような、二十行を超えるシークエンスが一つでもあるのかもしれない。だが風景は、それが描き出すものよりも、その香り（ジャスミン、スイカズラ、藤、リラの花々）によって一層よく表される。『墓地への侵入者』において繰り返される「松の強くしつこい芳香」のように。

風景はそこで拡散し、テクストのうちに四散し、話す人々に密着する。風景は絵画の主題のようには示されない。大森林の鬱蒼とした植生は、形式的ないかなる描写によってよりも、「熊」の散文の凝縮と過剰のうちに如実に示されている。サム・ファーザーズとアイク・マッキャスリン少年の頭上に身をかがめる森林が原初の〈母〉のようであったのを思い出しておきたい。森林は一人の人物。書物の全体こそが一個の叢林なのだ。主題のこうした扱い方によって、それ——風景——は、迎合する景観であるよりも、まさしく一個の主題であり人物である風景に変貌する。

同じように、フォークナーは郡住民の日々の活動を多量に描くことにはかかずらうことはない。この点に関しては、彼は郡の人々を不意打ちすることを選んだと言えよう。郡の人々が日々の仕事をほぼ免除される休暇中のときや、彼らが文字どおり生の外に出て、その不可能な生の超克に気が狂ったように打ち込もうとする、あの激昂したときを狙って、フォークナーはこれらの人々について語るのだ。

ルーカス・ビーチャムは、そのきわめて穏やかな例を示している。たとえば、「火と暖炉」においてビーチャムが、夜っぴて埋蔵金を探そうとするのをめぐって、ロス・エドモンズと交渉する場面。「「おれがおれの土地を耕して収穫するやり方に、何か文句でもあるのか」。……「おれがそうしているあいだは、おれにしか関係ないことだ」。……「それに、もうじき、毎晩金探しをするのをやめて綿摘みをしなくちゃならない。そうすりゃ、おれはただ土曜と日曜の晩だけに金探しをすることになるわけだ」。「だが、その二晩はおれのだ。その二晩は誰の土地も耕さん……」[10]。

熱中、探求、激昂は、日常を通り抜け、仕事の余白に頭をもたげ、むしろ穏やかな時間でもある日々の活動期間の合間に姿を現す。それはフォークナーが毎日の生活を無視し黙殺するからではない。農民は仕来りどおりの存在ではなくまさに農民であって、食料品屋はまさに一文一文金を数え、馬貸しは足の悪い馬を颯爽とした駿馬へと変じる技術をまさに知っており、ニグロは動物のようにまさにあくせく働くのだが、彼らは同時に他のものでもある。すなわち、彼らは、昼と夜の相も変らぬリズムに区切られた、外見上は田舎の土地であるまさにこの土地がそうであるように、真に他のものなのだ。

果てしなくついてまわり、けっして身を潜めることのない、このあまりにざらついた現実がある。そして、上流か下流かも分からず河をがむしゃらに遡ることで、ともかく、闇の部分へ通じる後れて来るものを到来させることで、探り出さなければならない、この他なるものがある。この他なるものとは、誰も知らない、全能の力を有する劫罰の闇の部分なのだ。「以来、神はこの土地に、この南部に彼らを作り、この土地のために獲物の獲れる森や、魚の獲れる川や種の撒ける深くて豊かな土壌、その芽を芽ばえさせる青々とした春、それを成熟させる長い夏、それを収穫できる清澄な秋、それに人間や動物にはありがたい短い温かい冬などを与えてくださったが、どこにも希望を見つけられなかったのだ……」[11]。

昼と夜のカレンダーはそうした現実性を画定するには十分ではないし、労働と労苦の描写も現実を表現するには不十分だ。日常の物たちは不在なのではなく、その反対だ。すなわち道具や装飾といった物は、一種の現前の密度を獲得しており、その密度によってありふれた水準から脱している。とりわけ、綿繰り機がそうだ。綿繰り機は集団的に使用される。それはある場所から別の場所へと貸し出されることで、連鎖を作りながら、国を横断する。

しかし、それ以上に、これら日常の物たちは、欲望や強迫観念を結集させる、多元的に決定された、途方もない別種の物の系列によって覆われる。それは、郡の人々を保護するか、せめて彼らの生と行動を維持する強迫観念や固定観念に取りつかれるという能力だ。どちらかと言えば本来は受動的な性格であるはずのリーナ・グローヴが活力と楽観主義を発揮するのは、いつか未来の元夫に再会するという確信があるからだ。この潜在的な夫は（彼が存在しないこと、少なくとも夫としては存在しないことを私たちは知っている）静かな欲望の極のようであり、フォークナー世界に隠された意味を与える、奇跡的であるか物神化された、有用であるか幻想に囚われた、この別の対象［物］すべてのようである。そのうちのいくつかを引用しておこう。

巨大な南京錠は、やがてジェファソンとなる小さな共同体のトーテムだと言ってよい。大胆不敵で運に恵まれた運搬人が、遠くのキャロライナ州の大都市からこの初期の開拓地までもってきたその南京錠は、崇拝の対象となって、じつは誰も使ったことのないものだ。南京錠は異様なほど大きく重い。住民は、監獄の開閉の権利を握り、監獄を荘厳に見せるというそれだけの必要性に納得して、この監獄の正門の掛け金や挿し錠にこの物を吊している。錠は、監獄封鎖の保証といったものよりも、装飾や紋章の図のような意味が強い（『尼僧への鎮魂歌』）。

イッシティベハーがヨーロッパからもってきた、女性用の靴だとほぼ断定できる、高級で上品な赤い踵の上靴は、イッシティベハーの後継者モケタビーにとって、絶対に欠かすことのできないものであり、これに魅せられた彼はこの靴を輿の上という手の届くところに保管し、それを奴隷に担がせて散歩した。思い起こせば、イッシティベハーの葬儀の際に、モケタビーは無理やりこの上靴を履かせられるが、彼はこれを何も言わずに——しかも普段から喋らないのだが——気絶するまで堪えるのだった（「紅葉」）。

アンス・バンドレンの入れ歯。彼は、母（彼の妻）の棺を運ぶことにやっきになる家族が漂流を続けるあいだ、入れ歯をぴったり合わせるのを夢見る。アンスは新しい妻を見つけたまさにそのとき、ついに合わせた入れ歯を自慢する（『死の床に横たわりて』）。

ジャガーかそれに似た、赤い奇抜な車を、ギャヴィン・スティーヴンズは結婚のお祝いとしてもらうが、彼はこれを宿敵の銀行員フレム・スノープスとの取引で国防の債券に交換する。数年間、バッテリーもタイヤもないまま、銀行の車庫のなかにほったらかしにされたその車は、富と無用を同時に象徴するものだ（『町』）。

河岸の一方に座礁した蒸気船。ドゥームは、一族の者たちに苦役を課し、これを何か月もかけて叢林《ブッシュ》のなかを引っ張らせ、手製の宮廷として設えた。それは時の船、大森林の巨大な恒久の住まいのなかでは取るに足らない永続性の徴であり、ガブリエル・ガルシア＝マルケスの『百年の孤独』の鬱蒼たる密林に座礁した大帆船を想起せずにはいられない（『行け、モーセ』）。

奇跡的な物たちは、ジェファソンの現実を二重化する、この闇の部分の、この他なるものの徴だ。それらは、一般に普通の用具でありながら、その日常性から逸れ、ともかく強迫観念の超自然的な重みを「担わされている」だけにますます堪えがたいように見える。それらはこのもう一つの世界を定める点だ。私たちが場所の接近しがたさを把握しようと望むなら、もう一つの世界のなかに入らなければならない。これらの事物の効果は捉えがたいものに属しているが、炎の熱気と反射がベンジーに幸福を味あわせるように、幸せにさせる。


こうした事物たちに並置することができるのは、架空の動物たちを措いて他にいないが、その数は多すぎる。動物の群れはあまりにも大きいため、それを数え上げるのを躊躇してしまうほどだ。


オールド・ベン。森におけるこの原初の〈熊〉の役割についてはすでに言い当てた。足を引きずる伝説の老熊は、自分を追い詰めるあの人間たちに対するいかなる憎しみも関心も抱かない。雑種犬のライオン。本物のライオンよりも怖ろしく、雄牛よりも耳が遠いこの犬を、狩人たちは最終的に〈熊〉に立ち向かうことのできる唯一のものとして選んだ。

あのすべての犬たち。

〈今思い浮かべているのは、マルティニックの市場町《ブール》の路上や田舎の畦道をかつては駆け回っていた犬の群れだ。犬たちの夜の集いは、犬たちの昼間の大騒ぎを中継するのだ。アンティーユの人間はこれに良い思い出をもち続けてこなかった。僕たちが鉄犬と呼んでいた毛なし犬は、風景から消え去った。かつて町や村の十字路で叩かれたドラムは、この野良犬の群れと戦おうと、役人が広場で毒入りソーセージを配る日を告げるものだった——膨らんだ爪をしたこわばったその骸骨を、大きく見開かれた眼の黄色い炎は爆発していたのを、君は憶えている)。

フォークナー世界のあのすべての犬たち。

騾馬(この世界では、まさにねずみの次に知能が高く、その後ろに猫、犬、馬という順だ。なぜなら雌騾馬は、自分が望むときにしか人間に仕えようと気を配らないからだ)。とくに、『自動車泥棒』の厩舎係の少年ネッドの飼う騾馬は、競走馬のように走る力をもっている。「あいつら囚人の奴らときたら。騾馬のほうがやつらよりも二倍利口ですよ[12]」。「ねずみを除けば、騾馬はどんなものより二倍利口ですよ[13]」。

フォークナー氏の雌牛。

遠くテキサス州からやってきた、野生の小さなポニーは——ポニーはフレム・スノープスと共犯関係にあったのか?——周囲に混沌をもたらす。

それから、あの馬たち。何度思い返しても飽きない、六百ヤード競走では無敗だが、その半ヤード先では死にそうな、例の初代コンプソンの馬。再び『自動車泥棒』に出てくる、腐ったイワシが大好物の馬。それから、ジョン・サートリス大佐のジュピターや、サトペン大佐の黒毛の種馬といった、自慢の馬。これらの馬は、フォークナーが晩年に空しくも飼い馴らそうと望み、燃えるように輝く名前を冠した、あの強情な動物たちを強く思い起こさせる。

不滅の動物。アイク・マッキャスリン少年がサムとライオンとオールド・ベンの死後に森で出会った蛇（マルティニックでは、自宅でその名を口にしない方がよいため、たとえば、敵や長い動物やネクタイといった、ありとあらゆる言い換えやイメージや象徴を使って示す）。「それは瞬時に這い回った。年老いた、大地に住まう大昔からの呪われた、宿命的で孤独なもの（…）腐りかけた胡瓜と、名づけようもない何かほかのものの匂いのような、胸の悪くなるような微かな匂い、一切の知恵と癒しがたい倦怠と、嫌悪と死を思わせる匂い[14]」。

そしてアイクは彼のもとを遠ざかるこの動物に挨拶する。「首長《チーフ》」と彼は言った。「祖父《グランド・ファーザー》よ[15]」。

近づきがたい動物。あまりに欲望と象徴の対象〈物〉になっていることから、あまりに「誇張された」と言える動物たちはすべて、それらが呼び起こす本性や欲動によって、様々な尺度の余白にいる。この動物たちは、「問い」に対する答を探さなければならないあのもう一つの世界の住人である。動物と物は、郡の白人住民が知らずに苦しみつつも被るあの混濁した暴きがたい原型を徴づけ、確かめるものである。そして動物たちの世話をするのは大概、全能の力をもったニグロ、奇跡の芸術家である。たとえば、そのうちの一人は、パット・スタンパーが騾馬に関して老アブ・スノープスをだます手助けをし（『村』）、この同じ者（ネッド）のおかげでブーンとルーシャス・プリースト少年は『自動車泥棒』の伝説的なレースをものにするのだ。

私たちはそこにその他の原型、たとえば先住民や黒人住民のそれを見つけられないのだろうか。

移り住んだ人々のうち、このほかの人々の系譜や謎に包まれた源は、全体の整合を取るのにそれほど必要ないのだろうか。彼らの原型を見出し、それを見抜き、コンプソン家のスコットランド系の祖先たちの冒険や、サトペン家の血統の錯乱や、サートリス家の若い人々への呪いと接続させる必要はなかったのだろうか。郡の全体と同じくらい複雑な全体を、そこが明らかに奴隷制社会であるにしても、遺棄された白人たちというあの唯一の観点から扱いうると、どうすれば考えられるのか。

ともかく黒人にとっては家系の喪失という長い劫罰が存在してきた。それは、集合的記憶の抹消、奴隷貿易の根源的トラウマ、奴隷船の腹、慣れ親しんだ古き事物の消失、不安に駆られ、おそらく欲求不満を感じながら、たくさんの新しい道具（フォークナー世界における白人の無意識に住み着く物たちよりも、この赤裸の移民にとって、より幻想的で、バロック的で、近づきがたい道具）の使用を学ぶ必要性であった。そして、あの禁じられた用具があった。それは銃やその他の武器であったり、書物や鉛筆やノートであったりする。書物は、モケタビーにとっての赤い踵の上靴や、アンス・バンドレンの入れ歯よりも、奴隷にとっては遥かに信じがたい行ないに属するものだった。たくさんの危険な動物を飼い馴らさなければならないことはまた別の話だ（それはライオンよりも怖ろしい。たとえば――カリブ海でのように――逃亡する奴隷たちの追跡用に訓練され、ニグロの匂いを察知してきた、あの犬たちのように）。アフリカ的原型がこうしてすべて消滅するうちで、サートリス家とサトペン家を苛ませるものと同じくらい怖ろしい祖型が結実するのだ。

このことを、先住民の河が失った神々と、巫女に語りかける四大元素の忘れられた言語《ランガージュ》と、白いバイソンが現れる運命を告げる夢と、イケモタビーその人を――彼が変わらなかったとしても――おそらく苦しませた〈精霊〉のもたらす幻影と結びつけてはならないのだろうか。そうすることで、この同じドゥームが簒奪によってあまりに不可避的に掻き乱した系統を、想像域を介して再構成するべきでもあるのではないか。また、せめて、なぜ系統も正統性もこの風景のなかにもたらされなかったのかを考察するように努めるべきではないだろうか。

フォークナーはこれらの使命を負うことができなかったし、誰もその使命を彼に求めなかったわけだが、黒人に関して言えば、リチャード・ライトの世代の出現後、アレックス・ヘイリーの系譜的再構成や、トニ・モリスンの謎と呪いの爆発や、アリス・ウォーカーによる現実の聴診を待たなければならなかった。こうして、これらのことは完遂され始めている。人は他者のために書くことも暴くこともできない。だから、他者がその固有の歴史のなかに入り、これらのすべての歴史が最終的に合流するのを素直に認めなくてはならない。たとえ偽の正統性や、機械的で不自然な系譜であっても、各人が正統性や系譜の果てへ赴き、やがて全員に必要とされるであろう様々な止揚のうちへ全面的に身を投じようとするのを、率直に認めなければならない。

フォークナー作品が黒人の事物《もの》化（黒人がある――彼らの――特殊の歴史のうちにふくまれていることを無視しているというただそのことから）や先住民の非人間化（彼らがドゥームを超えて再開する可能性を無視しているというただそのことから）を無理やりめざしたとして、私たちはそのことを残念に思ってもよいのだが、それでもフォークナー作品の記述《エクリチュール》は、それがもたらすサスペンスや不安定化や不確かさや後れて来るものの相乗効果――私たちが接近してきたもの――によって、〔他者を〕一層現実味を帯びた存在に変え、言うなれば、あるときは認めさえもし、あるときは私たちに近づけてきた。そのとき、これらの歴史は出会い、これらの多様化した詩学はネットワークや地下茎《リゾーム》として結ばれ、これらの家系は自分たちの要求を築いてきた排他的なものを失い、正統性はクレオール化の拡がりのうちに消え去り、様々な呪いは、ただ並置されることにより、そのまばゆい力を失わずに和らぎ、様々な祖型はア・プリオリの確信のうちで、平板なものに堕さずに輪郭を現すだろう。

記述《エクリチュール》――いくつもの叙法、物語の伝統的な織物のほつれ――は決定的なものとなるだろう。なぜなら記述は、そこに書き込まれる祖型へ後れて来ることによって遡りながら、現実の説明を企ててきたからだ。そしてこの祖型（郡の根源的劫罰）は、今度は、記述そのものの実践のうちで、静かな裂け目を繰り返し開く。

私たちは、記述《エクリチュール》から生じる流動作用によって、フォークナー作品が、言語《ラング》も違えば言語活動《ランガージュ》も異なるものの、「世界の叫び」の変移のなかで連帯する、周囲の数多の作品にどのように語りかけてきたのかを理解することができる。

郡のあの人々の幾人かは、自分たちに対して不正の形で現れるものが呪いであるとは知らないまま、それと闘う。そういう人々は大概女たちなのだが、その理由をこれから探ってみよう。

フォークナーがヨクナパトーファに寄せ集めるあらゆる個性のうちで、おそらくリーナ・グローヴだけは完全に幸福な人間だ。とはいえもちろん、リーナがこの生きることの幸福を味わえるのは、彼女に幸せな結婚を約束した、ご存知のとおり恋愛詐欺師の未来の元夫を見つけられないかもしれないという考えを受け入れようともせず、そんな考えをそもそも抱こうともしないからだ。妊娠するリーナ・グローヴは郡のうちでは希れにしか起こらない幸福な妊娠を示す一人であり、それゆえ彼女は血統の様々な呪いの苦しみを蒙らない。しかし、遠くからやってきたところで、彼女はこの場所の人間たちと何かを分かち合っている。だから、彼女は楽観主義者であろうとする並々ならぬ頑なさを、明日こそはその日だと考える不屈の固執を示し続けるのだ。リーナはこの受動的な固執を彼女の幻影に奉仕させている。他の人々がそれぞれの幻想のうちで自分たちの劫罰を積極的に強めるのと同じように。ジョアナ・バーデンは劫罰である。ベイヤード・サートリス（最後のベイヤード）の妻ナーシッサは、大胆不敵でありながらも、おそらく心静かであり、まるで手の届きそうもない人だ。しかし、彼女が幸せであると思えるだろうか。フォークナーの世界では女たちの幸福はありえない。ミス・ローザ・ミラード、ミス・ジェニー、ミス・ローザ・コールドフィールドといったおばや祖母たちは、男たちの型破りの行動や気違いじみた行為のうってつけの犠牲者だ。ある女が、たとえば農夫ヒューストンの新婦のように、至福に思える状態に到達するとする。しかしそれは三日も続かないのだ。実際、この新婦は馬の一蹴りで殺されてしまうのだ。馬に気をつけなさいという忠告を受けていたにもかかわらず、である。母たちはその姿を消されすぎているために、真に現れるに至らない。これらの女たちのうち、愛を切望している女たちはいつも悲劇のうちにその愛を終える。それはたとえば、ミス・エミリー(彼女が愛し、殺した男の死体と共に二年間暮らす)であり、エリー(祖母と恋人という、二つの「不可能」を車に乗せて連れてゆき、車もろとも断崖の上から落とす)であり、ドルーシラ(彼女が、ヤング・ベイヤード・サートリス——グラニー・ミラードへの復讐者——と一緒に、日常生活に堪え、当然ながら疲弊していったのかどうかは知る由もない)だ。あるいは、彼女たちは運命の刻印を受けている。呪いを正面から見据え、それに挑戦するキャディ・コンプソン、しっかりした体つきだが、それは怠惰と物憂さと愛のためであるユーラ・ヴァーナー、痩せぎすで、わざわざ好んで絶望するその娘リンダ、彼女がかつて犯した姦通と迫りくる死を見通す真の幻視者であるアディ・バンドレン、そして「特別な」女たち、些細な快楽にいつも気を奪われるベルとその娘リトル・ベル、悲劇的な輝きにいつでも取りつかれているテンプル・ドレイク。数え上げるときりがない。

　黒人女たちの幸福などもちろん論外だ。サートリス家の召使エルノーラは、コンプソン家を取り仕切るディルシーの不変性を有していない。もくもくと働き、(興奮状態のジェイソンと話す場合を除けば)物静かに相手と話すディルシーは、このコンプソン家の子供たちのカオス的宇宙にあって、驚くべき良識と権限を示している。エルノーラは狂ったように独り言を言い、息子のアイサム(ベイヤードの一人の連れ)をしょっちゅう叩こうとするが、息子はと言えば、母の癇癪からぴょんと逃れる術に長けるようになる。エルノーラは、テクストの示唆するところによれば、老サートリスの腹違いの兄妹である(老サートリスは、キャロライナからミシシッピ州に居を定めにきたが、誰もそのことを知らなければ、気にしてもいない)。そのことはまったく取るに足らないことだった。なぜならこれらの家系の黒人と白人の錯綜した網の目は解きほぐせないまま、暮らしの平凡さのうちに組み込まれているのだし、女奴隷に対する主人の権利は絶対的だったからだ。こうした近縁関係をいったい誰が利用することができただろう。エルノーラはサートトリス家のうちで特殊な存在であることを確信している(「うん」エルノーラは言った。「サートリス家の男は、誰がいなくなったって、けっして淋しがったりしないね[16]」)。たとえジェニー叔母と同じく遠方に行けないとしても(「愚かで誇り高いあのたくさんの亡霊たち……[17]」)、とはいえ家系の重要性を確信しているにしても(「あの女はサートリス家の女になれっこないね[18]」)(「女王ありき」)。

ルーヴィニア、エルノーラ、モリー、ディルシーという、召使であり不幸の人質であるこれらの黒人女は、個人史を有していない。九分九厘白い肌をしているが、絶望的なまでに(よく言われるように)ほぼ黒人である、ただ一人クライティだけが、サトペン百マイル領地の放火者として、真に行動するのだが、それは、幻視者ナンシー・マニゴーと同様に、すべての終局を神聖化するためだ。この女たちの物語は彼女たちの主人のそれであり、彼らが示す優しさや敬意でさえも、このことを埋め合わせられないだろう。ところが彼女たちは誰一人として不満を漏らさない。

郡の女たちは、黒人であれ白人であれ、不満を漏らさない。最悪の不平と絶望に対してさえもだ。この蔓延した不幸のうちでは、不幸とは彼女たちの宿命だ。しかし、ある女たちは思いがけないやり方で、拒絶する。

私たちは、オールド・ミスで、ジェファソンの図書館司書のミス・メリッサ・ミークが、一九四三年、ある雑誌のうちにナチスの将軍の脇に立つキャディ・コンプソンの写真を見つけるのを覚えている。メリッサ・ミークは、まずキャディと敵対関係にある弟ジェイソンを、ついで老ディルシーをむなしくも動かそうと試みようとする。その際、二人に、何であれ、何かを、とにかく何かをするように訴える。「あの人を助けなければなりません、ジェイソン！ あの人を助けなくては！」[19]と彼女は叫ぶ。しかし、キャンダス・コンプソンにとっては時すでに遅しだ。ジェイソンは今やスノープスに成り下がり、ディルシーは老いすぎており、目が見えず手足も不自由なまま小屋で暮らしている（「付録――コンプソン一族」）。

私たちは、オールド・ミスのミス・ワーシャムのことを覚えている。ミス・ワーシャムは、ある法律家（たしかギャヴィン・スティーヴンズ）に、事態が悪化し、別の州で処刑されたサミュエル・ワーシャム・ビーチャム（奴隷の子孫でありモリーの孫。彼女の家族の一員だった）の死体がジェファソンに送還される許可を得るために、日中二日間を無理やり犠牲にさせる（「行け、モーセ」）。

私たちは、ミス・ハーバーシャムのことを覚えている。この大胆不敵なオールド・ミス（おそらく町の最初の創設者の子孫）は、『墓地への侵入者』の主人公の少年が、ルーカス・ビーチャムがはまった難局からルーカスを脱出させるのを手助けした。

内気だが、不屈な強情さを示す彼女たちは、ミス・ジェニー、ミス・ローザといった叔母たちに似ており、この叔母たちと対をなしてもいる。この両グループの白人の老婦人たちは、独身であったり早期の未亡人であったりし、普通は子供がいないのだが、彼女たちは場の活力を分かちもっている。すなわち、一方で、叔母や祖母は、記憶と伝統の尊大なる保持者でありながらも、高慢なこわばった態度のもとに脆すぎる一面を示すこともある。他方、これらのオールド・ミスは、財産もなければ希望もなく、まさに震えているのだが、正義と名誉と慈愛のきわめて独特な意味を握りしめている。

オールド・ミスたちは郡の「損害賠償請求人」だと言ってよい。彼女たちは、ギャヴィン・スティーヴンズ(またはおそらくフォークナー)のように、正義よりも真実の方が好ましいと語ろうとはしないのだ。彼女たちは、リーナ・グローヴが空想のなかの夫を追い求め始めるという、あの驚くべき頑なさと同じものを、ほぼ確実に成功する訴訟のために示すのだ。法律家は彼女たちが好む標的であって、彼らがされるがままになるのは仕方のないことだ。彼らにほかに何ができるというのだろう。オールド・ミスに対しては礼儀正しくあることが作法というものだ。とくに彼女たちが貧しい場合には。

ギャヴィン・スティーヴンズはその典型例を示している。彼はフォークナーが語る物語群のなかに大抵出てくる人物だ。ところが、作品の総体について考える場合、私たちが真っ先に思い浮かべるのは彼ではない。それはコンプソン家であり、マッキャスリン家であり、サートリス家であり、なんといってもサトペンであって(さらにキャディ、ベンジー、ポパイ、リーナ・グローヴ、ジョー・クリスマスであって）、スティーヴンズではない。もっとも、彼もまたジェファソンの一番古い家柄の出身なのだが。彼は見えない存在か透明な存在であるかのようだ。なぜなら、地区の弁護士あるいは代訴人である――結局は大抵同じことだった――スティーヴンズは呪いに接しているのであって、けっしてその不可能のなかに巻き込まれているようには見えないからだ。彼は言わばこの不幸の宗教の世俗信徒であり、その儀礼を取り仕切る役を担っている。あまりに分かりきったことだが、合衆国社会では弁護士はあちこちに姿を現す。しかし、ギャヴィン・スティーヴンズは弁護士以上の存在である。彼は郡のなじみ深い尺度である。つまり彼は、役割として、透明な資質をもっていなければならない。というのも、日常的で親しげであるようなものがあまりに不明瞭で異常なもののなかにある場合は、透明性のうちでこれを考察するほかないからだ。だから彼は、大いに姿を現しながらも、見えない存在に首尾よくなりおおせている。場面の中央で、弁論をふるったり、論証を行なったりしながらも、彼は紋切型《リュー・コマン》＝共有場のなかに紛れ込むのだ。

　スティーヴンズはまた、善良さを隠れ蓑にする。それは、人々に対する大いなる寛容の心であり、公平を追い求めるオールド・ミスや人生に心煩わせる若い甥が親しみやすく感じるために実際必要なものだ。『墓地への侵入者』、『尼僧のための鎮魂歌』、『駒さばき』の「推理」短篇やその他の短篇（たとえば「煙」や『行け、モーセ』と同名の短篇）の中心人物として、彼は、八十年以上〔英訳では二十五年以上〕にわたり、学者ぶった態度を喜んで示し、博識を披露するのを楽しみながら、弁舌をふるう。それが裁判所のなかで全員が彼の顔見知りである農民と食料品屋の陪審団の前だろうと、未解決事件の依頼が飛び込む彼の事務所だろうと、場の宿命から逃れようと試みるあの甥たちの一人と一緒にいるときだろうと、だ。彼のお気に入りのやり口はソクラテス風のアイロニーと似ており、彼の「推理的」解明は説得行為をより強める。すなわち、彼はこの人々を、法が起源の野蛮さをしのぐような、法治社会を受け入れるようにじつにゆっくり導くのである。後ほど見るとおり〔本章後半部〕、スティーヴンズはスノープス一族の物語（『町』、『館』）のうちに完全に巻き込まれる。しかも彼と一緒にいると、郡ばかりか、ミシシッピ州と南部全体の、この時代の実際の状況を時折り忘れてしまう。

読み手は、何千もの黒人たちを拷問にかけ、吊るし上げ、燃やすという、あの正真正銘の野蛮さを忘れてしまう。大抵それは、笑みを絶やさず疑問を抱くことすらない白人の子供たちの目の前で行なわれる。たとえばそれは、田舎で見られるクー・クラックス・クランの行進であり、こうした残虐性を公然と認め、白人女性への強姦という強迫観念的な口実を手に、知性も道徳も消滅すれすれのプアホワイトや自分たちの不確かな将来に束の間の安心を得て満足する人々があげる、白人至上主義《ホワイト・スプレマシー》の旋風だ。ありふれた日々の野蛮については述べない。合衆国の映画は近年この暗い地方を探査してきた。

スノープス一族があくどい金儲けや利得の追求によって将来の一側面を表しているように、ギャヴィン・スティーヴンズのような人々や脆いが強情なオールド・ミスたちは、将来の別の側面を表している。直系の子供をもたず、兄弟や姉妹や従兄弟に問題もなく受け入れられ、大概は家族と一緒に暮らしているこの人々はみながみな（しかし運命の策略を前にして動じないスノープス一族はこの点で異なる）、家父長的な呪いの多くが徐々に消えてゆく徴と証拠ではなかったろうか。

スティーヴンズは、それでも大抵の場合、たとえば私刑の恐怖のような個々の現実に立ち向かうことになる。もっとも、そうした現実は、死に至る南部の現実と比べれば、ヨクナパトーファの雰囲気のなかではまったく深刻さを欠いているように見えるものだ。

一九九五年に合衆国で制作・放映されたあるドキュメンタリー番組によれば、私刑とは合衆国の発明品だ。私刑という場はあまりに当たり前のものになったため、その異常さは忘れられている。まるでポグロムを目に見える形で儀式化したものが、私刑だ。（『墓地への侵入者』や『八月の光』における）私刑の場面があまりに儀式的なのは、その場面が意味する残忍性を説明するためである。それらの物語の乾いた簡潔さのなかでは、私刑は供犠のセレモニーであるかのようだ。短篇「乾いた九月」の私刑では、これにかかわることすべて――私刑の準備、不満の声の高まり、白人の男たちの口論、一部の者たちの躊躇、私刑される者の恐怖――が私たちを心底怖がらせるが、この行為それ自体は何も語られず、ただ語られるのは、美しい自宅に帰り、一晩中彼の帰りを待っていた妻を手ひどく扱う私刑執行人たちのボスが、心中の熱と彼を取り巻く暑気をもはや我慢できなくなるということのみである。

こうした場面には不変の法則がある。まず、殺人や突然の死や私刑や強姦といった集団的暴力行為は、描写されるよりも素描される（例外としては、ジョー・クリスマスの殺人と去勢、そしてフレム・スノープスの殺人――これは、仕切りの後ろにいたリンダを共犯者にした、共同殺人だと見なすことができる――という、犠牲者が事実上認めたこの二つの死。もちろん、ミンク・スノープスの銃撃に倒れた、農夫ヒューストンの炎のように派手な――形而上学的な輝きの瞬間――死も例外だ）。さらに、テクストの語りは一般に行為が始まる瞬間に終わる。このため、激昂の現場は裂け目のなかに置き去りにされたままだが、現場を臨床的に描写するよりも、裂け目のなかに置いておく方が遥かに暗示的だ。

きわめて全的で、きわめて激しい暴力を伴う作品のなかでは、事実としての暴力をあからさまにしない慎みが漂っている。まるで暴力が現実の後れて来るもののうちでは意味をなさず、語るには冗長であるかのようだ。暴力への接近、つまり暴力が準備され、また（その後）目論まれる瞬間は、それだけにきわめて重大だ。ポパイによって強姦される瞬間のテンプル・ドレイク、撃ち倒され去勢される少し前のジョー・クリスマスにはじつに著しい距離があるものの、二人とも、その意識やつきつけられた身体のうちで、こうして同じ啓示を口にするのだ。「私の身に何かが起ころうとしている。感じる、何かが起ころうとしている！」この実存の予測不可能性のうちで、ただ不幸だけがあらかじめ決められていた。しかし、それは予感されるのであって、前もって示されているのではない。

暴力の儀式化は作品を深化させる企図に対応しており、私たちがたとえばこの暴力に見出すのは、社会的、歴史的な原因など――たぶんこの点に長々とかかずらっても仕方ない――だけではなく、郡の世界、さもなければ南部の世界における、ある決定的な機能なのだ。すなわち、黒人を犠牲にすることは、白人の罪を贖わせようとするために、フォークナーが通過するまわり道《デトゥール》の一つなのである。

今日の呼び方にならえば、アフリカ系アメリカ人はそのような使命に同意するわけにはいかない。彼らが〈歴史〉の激動のうちに飛び込み、合衆国のアフリカ系大衆を揺さぶることになるこの急激な変容を見るのを、フォークナーは進んで受け入れはしない。彼はもっと時間を求めるのだ。

これらの場面の現実性を彼は考えていたのだろうか。たとえば、プレイヤード叢書の『アルバム・フォークナー』の二三九頁にはこうした場面の写真が載っているが、そこには疑念の影のない若いカップル(恋人同士!)と、いくぶん不満を言っているように見えるとはいえご立派な老婦人と、普通の人々が、一本の木の枝に吊るされたボロ着姿の二人の黒人の死体の下で、楽しんでいる姿が写っている。写真に写っている人々の幾人かは今もなお確実に今日の合衆国に暮らしており、言うまでもなく社会の変容に適応しているが、心中にはこの破壊しがたい恐怖の芽を相変わらず抱いている。

これがここで重要である唯一の時間のあり方である。実際このことを完全に消し去るにはどれだけの時間が必要なのだろうか。時間の果てしない拡がりに対し、あらゆる亀裂(集団的な反発であれ組織立った反発であれ)が貴重な価値を帯びる。

同じ『アルバム・フォークナー』の二二二頁の写真には、「人種混交は共産主義」と訴える若い女と、「フォーバス知事、われわれキリスト教のアメリカに救いの手を」というプラカードをもった少年（実際に子供）が載っている。抗議する二人はその他大勢と共に人種共学化に反対しているのだが、一九九五年の現在、彼らが今なお生きているのは確実だ。しかも今日多くの人が「ミックスはメッセージ」の標語を尊重していたところで、彼らは、その心中に、この若い女やこの少年を、その抑えがたい声明を抱え込んでいるのではないか。

ここヨクナパトーファでは、白人が、手探りで、視界も効かず、当惑しながら考えるために、黒人は堪え忍ばなければならない。

まさに忍耐強く時間に堪え忍ぶことを黒人が求められていた頃、フォークナーはコンプソン家（スコットランド、カロデンの戦いなど）やマッキャスリン家の過去のなかに、すでに時間を遡っていた。とはいえ彼は、黒人にとってすべての淵源となった奴隷貿易の裂け目にまでは遡りはしなかった。あたかも、遺棄された南部に苦しむ物として、黒人は原型をもつ必要がなく、自分たちに特有であるような事情とは無縁であるかのようだ。たしかにこれはフォークナーその人がなしうる仕事ではなかった——しかし、彼が追求してきた作品がその真の次元に達することがあるとすれば、それはフォークナーの作品に召還され、あらかじめ要請されていた、他の作家の作品がいつかあるいは同時に、彼ら固有の視座からこれをなしうるときだ。

これからなすべきことは、作品のこの偶然、そのざらつき、その驚くべき網の目――作品で主張される考えは〈自然〉の最初の日の息吹と同じく無垢であり、草原《サヴァンヌ》の棘草と同じく強情な、粗い粒子を備えている――をざっと見てみることだ。今からなすべきことは、この郡の各地を辿ることだが、私たちは読み手の特権として、あまりに孤独な小さな町の堪えがたく暑い八月のある晩に、冷血の保安官に呼び止められたり、興奮した群衆に立ち向かったりする危険を冒さなくてよいのだ。

偶然を、これらの著作の予測できないものを駆けめぐろう。そうするためには千通りの道順があって、そのどれもが違う。だから霊感に任せてそのなかの一つを選ぼう。そしてその跡《みち》に沿って下ってゆこう。ともかく、これとそれを混ぜ合わせ、識別しながら、似通ったところのなさそうなそれらを一緒に名づけなければならないことを恐れずに、たった一度で行けるところまで行ってみよう。

サム・ファーザーズ、彼はオールド・ベンの通り路、〈熊〉が叢林のなかに切り開いた跡《みち》に向かって、つぶやく声で挨拶する。「がんばれ、祖父さん」(「熊」)。

イッシティベハーの奴隷、逃亡した彼が潜伏する沼地で、腕に嚙みついた毒蛇を何度も刺しているあいだ、その頭をさわって、彼はこうつぶやく。「がんばれ、祖父さん」(「紅葉」)。

(「二十年ものあいだ、ほかの黒人種が畑で汗を流しているあいだ、あいつは日陰で頭《ザ・マン》の世話だけをしてきたんだ。汗を流すのをいやがってたやつが、なんで死ぬのをいやがることがあるんだ？[20]」）

ブーン・ホガンベック、どこにもない場所から生まれた巨人であり、留意しておけば、チカソー族の血が混じったブーンは、ほんの少し狙いを定めて銃を撃つこともできないにもかかわらず、『行け、モーセ』のなかでは不滅の熊たちの狩人の一人である。さらに、『自動車泥棒』ではルーシャス・プリースト少年とあの奇跡の競走馬の少年ネッドを連れ立って小旅行をしたあと、（メンフィスの）曰くつきの家からある女を誘拐し連れて帰ると、やがて彼女と結婚する。庶民ブーン・ホガンベックは、大森林（『行け、モーセ』）、村、やがて町（『自動車泥棒』）に登場するという意味で、すべての始まりと終わりにいる。

「黒人の匂い」（「悪臭を放ち」、濃厚で、どこでも漂うニグロの匂い）は、『八月の光』の推定上はムラートであり、ジョアナ・バーデンの殺害者であるジョー・クリスマスを逆上させ、動転させ、魅了する。その黒い血および白い血とどこまでも戦うジョー・クリスマスは、一切の抵抗を見せず、撃ち殺される。

アイク・マッキャスリンやギャヴィン・スティーヴンズやその他大勢の果てしなく錯綜した発言、ハイタワーの妄想。これらは、あの戦争は本当は負けていなかったのだと考える根拠を述べたり、あの戦争は絶対に負けていなかったのだと束の間信じ込ませる妄想を展開したりする。

夜明けは、いつでも霧がかかっているが、きらめく冷気に包まれている。逃亡者、孤独な人物、呪われた人、財宝を探す男、ウィスキーの密売人といった人々のための唯一本当の場所。

（そしてこれ。「お前ならたぶんやれるだろう、どうもお前は知ろうとするよりも、何か不確かな新しいものをほしがる男だからな[21]」）。

混血の脅威を前にした、紳士淑女の静かなる呪詛と激しき嫌悪。エリーの祖母（エイランシア）。「「ド・モンティニーさん！　ルイジアナの方よ！」と彼女は叫んだ、すると祖母は腰から下はびくとも動かぬのに、襲いかかる蛇のように激しくのけぞった[22]」、「親と友達をだますだけでは、気が済まないのだね、ニグロを私の息子の家に客だと言って連れ込まねばならないのだね[23]」（「エリー」）。

老アイク・マッキャスリン。「彼は相変わらず座ったままだったが、思わず飛びあがり、体を後ろに投げだして片腕をつき、ねじれた髪のまま、眼を大きく見開いた。（…）**たぶん千年か二千年後にはアメリカも変わるだろう、と彼は思った。だが今は駄目だ！　今は駄目だ！**　老人は、驚きと憐れみと苛立ちのこもった声で、大声ではないがこう叫んだ。「お前さんはニグロなんだね[24]！」」（「デルタの秋」）。

そしてジェニー叔母。「老婦人には（…）その男がユダヤ人であることがすぐに分かった。そして男が彼女に話しかけたとき、彼女の忌々しさは怒りに変わり、まるで蛇が鎌首を上げるように椅子のなかでぐっと体をのけぞらせると、その動作があまりにも激しかったので、椅子がテーブルから後ろのほうへぐっと下がったほどだった。「ナーシッサ」と老婦人は言った。「この北部人《ヤンキー》は何をしにここに来たんだね？[25]」」（女王ありき）。

彼らは怒り出し、鎌首を上げる蛇のように体をのけぞらす。

パーシー・グリム。「欧州大戦のとき、彼はまだ年が若くて戦争に行けなかった[26]」。その間、彼はこのことで両親を絶対許しておけない気持ちになった。「パーシーは、自分の生まれるのが遅すぎたのみならず、失われた時代をじかに知らずにすむほどには生まれるのが遅くなかったという、恐ろしい悲劇に悩んでいたのだ[27]」。──そしてジョー・クリスマスのまだ死体にはなっていなかったものを去勢した。

（そしてサトペン。「彼は西インド諸島に行った[28]」）。

子供時代の暴力。サトペンの場合は野蛮で非情なもの、クリスマスの場合は錯乱したもの、ポパイの場合は冷淡なもの、ミンク・スノープスの場合は見境がないもの。この当時の黒人たちはあるべき子供時代を有していなかった。少なくとも、公認された歴史叙述のうちでは。

創設の暴力。サトペンの場合は不可能なもの、コンプソン家の場合は呪われたもの、サートリス家の場合は色あせてゆくもの。フレム・スノープスの忍耐強い陰謀と昇進（これらは創設ではない）でさえも最後には無益となる。

ジョー・クリスマス。

（「血がロケット弾の火花から噴き出るように彼の蒼ざめた体から噴出するように見えた。黒々とほとばしるその奔流に乗って、その男は彼らの記憶のなかへ永久に昇りつめていくように思われた[29]」）。

ハイタワー神父。

（「それでも、窓にもたれかかり、窓枠の上に置かれた二つの白い染みに見える両手の上に、包帯を巻いた、大きな、立体感を失った頭をのせている彼には、まだその響きが聞こえる気がする。高らかに鳴りわたるラッパの音、剣と剣の打ちあう音、雷鳴のように消えていく蹄の音が聞こえる気がする」[30]）。

これには証言すべき人々が必要だ。

証言者たちは、現実を説明するというよりも、現実がひそかに意味するものを、当の現実を介して証言する。その役割を果たすのは、誰が見ても助からない難破船に乗っているような、女と子供だ。すでにこの人々については言及しているが、ここで再び取り上げ、余すところなく語りたい。

この人々は、あらゆる断絶を免れ、いかなる力もはねつける無垢の虜であるが、白人のおばと黒人の老乳母に限っては、冷徹なほど明晰だ。ミス・ローザ、ディルシー、アイク・マッキャスリン少年、『墓地への侵入者』のチャールズ少年、『自動車泥棒』のルーシャス少年。この人々は他の人々に伝染し、果てしなく問いかけるのだが、それでもやはり自分たちの通過儀礼を完成させたり没落を嘆いたりすることしかなしえない。彼らは他の人々が無視しがちであったり忘れてしまいがちであったりするもの、そして彼らが「じっと見つめている」ものを再現する。彼らは幻覚的な記憶だ。この記憶のうちで、彼らの無垢、その強情さ、その「堪える」素質は一層強固になる。

伝染した人々。これはクエンティン・コンプソンの種族に属する人々だ。クエンティンは、大学時代のルームメイトであるカナダ人シュリーヴのために、父の物語とローザ・コールドフィールドの物語（これはサトペンに関するものだ）を結びつけ、そのように呪われた武勲詩をうたう。クエンティン自身が目撃したこと、将軍だった祖父が目撃し、それを父コンプソン氏に語り、コンプソン氏がクエンティンに語ったこと、ローザ・コールドフィールドと一緒に目撃したこと、ローザが彼に語ったこと等々が、『アブサロム、アブサロム！』の大いなる汚染のなかにある。知ってのとおり、クエンティンはその後間もなく自殺するのだが、その原因は彼が南部の考えにもはや堪えることができなくなったからなのか、それとも妹キャディが最近結婚したことを考えたくなかったからなのかは、本当のところは分からない。この種の証言者たちに対し、たしかに彼らの語る話は伝染する。彼らがその話の主要な部分も直接的な部分もまったく占めてもいなければ、彼らの意識が話に何らかの影響を及ぼすこともないにもかかわらずだ。彼らに触れ、彼らを変えるのは知ではなく、知と非-知のあいだで選択を迫られることにつきまとわれるパニックだ。彼らは問いかける苦しみだ。そこから彼らの裂け目が生じる。それは、怯えであり、種々の感情の激発であり、避けがたい虚無への嗜好である。

詰まるところ、公平な証言者であるのは、文学に何となく憧れがある（とくに彼が妹のナーシッサに手紙を書く場合）法律家のホーレス・ベンボウであり、第二次世界大戦の際に郡の審査委員会の議長を務める、どこにでも姿を現す弁護士ギャヴィン・スティーヴンズであり、エドモンズ家の一部の人間であり、ミシンのセールスマンであるラトリフだ。彼らはみな生活において中流の成功を収め、一見すると呪いを免れている。彼らが欲動に突き動かされ、わけが分からなくなる場合、たとえば、ベンボウが妹に近親相姦の誘惑に駆られる場合のように、彼らは大概、格好をつけ、無関心を気どり、ほとんど陽気に振る舞っている。これらの証言者は作品の、つまり郡の蝶番だ。要するに、彼らは中和の時間であり、私たちがクエンティンやベイヤードやダールやエリーやリンダのような人物たちと始終激情に駆られるわけにはいかない以上、生が続くためには必要なたるんだ腹のようなものなのだ。彼らは努力する意識であり、習得した知識をおそらく穏やかに活用している。彼らにはユーモアとアイロニーと無関心が、つまり距離と安らぎが必要である。

しかし明白な証言者とは、間違いなく「意識の絶え間のない流れ」だ。特殊で、不安で、無自覚で、口ごもり、苦しみ、強情で、大抵は容赦のないすべての意識の遭遇から生まれる炸裂と亀裂が、これを成り立たせている。そしてそれは、荒れ狂うミシシッピ河のように国の空間を駆けめぐる。

そうした遭遇をテクストのなかではっきり示すのは、代名詞とファーストネームの恐るべき不明瞭さだ。代名詞は、どのように（彼は、人は、私たちは）指示されていようと、そのどれもがほとんど確定しがたく、ファーストネームは男性の名前も女性の名前も往々にして通性である

（たとえば、クエンティン）。このように、まさに恋人たちの体の出会いがあるように、「意識の接触」（「意識の流れ」という表現を私なりに発展させたもの）がある。一例を出そう。たしかに挿話的でとても初歩的な例ではあるが、この現象の可能性について教えてくれるものだ。（『墓地への侵入者』という、どう考えても、一般に思われているよりも重要な本のなかで）チャールズ少年は、南部の人間たちの関係をじつに幅広く考察する。そして「ここでおじが、またしても彼とまったく一つになって喋りはじめ、そして、改めて彼は、自分の思考がたんに邪魔されるのではなく、ただ一つの鞍から別の鞍に移されるように別の方向に走って行くのを、別に驚きもせずに眺めていたのだった[31]」。

思考は、一人からもう一人へと、乗り移る。まさにそれは、ヴォドゥ〔ハイチの宗教〕の精霊ロアたちが選んだ憑依者に乗り移るのに似ている。しかしここ郡においては、憑依は伝染しやすい。個人はその頑迷さにおいて特異であり、他者との関係のうちで増殖する。

真実は遠く、近づきがたく、ともかく後れて来る。人は、どんなに寄り集まったとしても、事実確認や推論や演繹によっては、そこへ真に到達することはできず、その炸裂をもちこたえられないのだ。こういうわけで「意識の流れ」は、真実への接近のためにもっとも理想的な証言者であり媒体である。それは伝染の作用と共有された苦しみの力によって形成される。

無駄話を得々としてしまったと思っているまさにこのとき、彼女はとても率直に、なんと、今書いているこの本に登場したくないと言ってくる。私が喋ったこととはいかなる繋がりも関連もない話だ。いや、いや、彼女が言うには、「人は」、「私たちは」、「彼は」、「彼女は」といったような、不確かだと言えるような代名詞のことだ。代名詞は、人がその背後に隠されているものを知らないときに、力をもつものだと私は言う。「彼女」とはミセア〔グリッサンの作中人物〕、「詩人を魅惑する人」だと、誰かは予測するかもしれない。また、このことに関心をもつ別の人は、想像上のアイデンティティだと、自分たちが有するいくつかの要素を綜合したものだと予想するかもしれない。彼女は、隠れたくないと私に言う。彼女は笑う。彼女はこんな風に、わけもなく、不確かなままにしてはならないし、この代名詞でもってわがフォークナーを、結局、彼女のフォークナーを仕立ててはいけないと言う。

フォークナー作品のなかには矛盾はないということ。なぜなら、同じ事実を語る多様なやり方が、国の状況を包括する、せめて包括しようと試みる意識の流れの進歩、いや進歩ではなくその進化、その急速な進行に対応しているからだ。

たしかに、これらの矛盾は、思考の「乗り移り」が、たとえばスノープス三部作におけるように、もはや効力を発揮しなくなった場合により一層際立つ。この三部作の最後の著作、したがって（『自動車泥棒』の喜劇を除けば）作品全体の最後の著作である『館』のはしがきにおいて、フォークナーはW・Fのイニシャルを用い、この矛盾の問題に言及する。「このはしがきを書くのは、著者自身、読者が（この年代記中に）見出すと思える以上の矛盾撞着にすでに気づいていることを、読者に知らしめたいからである」。そして、この間に彼がなしえた進歩が「人間の心とそのジレンマ」を知ることによって生じた食いちがいであり、三十四年間そうしたことに親しんできたので、「著者はこの年代記中の人物について、昔以上に深く理解していると確信する」[32]と語る。

このまわりくどい言明によって、フォークナーは、要するに「矛盾を訂正する」ことを楽しそうに拒否している。そしてこれは、フォークナーが登場人物を、著者自身を変容させてきた「意識の接触」を構成する人々として見なしていることを示している。(ストックホルムで壮麗に繰り返された)「人間の心を知ること」に関する著者のこうした発言は、祝福されたパンノキの実だと思われてきた。私たちはしばしば人間の心を知ることの探求の背後に身を隠し、作品に真の活力を与えるものを見ようとしない。

もっとも傍い人間が年代記のうちで語りはじめるや否や、もっともゆるやかな細部が重要になる。たとえこの細部がやがて他のもの、他の証言者、他のヴィジョンによって反駁されるとしても。フォークナーは地下茎状《リゾーム》に書く。

非劇的暴きは、確実な真実を築き上げることをけっして目指さない。真実は正義よりも貴重であると見なされている。なぜなら真実は遠くにあり、いつでも推量の対象(後れて来るもの)であるからだ。暴きを強いるものは、何よりも受苦であり、苦しみだ。諸々の矛盾は見分けのつかないいくつもの傷跡であるが、その傷跡は、共有され、伝染する、唯一疑い得ないこの苦しみとは異なる。意識の流れは伝播する苦しみだ。その流れは絶え間ないがいつでも変容する。

『響きと怒り』は、衰弱しているが完璧なまとまりのあるベンジーの知覚から、キャディの予測不能な行動と厚かましい大胆さなどを介し、ジェイソンの怒れる無力さに至るまで、この流れに屈折を生み出す。この小説について一番はっきり言いうることは、結局、このコンプソン家の最後の世代の子供たちが、一人ひとりはじつに異なっているとはいえ、似ているということだ。毒のある親たちと比べると、あまりに意外な行動をとる。ベンジーからジェイソンとキャディとクエンティン（もう一人のクエンティンであるキャディの娘は除く）まで、全員どれほど箍《たが》が外れていることか。家系はここで乗り越えがたいものにぶつかってしまったことが分かる。彼らは全員一致して、自分たちを関連させるものに屈折を生じさせる。

『アブサロム、アブサロム！』は反対に唯一の溶岩流のうちに意識の流れを解体する。この溶岩流のなかにやがてクエンティン・コンプソンは囚われるのだ。

証言者たちは――狩人が大森林のなかで一度としてはっきり足跡を残さないオールド・ベンの跡を辿るように――南部の歴史の、けっして与えられない、この後れて来るものを辿る。フォークナーのうちに、まさしく最初に、このような執拗な反復を伴いながら現れるこの痕跡の思考が、いわゆる打ち立てられた真実を互いに排除するよう仕向けるのである。語られる物語は一個の痕跡であり、これを見つけ出す忍耐と熱情（学ばれるものである、技巧は除く）をもたなければならない。

『アブサロム、アブサロム！』は、私たちがここで話題にしている、後れて来るものの技法のもっとも成功した事例であり、まさにそのことによって、通常の物語構造を大きく乗り越え、それを今世紀の最先端まで押し進めた書物である。

この物語を倦まずに再度取り上げ、その呪われた魅力に繰り返し触れてみよう。(同名の家族にとっての)『サートリス』におけるように、(コンプソン家にとっての)『響きと怒り』におけるように、トマス・サトペンにとって大事なのは、領地、家系、家柄を創設することの熱烈な責務であり、その後に続く悲劇的挫折だ。しかし、サートリス家とコンプソン家は儚い仕方であれ、少なくとも存続しえたのに対し、サトペンは「直接的」呪いを例示している。たしかに、彼は貴族の子孫でなければ、伝統的な農園主でもないだけでなく、(ハイチにおいて)混血という変性の猛撃を蒙ったのだ。

これに接近する(これをただたんに物語ることなど話にならなかった)ために、フォークナーは「変容する意識の絶え間のない流れ」を発展させた。この流れは苦悶する物語を経る。すなわち、熱烈な内的独白、その独白に怯えた解説、問い続ける主役たちと見物する証言者たちを経るのであり、彼らは全員、不可能な真実へと絶えず押しやる、後れて来る暴きに伝染しているのだ。それは、閃光と闇に照らされ、事実上間断なく流れる、知覚と感覚の河のようだ。

後れて来るものの最初の「段階」は、未知を明らかにすることを目指す。どうしてサトペンの正式な娘ジュディスは、彼女がニューオーリンズで出会い、兄ヘンリーの無二の親友となったチャールズ・ボンと結婚することができなかったのか。それはボンがサトペンの息子であり、ハイチでの最初の結婚で生まれた子であるからだ。私たちはこのことを、ほぼただちに発見ないし見抜くことになる。

後れて来るものはそのとき作用する。そして、それが倍加するのは、そのような不可能の克服しえない原因が本当は近親相姦に因るのではなく（老サトペンは男の子孫を得ようとする狂気のうちで近親相姦をおそらく認めたのだと思う。まさにヘンリーが、妹と結婚したロレーヌかブルゴーニュの王子の話を引き合いにさえ出しながら、近親相姦をおかす心積もりをしていたように）むしろ分不相応な結婚、言語道断な混血に因っているのを私たちが理解したときである。なぜならボンは、その見かけに反して、本当は母から黒い血を引き継いでいるからだ。物語の終盤辺りに、サトペンとその息子ヘンリーが向かい合って話し合う数少ない場面の一つがある。その場面で、父は息子に、この件についてはジュディスとチャールズ・ボンの血の繫がりは何もないが、ほんの少しの見えない欠片ほどのアフリカの血がすべてを覆っているのだと説き伏せる（「やつは娘と結婚できん」「いいか、やつは娘と結婚できん」）。

「ダビデ家におけるドラマ」の一つとして『旧約聖書』サムエル記第二巻のうちで語られるエピソードは、今述べたものとは正反対である。アムノンがアブサロムとその妹タマルの腹違いの兄であり、彼がこのタマルをやがて陵辱することは、誰しもが冒頭から知っていることだ。私たちには分からないし、アムノンその人にさえ――おそらく――分からないことだが、アムノンがこの陵辱を目論んだのは――おそらく――彼らの共通の父ダビデがアブサロムをいつもあからさまにひいきにしていたことへの復讐のためである。タマルを介して狙うのはアブサロムであり、アブサロムを介して狙うのはダビデだ。アムノンはタマルを熱烈に愛していたとされるが、王の無意識的な助けを得てタマルを真の罠に誘い込み、この犯罪をおかすとすぐにタマルに対して激しい憎しみを覚える。この心理的急変（犠牲者に嫌悪を覚える陵辱者）は、タマルは口実にすぎなかったとアムノンがこのとき漠然と理解していたと考えてみれば、一層よく分かるというものだ。本当は、アムノンはむしろ家系を相手に戦っていたのではないか。アムノンはダビデ王の長男にちがいなく、ダビデ王は「自分の長男として」彼を愛していたが、ダビデのアブサロムに対する愛着はもっと大きなものであると強く感じていた。そしてアブサロムその人は、腹違いの兄を殺害し、やがて父に対して反乱を起こすことで、自らの（ダビデの愛情が注がれた）正統性を退廃させることになる。ダビデの兄弟シムアの子ヨナダブが推進役とまとめ役として、近親相姦的陵辱、アブサロムの従者によるアムノンの暗殺、アブサロムの逃亡、その死（アブサロムの死をいかなるときも望まなかったダビデは配下の隊長に息子を手荒に扱わないように忠告した）の場面で重要な役割を演じる。この物語の全体は、ソロモンの即位と支配を準備するためのものであり、ソロモンはその後ライバルたちを追い払うことになるが、そこにはアブサロムを殺したあの全能の将軍ヨアブもふくまれる。このヨアブは、アムノンと同じように、そうした正統性の悲劇を有していた犠牲者であり、この過剰の全体の背後で沸き立っているのは、ダビデの後継問題であると感じられる。

　隣家のジェフリー・ワート氏から預かった聖書のテクストを解釈したある著作は（ヴェールプ

レ〔マルティニックの地名〕の蜜蜂のように、私は題材を増やしにあちこちに行く〉、アムノンが「長男」であったことを明示しそこなっていたが、ヨナダブの役割に注目している。おそらくヨナダブは王位を狙う野心を抱いていた。

フォークナー小説において、ヘンリー／アブサロムは、父の死を一瞬考えたことがあったものの、ダビデの息子の英雄精神も厳格さも持ち合わせていない。アブサロムとは反対に、ヘンリーは、領地の入口で銃を一発だけ放ったことを除けば、ほとんど何もしようとしなかった。ダビデがアブサロムの死を（アムノンの死よりも実際に大いに）嘆き悲しんだのに対し、サトペンはこの息子の運命をいかなるときでも本当に気にかけていないように見えること、それからヘンリーはサトペンの挫折した夢のなかで（一九〇九年まで）、まさしくゾンビのように（大邸宅の空っぽの残骸のなかに埋められて）生き延びること、あるいはまるで一度も生きたことなどなかったかのようでさえあること、これらを知るだけで十分だ。

私たちは、サトペンのこの無関心と、ダビデにアブサロムの死を知らせるために『旧約聖書』のテクストが示す用心とを比べることができる。二人の使いが派遣され、悪い知らせを伝えなければならないとしても、知らせを伝えるという栄誉に預かりたいと強く願う第二の使いは、第一の使いを追い越すのだが、最後でダビデ王にこの死を伝えるのを諦める。

ダビデはいつものように「外城門の前」で待つのではなく、町の二つの城門のあいだで、すなわちその内と外、罪深き息子（外の真実）と愛する息子（内の真実）という、この二つの真実と等しく距離を置いたところで待っていた。第二の使者（もう一人をその途上で追い越したから、最初に到着した）はダビデのもとに来ると、おそらく息も絶え絶えに、アブサロムを取り囲む兵士たちの群がる様子をダビデに伝え、その後、この場をすぐに離れてしまい、何が起きたのかを知らないと言い張った。こうして彼は王の使いという誇りを手にしながら、悪い知らせを伝える者の呪いも受けなければ、おそらく君主の怒りも受けずに済んだ。王は、別の伝令を待つあいだ、彼にそばで待機するように命じる。この新たな第一の使いは、個性を発揮して野心的に主導権を握ろうとする。しかも私たちは彼の名がアヒマアツであり、ツァドクの息子であることも知っているのだ。ヨアブに最初の使いとして任命された、野心も憚りもない第二の使いは（彼について分かっているのは、クシュ出身の者であるということだけだ。彼はつまりエチオピア人であり、プレイヤード版のテクストの註釈によれば、「彼は肌が黒いことから悪い知らせを伝えるのにとりわけ適している」）、ついに到着すると、ダビデの息子の死をありのままに告げ、王の苦痛など意に介さず、敵を滅したとして王を賞賛する。

「アブサロム！　わが息子、わが息子よ」。アブサロム！　アブサロム！

この話は、読者はすでにアブサロムが死んだことを知っている以上、後れて来るものではない。むしろこの話は、ダビデ王その人をできるだけ労わろうとする、じつに控えめな暴きである。小説と比べた場合、この『旧約聖書』の物語を構成しえたと思われる祖型は、本当は祖型ではない。ただし、ダビデ、いやとりわけその息子にして後継者のソロモンが交際するのをとても好んだアムノンの母が異邦の人（リビア人やエチオピア人、またはその類推からハイチ人）であったとすれば、話は別だ。すでに留意したとおり、正式な息子にして長男ではあるが、人種的に汚染されているがために絶縁されたチャールズ・ボンは、アムノンが取りえた立場よりもその立場を遥かに自覚していた。

「あなたはぼくの兄です」とヘンリーはチャールズ・ボン（まさにタマルがアムノンを押し返しながら彼にそう叫んだように）に言い、チャールズを彼らの妹であり異母妹であるジュディスから遠ざけようとするが、「いや、そうじゃない。ぼくは君の妹と寝ようとしているニガーなんだ。君がとめなければな、ヘンリー」[33]とチャールズは言う。アムノンは行動に移した。チャールズは近親相姦を仄めかすだけで終わった。ヘンリーの弾丸が彼を阻止したからである。

ヘンリーの死は誰にも伝えられない（彼は父よりも四十年長生きする）ため、これについては何も用心する必要はない。しかし私たちは、アブサロムの死に要約される、血統の（正統性の）一時的な断絶を告げる暴きの象徴的網の目に囚われたじつに複雑で意味深いダビデへの知らせと、チャールズ・ボン／アムノンの死の、ローザ・コールドフィールドへ告げられた、乱暴で粗野な知らせとを比べることができる。「それからあの裸の騾馬にまたがってミス・ローザの門前までやってきたウォッシュ・ジョーンズが、日の当たる、平和に静まりかえった通りで彼女の名前を大声で叫びながら、「お前さんがロージー・コールドフィールドかい？　そうだったら、あそこへお行き。ヘンリーがあのフランス野郎にぶっ放した。まるで牛みたいに撃ち殺した」[34]」。

「失敗」（この場合は近親相姦、そして兄弟殺し）は、ソロモンに場所を空けることによって、エルサレムの王たちの家系を準備することになる。それに対し、人種混交による腐敗をとおして複雑化したこの同じ失敗（近親相姦の脅威と実際の殺人）は、サトペン家を永久に消し去った。

チャールズとヘンリーの悲劇を際立たせるのに、このアブサロムとアムノンの逸話をこれほど強く想起する必要がなぜあるのか。それは、この二つの物語の共有場は、血統の劫罰と正統性の運命に起因しているからだ。聖書の挿話をじつに密接に連想させながら、フォークナーは、祖型がサトペンだけではなく郡そのものにかかわっていることを私たちに知らせる。これこそが共同体の悲劇的〈壮麗〉なのであり、それは一個の個人や一つの家族の記憶ではないのだ。

フォークナーの小説では、ジュディスとヘンリーの関係、ボンとヘンリーの関係の特殊な性質にまた別の後れて来るものがかかわっている。それは、一方は兄妹愛のような近親相姦の兆しであり、他方は同性愛の誘惑だ。しかし、これらは実際には後れて来るものではなく、「意識の流れ」のなかに入らない。私たち読者がなしうることは、それを直観することだけだ。近親相姦、同性愛は血統の混乱であり、それは不可能を告げる。血統の本当の失敗は、血統が黒い血の侵入によって脅かされ、汚されることに私たちが気づくとき、少しずつ明らかになってゆく。不可能であるのは、系譜を創設すること、その正統性を保証することだ。認知の拒絶が、その可能性を奪い去る。すべては崩れ去る、無駄であり疑わしく、拡散するが目標がなく、他所、世界、消えゆくもののうちにもはや見失われた、黒人の子孫という不明瞭さのうちに。

小説の力は伝染に因っており、これは、この物語の度外れの行為と、天に見放されたその行為者たち（サトペン、ボンとジュディスとヘンリー、クライテムネストラ、ウォッシュとメリセントとミリー、ミス・ローザその人）を仔細に調べる、ローザ・コールドフィールドからコンプソン氏、その息子クエンティン、よそ者シュリーヴまでにおよぶものだ。しかし、伝染は、読み手が知りうること、そして研究者、とくにフランソワ・ピタヴィ氏が『アブサロム、アブサロム！』に附した注記（プレイヤード叢書『フォークナー作品集』第二巻）で見事に分析したこと、つまり潜在的な近親相姦、中絶した血統、混血に対するあからさまな恐怖、創設の失敗といったことに不意に気づくことをとおして（によって）は、伝播しない。そうではない。これら郡の人間にとっての伝染とは、突然の把握ではなく、苦しみに囚われることなのだ。原因は、この人々をみな十分に燃やし尽くす結果と共には与えられない。暴かれるものは推理小説的な真実ではなく、劫罰の色だ。

彼らは、これら一族の災厄の円環がいったん閉じてしまえば、運命と決別することになるのだろうか。スノープス一族の支配が、大いなる悲劇を、そして、これらアトレイデスの家族、サートリス家とコンプソン家とサトペン家という、未完のオイディプスの家系の悪運に終止符を打つのだろうか。ヨクナパトーファは、いわゆる近代世界のうちに永久に入ったのか。それ以降、電話やジャガーやショッピングセンターといったものさえあれば、すべての事物は正常さを取り戻すのか。

スノープス的凡庸は本当に、ありふれた幸せという、もっとも確実な幸せの鍵なのか。言い換えれば、後れて来るもの——これはこの物語の呪われた部分のために作用するのであって、確認したとおり、スノープス一族の平板な現実には適用できないように思える——は、いかなる曖昧さにも、存在することのいかなる苦しみにも、いかなる混濁にも場所を空けないのか。

　フレム・スノープスを見てみよう。彼は冷酷に自らを築き上げる。フレム・スノープスは、ありとあらゆるものを、身内をはじめとする周囲の人間たちを踏みつぶす。彼は唯一の支配者であることを望む。彼は農園主になろうとはしないが、時代が変わったために、郡で最重要の金融資本家や銀行家になろうとする。まるで機械のように、自分の殻に籠もる個人のイメージ。そして彼は成功する。妻ユーラの死を、大部分の身内の滅亡を代償に。彼は商売のサトペンだ。

　しかし、結局フレムは呪いの苦難を蒙る。

その血統のうちで。娘リンダはたぶんフレムの本当の娘ではない。実際、彼女はフレムについて、いつも「いわゆる父」といった風にしか話さない。最終的に彼女は（『町』において）そのような親子関係を認め、（『館』において）そうした考えを跳ね除ける。サトペンの黒い娘クライティがサトペン百マイル領地を燃やしたように、リンダこそが、冷酷に、このいわゆる父の殺害を計画し、その後まさしく、巨大な屋敷、土地、銀行といったスノープス一族の財産を二束三文で売り払う、より正確には、フレム・スノープスがかつてその財産を没収できなかった男の子孫に譲るのである。放火と同じくらい完全な清算。

　これですべてではない。この年代記の初めから終わりまでをとおして、フレム・スノープスは著しく変わる。死を避けるために何もせず、死を一種の解放、さもなければ借金のように受け入れるほどに。紛い物のピストルと滑稽に格闘し、撃とうと二回試みるミンクを前にしながら、フレム・スノープスはチューインガムを噛むことすらやめない。この点ではたしかにサトペンとは異なっており、とくにジョン・サートリス大佐と似ている。生死を賭けた決闘に丸腰で挑むジョン・サートリスは、死ぬ覚悟をほぼ決めていた。サートリスが殺すのにうんざりしていたように、フレム・スノープスはだまし取ることに飽き飽きしているのに気づいた。あるいは、ミンクを現場に連れてゆくリンダの策略に気づいており、その後は成り行きに任せる覚悟でいたのかもしれない。

サートリスとスノープスは同種の死に方をする。彼らは、詰まるところ、同じ種族に属している。私たちは長いあいだフォークナーと共に、もっと正確にはフォークナーがサーガを練ってきた三十四年間、フレム・スノープスとは限界である、彼は限界にしかすぎないと信じ込んできた。たしかにこのスノープスは、激越な騎行を、叙事詩的過剰を、何も経験しない。しかし、私たちは、彼もまた深淵であるのを発見するのであり、このことはフォークナーその人がスノープス一族の年代記の当初にはまったく予期していなかったことだ。著者はまさに年代記の最後においてそれを知った。これこそおそらくフォークナーが「人間の心の奥底についての（後天的）認識」と呼ぶところのものだ。フレム・スノープスが死をちっとも恐れずに受け入れていたことを「いわゆる娘」のリンダがまったく知らないのも、これと同じである。言うなれば、フレム・スノープスは、ナンシー・マニゴーがそうであったのと同じように、不可能の悲劇的側面を表している。

彼女と彼は、古代の叙事詩的な死、サトペンの野蛮な騎行、ベイヤード・サートリスたちの隠された優雅な自滅、キャンダス・コンプソンの挑戦といったことのあとも生き残った。彼女と彼は、災厄の時代を生き延びた。しかしそれは底知れないもののなかへ入るためなのだ。

ギャヴィン・スティーヴンズ。すでに指摘したように、彼はヨクナパトーファの呪いを免れているように思われる。それはそうなのだが、彼の物語のうちで、スノープス一族の物語と関係する部分を考慮すると、この主張をすっかり留保せざるをえない。ギャヴィン・スティーヴンズはスノープス一族の年代記のあいだずっとその姿を現し、さらにこの年代記に一度だけ直接加わっている。はっきり言えば、彼はこのなかに巻き込まれる。それは、フレム・スノープスと結婚するものの不幸に終わる、ヴァーナーの娘ユーラとのロマンティックな恋愛だ（「彼女の目はとても濃い青いヒヤシンスの色だ、かのホメロスの言うヒヤシンス色の海とはまさしくこのように見えたろうと常に想像していた色だ[35]」）。だが違う。彼がここで見ているのはリンダの眼だった。ギャヴィン・スティーヴンズは、二十年の後にユーラの娘であるこのリンダに対してもう一度恋心を抱く。少なくとも彼はリンダにそう言っている。この若い女は他所で暮らしたことがある。スペイン内戦に共和国側の兵士として参加し、そこで夫を亡くし、共産党員証を所持しており、爆撃のせいで完全に耳が聞こえなくなってしまった。これはまさに、南北戦争に従事し、後にジョン・サートリス大佐の妻となったドルーシラのレプリカである。ベイヤードを愛しているとドルーシラが言い切ったように、リンダは（あの耳の聞えない者の甲高い声で）スティーヴンズを愛していると言う。スティーヴンズは運命の渦中におり、近親相姦の影(母、そして娘)に襲われる。美徳なのか必然なのか、正気の証しなのか恐れの証しなのかははっきりと言えないが、彼はそのつど完全に欲を絶つことによってでしか、近親相姦の影から逃れられない。

彼の当時の告白を信じるならば、スティーヴンズはこうした心中の変化を自覚している。彼はリンダとの会話帳にこう書き込んでいる。「**私は幸福だ。その職業にたずさわる者は真理よりも正義を尊ぶのをあらかじめ許されている職業にたずさわることで、実際に何の損害も与えずに罰を受けずに他人の問題に干渉する特権を与えられてきたのだから。だけどその私にも自分を愛するものに手を触れてそれを壊す機会は与えられていないのだ**[36]」。そして彼はラトリフに、スノープスの殺人の一件での彼女の策略を正当化するために、こう告げる。「なぜなら、私は運命と宿命を信じ、それを主張しているだけでなく、それを賛美してもいるからなのさ。たとえささやかなものだろうと、その道具の一つとなりたいと思っているからさ[37]」。

リンダはミンク・スノープスが従兄弟フレム・スノープス、つまり彼女の「いわゆる父」を復讐心から殺すように仕向けるが、ギャヴィンはこの演出に最初は図らずも加担し、次いで固い決意で犯罪の片棒を担ぐ。そして彼は結局、ロマンティックだが慎重に、金持ちの未亡人と正式に結婚するものの、彼にはもはや子を作る力がない。結婚相手のメリサンダー・ハリス(旧姓バッカス)はすでに二人の子供がおり、一人は乱暴で役立たずの少年で、スティーヴンズによって無理やり軍隊に入隊させられこの場所を去る。もう一人の娘は純真なアルゼンチンのポロ選手と結婚し、遠方へ姿を消す。

メリサンダー・ハリスは、グラニー・ローザ・ミラードが北軍の部隊の強欲から救い出そうと試みた、サートリス家の銀器をめぐる冒険に巻き込まれたあの若い女と同一人物である。このことは、「私の祖母ミラードとベッドフォード・フォレスト将軍とハリキン・クリークの戦い」という短篇のなかでピカレスク調で語られている。メリサンダー・ハリスは最後には南部連合のハンサムな兵士と結婚する。この兵士は彼女の命の恩人であり、名をフィリップ・サン＝ジュスト・バックハウスと言い、その名がとても都合よくバッカスと変わったのである。彼女がスティーヴンズと出会ったとき、彼女はバッカス神に似た名のこの夫を亡くしていた。ギャヴィン・スティーヴンズは、すでにスノープス一族に結びつき、サートリス家とローザ・ミラードと最終的につながる。こうして、快適な平凡と穏やかな喜劇性のなかで、郡の悲劇的物語はその円環を閉じる。ミュージカル・コメディ「ハリキン・クリークの戦い」は、同名の短篇を題材にして構成され、一九七六年と一九九〇年にオックスフォードで上演された（『サザン・レジスター』一九九〇年春号）。

　運命と（近親相姦の差し迫る誘惑、殺人の共犯、とりわけ、正統な直系の子孫の不在）、ありふれた生活（ブルジョワとの結婚）のうちに一挙に巻き込まれるギャヴィン・スティーヴンズは、郡のイメージそのものだ。郡は、進展に伴って平凡なものになる一方で、スティーヴンズが長いあいだ逃れてきた古き呪いに相変わらずひそかに脅かされている。

　やがてジェファソンとなるあの開拓地（チカソー族の王にしてイケモタビーの伯父の老イッシティベハー――ドゥームの後継者でありヨーロッパからあの赤い踵の上靴をもってきたイッシテ

ィベハーと混同してはならない――の時代の話であり、『尼僧への鎮魂歌』のなかで語られる）の最初の入植者のなかには、名門家系の人間（ホルストンとグレニア、サートリスとスティーヴンズ、コンプソンとマッキャスリン、コールドフィールドとサトペン――サトペン大佐が無名の農夫の、毎日酔っ払いの短気なプアホワイトのせがれであることを他の小説で知ってはいるが、ここではサトペンもふくまれる）と同じく、ピーボディ、ペティグルー、タルのような輩もいるのだが、そのなかの一人で、老アレック・ホルストンに（監獄の扉に設置された巨大な南京錠を失くしたかどで）課された賠償問題を奇跡的に解決する密売人ラトクリフを、ビジネスマンでありギャヴィン・スティーヴンズのお気に入りの保証人であるラトリフの祖先である――このラトクリフの生涯は『町』のなかで伝えられている――と考えてみたい。

「学校も行かず、旅にも行かず、ごくわずかしか本も読んでいなかったが、ラトリフはこの町のどんな緊急の必要にも応じられる、知識や町の情報や面識をもちあわせている点では、驚くべき才能をもっていた」[38]。私たちはまさにこのようなタイプの人間、つまりありとあらゆる噂話とありとあらゆる誘惑とを騒々しく結びつける人間が、プランテーションの国々であればどこにでもいることを知っている。彼は、サートリスでもスノープスでもない、町の新たな住人であり、ラトクリフ家のある種の鋭敏さや巧妙さや身の処し方のようなものを、ある種の農民の良識と、密売人やビジネスマン一般のユーモアのようなものを保持してきた。

ラトリフは、本当はスティーヴンズの家来でもなければ彼の便利屋でもない。彼はスティーヴンズと対等だ。先見の明にかけては、おそらくスティーヴンズを上回ってすらいる。たしかに、彼は「絶え間のない意識の流れ」を授かりはしないし、苦しみを分かち合うことも、宿命のなかに囚われることもまったくない。あの時代はもう過ぎ去ったのだ（「あの虐げられた共産党員の靴直しやブリキ屋やニグロの子供たちでさえ、もう必要とせずにやっていけるんだ……」[39]）。しかしラトリフは、郡の物語をみんなに伝えるリポーター、つまり語り部《ストーリーテラー》であり、ドラマと喜劇と小説とのあいだを、行商人のように結ぶ者だ。だから他方で、ラトリフはそのような知性の鋭さと頭の回転の速さをもっていることから、スティーヴンズとの対話——ダブル・ミーニングや仄めかしや突然の結論や鮮やかな推理が散りばめられた対話——は「意識の流れ」のプロセスと共通する。ただしそこでは、伝染はもはや効力をもたない。真実は、それを見抜くために共謀する人々のあいだで時折り美しく飾り立てられる。真実はもはや遠くにあるものでも、近づきがたいものでもない。それは日常の網の目のなかにたやすく囚われている。

この二人は、深き淵の頂をなおも歩いているように見える。この渦のなかにすでにユーラ、リンダ、ミンク、そして最後にはあのフレム・スノープスさえも消えていった。スノープス三部作の記述《エクリチュール》は平板である、そう私は述べてきた。そびえ立つ郡の呪いから暴かれたものに、後れて来るものの言語《ランガージュ》に、伝染のもたらす激しい動転に比べれば、たしかにそうである。しかしまた、スノープスものの記述は、これが深き淵のなかから生まれたものではなくても、現実の縺れを解くことが問題となるたびに、すなわち推理仕立ての謎ではなく、人々の動機とその行為の詳細を解明することが問題となるたびに、巧みで複雑な密度ある記述となる。そのとき、ソクラテス風の対話は普遍化する。ミシンの販売人ラトリフは哲学者となり（「田舎の在野の哲学者でシンシネイタス」[40])、彼の話し相手は、腹黒い農民であれ、信じやすい日雇い労働者であれ、ずる賢い馬商であれ、それぞれ、自分自身のぎりぎりのところで話す占い師となる。

彼らは運命と決別しなかった。運命は、昼と夜の灰色がかったふるいにただ順応するだけである（「運命の威厳それ自体が遍在と反復をつうじて軽蔑的になった」[41]）。軽蔑を示しているのか、それともむしろ軽蔑に値するのか。

この頃になると、話題としている国は、民話の特徴を帯びる。昔の物語は儀礼のように朗読されて歌われ、日々の物語（馬の取引、怪しげな商売、隠しようのない不倫、クリーム分離器や綿繰り機のレンタル、騾馬の競争、また考えられるありとあらゆる種類の動物の競争、婚約、そしてあまりにひどい人生のいたずらの数々）は、誰よりも創意に富んだ話し手と言葉の刺繍を介して、縫われる。

民話はあらゆる事物の口承性を開花させ、話術に行き着く。話術においては、もはや後れて来るものは何も発見せず、暴きの漸進的作用はいかなる展望も示さず、伝染の苦しみはまったく伝播しない。意外なほど学者じみたこれらの対話のうちで示される、話し手たちの繊細さと巧妙さがあれば、愉快なたくらみや、いつもの悲劇や、変化することで生き延びようとする国の果てしのない人間性《ユマニテ》の全容は、十分明らかになる。

村から町へ、そして引き返して館へ、私たちはこの変化が、ヨクナパトーファにとって、少なくとも徐々にヨクナパトーファの不可欠かつ十分な中心となってゆくジェファソンにとって、はっきりとした形をとってゆくのを目撃する。ガレージは馬貸し屋に取って代わり、選挙は民主化し（つまり投票箱をいっぱいにするノウハウはだんだん巧妙になり）、十字路に信号が設置され、銀行や市庁や病院の理事会や評議会は影響力を強めてゆき、新聞の論説は民話の代わりをし、バーや美容院が開店し、こうしたすべての新しい場所に、新しい町の新しい市民が集まる。こうして民話の技はこの風景から消え去ったとはいえ、それはやはり辛辣な話術によって中継されてきたのであり、このうちで抜きん出ているのはラトリフやギャヴィン・スティーヴンズのような人々だ。円環は彼らと共に閉じる。

民話特有の言語《ランガージュ》（作家に最初に霊感を授けた民衆の慣習的な言語）から、後れて来る言葉の二重化（詩的なものを探求するための悲劇的言語）を経て、会話と対話（確立した社会の市民言語）へと至るこの痕跡を、私たちは辿っている。この痕跡を辿るにつれて、あれかこれかのやむを得ない選択（呪いか正統性か、ペシミズムか血統の絶対性か）を受け入れざるをえない諦めと、曖昧なもの、決定しがたいものの蔓延へのかすかな同意とが形を帯びてくる。

たしかに私たちは、この激動する現代世界においてはまったく些細なもののように思われる、あの黒人と先住民と白人の物語にいささかも納得しないだろうし、あの幻覚に囚われた農民や、あのうつろな眼差しのニグロや、あの錯乱した貴族や強迫観念に囚われたオールド・ミスの存在をぜんぜん確信しないだろう、あらゆるアイデンティティはあらゆるアイデンティティへ無限に開かれており、誰も自分の真実を諦めない、そうした勝負がそこで行なわれていたと、私たちが感じるかぎりにおいて。

まさに偏狭な統一性の夢が、血と犯罪のうちで、あちらこちらで瓦解しているように、創設の呪われた建造物は最初から音を立てて崩れ去る必要があった。郡の風景が空間と意味の地平を拡張したのと同じように、フォークナーの教えはヨクナパトーファを遥かに上回ってゆく。その境界を探査し、その向こうを理解しよう。


「普通の」人々は、結局、とどまる。

あの野蛮な乱脈は、ある種の若干陰気な礼儀作法を備えることで、折れ曲がるようにして、ゆっくり消滅していった。「南部」は別の変容を待ちながら眠りについたが、その変容がどんなものであるのかを誰も言うことはできない。

南部はこの意味で世界中の多くの地域と似ている。それらの地域は、不穏であるか半睡状態であるか、混沌であるか無気力であるか、ポリネシアであるかスイスであるか、大陸であるか群島であるか、それは様々だが、全体‐世界《トタリテ＝モンド》の巨大な〈関係〉のうちに手探りで参入している。しかし、この叙事詩的努力はそれ自体（伝統的な叙事詩的なものを諦めること。包みこむ、開かれた叙事詩的言葉の予感。維持しづらく、予測不能だが不可避である、また別種のアイデンティティへの参与の提案）である。それはとどまり、郡を越えて、私たちを助ける。

南部の国は眠っているのか、それとも今度はただたんに、境界地帯《フロンティア》として――ついに自らをそう把握し――フラナリー・オコナーやユードラ・ウェルティやトニ・モリスンが部分的に探査した変わりゆく日常のうちに潜む数々の震えを受け入れているのか。フォークナーは、館から村に至る、〈プランテーション〉から〈町〉に至る移行を示した。しかしこの南部そのものが移行であり、絶えず〈プランテーション〉であり続け、いつも〈町〉になるのをためらう。南部は世界中で「起こる」ことの境界にある。それは、唯一の根の執拗な源を、目くるめくディアスポラの拡散に導く中継だ。

フォークナー作品は、私たちの円形‐大地《シルキュラリテ＝テール》の、無限に列挙される私たちの現実の、私たちの紋切型＝共有場《リュー・コマン》の積み重ねの――誰かがある紋切型について語ったとして、そうした紋切型が何を意味するのか、今日では誰も予言しえない――衝撃と錯綜に附された、ざわめく序文だ。列挙された特徴は、積み重ねられ、循環し、うずきながら反復する共有場としての現実（そこにおいて、独創的でユニークだと思ってきた私たちの思考は、世界中の多くの響きによって、突然繰り返され、中継され、響き渡るのであり、それによって今度は私たちが響きを作る）を駆け下ることによって、私たちは、ついにそれこそが知の新たな形態であり、痕跡を指し示す葉の茂りであり、水面で震える声であることを聞き取る。

これらの作品全体が宙吊りのままだ――世界をめぐる私たちの思考がこの上なくそうであるように。

巧妙になされるあの平板化をとおして、間髪を容れず言葉巧みに話し続け、交流するというあの才覚をとおして、ついに統制された郡のなかで最後に展開される事態を、私たちはおそらく跡づけるべきでもあっただろう。私たちが最終的に辿り着く共有場に憂鬱な気持ちで至るために、死が大地の大いなる統合者であることを感じるために——まさしくフォークナーが大森林に埋められたサム・ファーザーズと犬のライオンをめぐって、すでにそのことに言及していたように。「大地にしっかりと縛りつけられているのではなく、大地のなかで自由であり、大地のなかにあるのではなく、大地のものであり、数え切れぬものでありながら、しかも一つひとつの無数の部分が散らばってはいないもの——木の葉も小枝も微塵も、空気も太陽も雨も霧も夜も、どんぐりも樫の木も木の葉もそれからまたどんぐりも、闇も暁もそれからまた闇と暁がやってきても、不易の連続をなして、無数であると同時に一つなのだ」[42]。そして（幻覚を抱いた鈍感な農民であり、フレム・スノープスの運命を奏でる者であり、農夫ヒューストンの殺害者であるミンク・スノープスが、『館』の最後で、そしてフォークナー作品の最後で、この点をじっくり考え、感じたように）、大地は、私たちが生まれた時から、私たちをひそかに大地の下へたえず引っ張り続ける。その下で、まさにこの大地の上でこの世の責苦を受けてきたすべてのものが優劣も束縛も差別もなく集められる。それにしても、大いなる跳躍の、創設への大いなる意志の失敗が払う不幸な代償とはどれほどのものなのか——だからミンクは、創設の理由をもたず、名門家系の生まれではなかったが、死のうちでやがて合流することになるあの他の者たちと同じくらい、粘り強い決意を示したのだった。「彼も、誰とも平等に、誰にも劣らず立派に、誰にも劣らず勇敢に、その人々からけっして切り離されることがなく、誰とも区別されずにそのなかの一人なのだ。美しい人や、素晴らしい人や、誇り高い人や、勇敢な人が、長い人間の記録の里程標である輝かしい幻や夢のあいだに混ざって地面の表面までいっぱいに詰まっており――ヘレンもいれば司祭もおり、王もいれば寄る辺なき天使もおり、せせら笑う品のない熾天使もいるのだった[43]」。

後れて来るもの、言葉

〈民話《コント》〉の言葉は、〈神〉の言葉を書き取ったものでも、〈法〉に由来するものでもない。その言葉は雑多な要素からなり、世界創造や、血統に保証される正統な系譜といった〈創世〉のあらゆる考えに、そう明言していない場合でも、異議を差し挟む。アメリカスのクレオール民話はそのように捉えられる伝承である。

北米先住民の伝承《コント》はおそらくこれとはちがい、万物がどのように作り出され、出現したのかを教えるものである。子供時代のフォークナーはどのような伝承を聞いたのか。青年期や壮年期のフォークナーはどのような話を聞きたいと思っていたのか。そもそも、その手の話をあれこれと聞くのを好んだのか否か。そうしたことを検証してみるべきかもしれない。これについては次のことが知られている。すなわちフォークナーは、白人農夫や、チカソー族の老人や、ニグロの日雇い労働者といった、語り部《ストーリーテラー》を囲う聴衆の集いに加わり、そこで人生の物語だけでなく語りの技術も積み上げてきた、ということである。北米先住民の父祖伝来的伝承。スコットランドやガリア地方（実際は〈西〉を目指すヨーロッパという場のすべて）に由来ないし翻案された伝統的伝承。アフリカの伝承（あるいは奴隷船の災禍を免れたことで取り戻せた痕跡）。プランテーション世界で編まれたクレオールの伝承。こうした伝承のなかで、フォークナーの興味を一番引いたものがどれであったのかを知りえる可能性は高い。ともかく彼が記憶したのは、西洋やアフリカや北米先住民の父祖伝来的な教えだった。フォークナーの世界はいつでも中絶するあの要求、すなわち〈創世〉への要求とその悲劇的否認に満たされている。

狂気に陥ったトマス・サトペンは、創世記の〈神〉と比較され、あるいはおそらく、栄光とはほぼ無縁のところで、王のなかの王と比較されえた人物だ。彼は世界をむりやり創造する。それは、誰かから引き継いだのではなく、彼の意志のみから、彼の営みのみから生み出されたような世界だ。サトペンは血統によって、具体的には男子（息子ヘンリー）の誕生は、少なくともサトペンの眼にはこれを確立するには十分ではないと映った）によってこの創設の正統性と恒常性を保証するつもりだ。それこそがサトペンの劫罰だ。そして、おそらくヘンリーの劫罰とは、父が自分の肩にそうした希望の全重圧をまったくかけていないことを見抜いてしまったことにあった。この情熱の強さでは、サートリス家とコンプソン家も引けをとらない。両家の最初の世代は、少なくともそうである。自殺を遂げるクエンティン・コンプソンをおそらく除けば、最後の世代はそうした懸念が何も分からなくなる。

フォークナーは、伝承の言葉が、先住民の父祖伝来的伝承を別にすれば、創世記の思想を引き継ぐものではないことを、むしろ反対にそれと対立する諸様式に従って成り立っていることを、つまり身を焼き尽くす〈創世〉の夢と対立してきたことを十分に心得ていた。つまりそれらは列挙し、積み重なり、反復し、循環する様式であり、憶測に基づくものを支配するこれらの様式は、世界を創造するという、決定的かつ決然とした預言的行為とまったく相容れない。

アンティーユのクレオール伝承《コント》は、たとえば、〈創造〉の神話《ミット》を問いただすか、あるいは、これを眩暈のなかへ投じる。そこでは、暗中模索の神はアンティーユ人を作ろうと何度もそれを試みる。この神は、宇宙の窯のなかに人を作るための土塊を置き忘れるのだが、その結果、この土塊はある時は焦げすぎ、ある時は十分に焼けず、またある時はほとんど焼けなかったわけである。このように、伝承のもつ発想は、あらゆる創世の絶対や聖なるものに異議を差し挟む。少なくとも、この神話的な開闢に、絶対や聖なるものの思想を結びつけないのである。

アンティーユ人やカリブ人の起源には〈創世〉はないが、何度も確証されては、また何度も公の記憶から打ち消されていった奴隷貿易という歴史的事実があり、伝承の言葉はこれを知らないとうそぶくことはできない。それだけに、奴隷貿易のホロコーストと奴隷船の腹（数千万の人間が何よりも恐ろしい状況のなかに移され、殺され、手足を失い、強姦され、軽視され、奴隷制によって変質を余儀なくされた）はますます不可避な創世である。とはいえそれはやはり雑多な要素の展開から生じるものだ。

世界創造ではないこの新たな種類の「起源」を、私は複合創世《ディジュネーズ》と名づける。

あらゆる複合的文化は複合創世（すべての場合が、奴隷貿易のような災厄であるわけではない）から生じ、それを構成する諸要素は無限に増殖する。クレオール伝承の神は、プランテーション経営者すなわち主《あるじ》であり、揉め事の仲裁者だ。彼は一大マネージャーとしての知恵と悪知恵をもっている。もうそれだけでも、複合的な神だ。

北米先住民の創世神話のいくつかはまた、神々が「創造」の均衡を確立するまでにそれを何度も試みなければならなかったことを伝えている。「創造」は試みの積み重ねの結果として生じたのであり、想定も迂回も曖昧さもないような力の一閃から生まれるのではない。しかも、これらの神話は、「創造」そのものと人間の歴史の始まりとのあいだに拡がる、ある種の黒い穴や、未知なる時をそのまま残している。

したがってこの場合の〈創世〉は、聖なるものを基礎づけるものの、その行為は、絶対の正統性が共同体にもたらす、あの漸進的確信の外にある。そうした確信を抱く共同体は、創造主である神によって迷いなく選ばれていると感じ、絶え間のない血統の正統性をとおして、正統性を守ってきた。そうした〈創世〉の子供たちは、彼らが暮らしている土地の正統な所有者であり、そのように自分たちを捉える。これとは反対に、大抵の場合、アメリカスの先住民は自分たちを土地の所有者ではなく、土地の守護者だと見なす。
　一九九五年十二月、ニューヨークにいたときのこと。彼女に言われて、私はある芝居の案内に注意を向けた。おそらくバレエ仕立てのもので、ネイティヴ・アメリカンたちが企画したものである。『収穫祝い——感謝祭神話を超えて』というこの芝居はマルティ・デ・モンターニョが台本を書き、二人の語り部《ストーリーテラー》が演出している。その主要なあらましは案内文に次のように書かれている。

« We Are All Related »

Mita Kuye oyasin is a Sioux word that means « we are all related » or « all my relations ». It is widely used by many Native American people today and is used at the beginning and at the end of the day. It refers to the concept that not only are all people related, but that we are all related to the animals, plants, and to the earth. *Mita kuye oyasin* is often used at the closing of a prayer instead of « amen ».

意図的、もしくは説明的だと思うが訳しておこう。

「われわれは全員〈関係〉のうちにいる」

ミタクエ・オヤシンはスー族の言い方で「われわれは全員〈関係〉のうちにいる」、あるいは「すべての私への関係」という意味である。この言い回しは今日の多くのアメリカ先住民たちが日常的に使用しており、この芝居の初めから終わりまで介在するものである。この言い回しが連想させるのは、あらゆる人々が関係のうちにいるということだけではなくて、私たちは全員、動物、植物、大地とも関係しているのだという発想である。ミタクエ・オヤシンは「アーメン」のような祈りの終わりによく口にされる。

訳すまでもなかったかもしれないが、ここで重要なのは、何よりもこれが〈関係〉の詩学の契機であること、それからこれが私の次のような直観を裏づけるものであるということだ。すなわち、父祖伝来的な諸文化は、それらが抑圧されてきた場合、〈関係〉における自己超克を、独立し主権を有したあらゆる事物《もの》の全体《トタリテ》－世界《モンド》における相互依存を擁護し、これを提示するのにもっとも適しているということ。以上がミタクエ・オヤシンの教えだ。

イケモタビー＝ドゥームは、チカソー族の終焉を刻印もしなければ、神聖化することもなかった。

フォークナーの言葉は、具体的現実の網の目のうちに絶えず内包されている。人々が話す日常的な会話の環境、人間や動物がとる姿勢、植物のざらつきや優しさ、日々の平凡さや自然のままの生活に見出す一種の喜び、さらには人と物が喜んだり怒ったりする卑俗さ（おそらくウィスキー飲みにふさわしい、現実をその知覚しがたいもののうちで縛り、現実を密なものにするという、たとえば彼がレイモンド・チャンドラーと共有する、あのアイロニカルで打撃的な方法）のうちにさえ、フォークナーの言葉はあるのであり、それらがこの言葉の企図をすっかり覆い（完全に包み）隠している。したがって、彼が用いる後れて来るもの、そして彼が追い求める手法に遡ろうと（著者に逆らい、すなわち「批評的」仕事をとおして）試みることは、この言葉を抽象的なものにすることに必然的に帰着するだろう。それとまさに同じく、フォークナーの言葉を引用することはその渦を曇らせること以外の何ものでもない。だがそれはそれとして措いておこう。

フォークナーが子供時代から青年時代にかけて聞いた伝承と物語は、アンティーユのクレオール伝承と同じ率直なやり方では、〈創世〉の創設的権威を問いただせなかった。しかし、たとえそうだったにしても、少なくともこう（大胆に省略して）考えることはできないか。フォークナーは、彼の耳になじんできた伝承の示す口承の技術のうちで、〈創世〉の思想や〈創世〉への欲動がもたらすものの否認、すなわち創設するという一切の妥協を排した絶対的正統性の拒否の感覚を前もって抱いていたと。口承の技術（積み重ね、反復、循環といったもの）はすべて──存在論的に──単一的であろうとする現実や真実のヴィジョンを解体することを目指すのであり、多数なもの、不確かなもの、相対的なものをこのヴィジョンのうちに導くのである。

書かれたテクストにおいて口承的手法を行なうことは、テクストに望まれる美しさをいささかも保証しない。私たちがそうした口承の書き方を有効に実行できたら（「にせフォークナー」の悪知恵に長けた実践者たちが、ミシシッピ州オックスフォードで毎年かそれに近い頻度で、それを喜びとして行なうように）、羽は少ししかもたないが完全な放浪人である私たち、すなわち〈全‐世界〉の幾千の想像域で放埒に振る舞う私たちは一歩も引かないでいられるだろうし、同時に、私たちの叫びが求める、世界の多様化した美を数多く建立できるだろう。だとすれば、口承的手法は、解きほぐせないものを真の対象とする（フォークナーの）記述行為《エクリチュール》を説明しうるのだろうか。

しかし、私たちは、自分たちが言葉の新たなまとまりを手に入れるという直観をとおして、そうした口承的手法が「有効」でないかもしれず、たしかに、言葉を無意味に積み重ねたり、間の抜けたやり方で繰り返したり、愚かに循環させたり渦を巻くようにさせたりする可能性はあると感じるが、それとまったく同じように、口承的手法は、この文字言語《エクリチュール》と口承言語《オラリテ》の雑多に混ざり合った集合体と切り離せないように思える。この集合体の上で、表現と予感の新しい回路は編み上げられるのだ。

積み重ね（現実の諸様態を列挙すること）は、あらゆる語り部が、現実を描く際にもっとも慣れ親しんできた手法である。語り部は、この手法をとおして、その現実を構成する諸要素を、少なくとも、語り部がその存在を摑み取ることのできた諸要素を積み重ねる。

これは増殖、あるいは延び拡がろうとする意志であり、真実の本質を一閃で捉えるヴィジョンをとおしてではなく、現実のデータを積み重ねることで真実を語ろうとする意志である。存在を構成する諸要素の細部を増殖させてゆくことで、存在するものを描いたり示したりすることは、結局は事物《もの》の意味を一挙に見抜こうとする野心を退けることだ。そのリストはバロック的思考のベクトルの一つであり、深さの「探求」と対立する。

　列挙する手法は、大抵の場合は隠された複合創世の構成要素を数え上げ、それらを集積し、明るみに出す。複合創世が創世として自らを示そうとする場合、その構成要素は隠されている。しかしながらこの手法は、偉大なる共同体創設の書に欠けているわけではない。われわれの知るとおり、なぜならこれらの書は、これらの後になされるようになった教団主義的かつ排他的な使われ方に反して、分散する拡がりや、積み重ねられる流浪のうちで、根づくことの〈深さ〉に陰影をつけ、これを漂わせるからだ。

　現代作品に関して言えば、この根と動きの（深さと拡がりの）バランスは取られており、この列挙する手法が一貫していない場合でも、これは記述《エクリチュール》がなすもののうちに浸透している。フォークナーの場合はこれにあたる。

　列挙のうちにまとまりを要求すること。あるいは、そうしたまとまりがないからといって、そのように表明・描写される集積など、がらくたの山にすぎないと考えたりすることは、誤りであるように思われる。リストがそれぞれに遠い要素や種々雑多な要素を結びつければ結びつけるほど、リストは自らの営みを実現してゆく。これは、ピエール・ルヴェルディに従えば詩的イメージの機能であり、またギョーム・アポリネールがよく繰り返す「〜がある《イリヤ》」である。

　しかしながら、リストにはありとあらゆる種類がある。たとえば、列挙された集積物の質ではまったく区別がつかず、そこに導かれるリズムによって区別がつくリスト。私たちのヴィジョンを混乱させ、多数性のなかへ、氾濫するエネルギーの外へ、私たちを拡散させる、そうしたリスト。反対に、私たちの世界へのアプローチを形式化しようと試みるリスト。ある実在から別の実在へと相関関係を築こうと試みる横断的リスト。

サン＝ジョン・ペルスの仰々しいリストはよく知られている。職種や、場所や、歴史の記念碑などに関するリストがそうだ。たとえば、「緑の石をめぐる観想のうちで己の職務に気づく者」のように、『遠征』と『流謫』のなかでよくうたわれる「〜である者」。これらのリストはその素材を、個の行列のうちに一つずつ並べるのだが、それらはきわめて不可避的であり、かつ緊密に補い合っている。讃えられる普遍の目録。典礼のカデンツァ。世界の度し難さをはかる人間の息吹。さらにエメ・セゼールの詩の息をのむ列挙。その列挙に見出すのはまた、「火薬も電気も発明しなかった者たち」といった「〜である者たち」だ。これらのリストはその素材を開かれた共同性のなかに結集している。神話的な黒い太陽の放射する光のように、現実を四方から包み込もうとする、巨大な焔がつけた火傷。

反対に、フォークナーのリストは日常の擦り傷を、私たちのヴィジョンにこびりつき、なかなか落ちないすべてのものを神経質に増殖させる。フォークナーは、自分が取り囲もうと望む実在を可能なかぎり果てしなく膨れあがらせるためにせよ、まさにこの現実を意識することが重要となる瞬間を後らせるためにせよ、四散することでとくに示される現実の描写を素早く片づける――この表現に代わる言葉が見当たらない――ためにせよ、列挙の手法を用いる。

「広告用の郵便物、通信販売のカタログ、官報など、あらゆる種類のものが散らばっている。部屋の一方の隅には、逆さに置かれた荷造り用の箱の上に、着色した酸化ガラスの冷水器が置いてあり、もう一方の隅には、何本かの釣り竿がまとめて立てかけられているが、その釣り竿は、それ自身の重みで徐々にしなってきている。また、どこでも平らな場所には、古道具屋の店以外では見当たらない収集品が置かれている——古着、瓶、石油ランプ、車軸用グリースのブリキ缶の詰まった木箱（だが一つ分欠けている）、さわやかな朝顔の花輪で飾った四人の乙女（だがあちこち、びっくりするほどの損傷をこうむっている）が支えている構図の、手ざわりのいい陶器の置時計……」[1]（『サートリス』）。

写実主義の規範から巧妙に距離を保っている（「だが一つ分欠けている」、「さわやかな朝顔」、「びっくりするほどの損傷」）、こうしたみすぼらしい積み重ねのなかでは、私たちは、ジャック・プレヴェールの現実を脱臼させる奔放なリストから遠くない。

物は、積み重ねという単純なメカニズムによってリストに加わるのではない。そうではなく、積み重ねによる拡大というまさにその行為によって、リストに加わるのだ。

列挙（物、人、特徴の列挙）の詩学は、伝承の口承性から直接派生している。伝承は、一閃ですべてを明らかにする啓示（そうした種類の啓示）によって、描くことはできない。語り部がある屋敷の重要性やその美しさを物語ろうとする場合、彼はそれを構成する様々な要素を、その質よりもむしろ量を誇張しながら、リストのうちに積み上げる。この素朴な行為は美徳をふくんでいる。古典的思考、調和と深さの思考がこの列挙の手法を用いるのは稀だ。知りうることを空間へ拡散させること、あるいは、人の数だけアプローチの角度が増える視点のうちにこれを集めることは、聖霊の啓示やその訪れを諦めることだ。宇宙が有限な原子量で構成されているように（デモクリトスと現代物理学がそう主張しているように）、全体‐世界とはかぎりある場所が合流する世界だ。それでも、これらの場所が相互に変容を遂げ続ける以上、そのリストはけっして汲み尽せないだろう。積み重ねは有限（それが賑わす総体において）かつ無限（それが提示する関係において）である。

反復は反対の手法である。この手法をとおして、現実から孤立する要素、また思考の一面が、語りのうちで執拗に繰り返される。それは前に戻ることであり、その特徴はリズムにある。反復が示すのは民話〔伝承〕や物語のこのリズムであり、それによって、民話や物語の重要な点を強調する。現代世界の主要な出来事の大半はこの手法に特徴づけられている。マーティン・ルーサー・キング・ジュニアの「私には夢がある」はその一例だ。合衆国の黒人牧師は歌の言葉とコーラスのなかに気づかぬうちに入ってゆくが、この演説はそうした黒人牧師による説教のスタイルでなされている。同じように、押韻が反復の手法のうちにとても頻繁に介在している。書かれたテクストは、それが口承の仕組みを取り入れる場合、この音楽を仄めかそうと試みる場合が多い。

今度は、コンプソン家の無秩序とベンジーの膨張した意識に耳を傾けてみよう。

私たちには屋根と火と、そしてドアの向こうでジェイソンが泣きじゃくる音が聞こえた。

「十一月だというのに、あの子はどこで蛙をつかまえようとしたのだろう」と父が言った。

「ぼくは知らない」とクエンティンが言った。

私たちにはそれらの音が聞こえた。

「ジェイソン」と父が言った。私たちにはジェイソンの泣きじゃくる音が聞こえた。

「ジェイソン」と父が言った。「こっちへきて、泣くのをおよし」。

私たちには屋根と火とジェイソンの音が聞こえた。

「さあ、もう泣くんじゃない」と父が言った。「また鞭で打たれたいのかい」。父がジェイソンを抱きあげて、自分と一緒に椅子にかけさせた。ジェイソンが泣きじゃくった。私たちには火と屋根の音が聞こえた。ジェイソンが少し大きく泣きじゃくった。

「もう一度だ」と父が言った。私たちには火と屋根の音が聞こえた。[2]

この箇所に生じるのは、反復することのひそかな満足であり、現実の表現を際限なく増殖させ、それを繰り返し（少しずつ変わる）によって変化や陰影を心地よくつけたりすることの、無垢にして挑発的な喜びのようなものだ。読者は、少なくとも最初は、この反復が意図的であるのかどうか、狙いがあるのかどうかを見分けられない。それは発語のなかを堂々めぐりして彷徨する手法であり、勅令的確実性をたわごとに転じるものだ。

隠された知に遡り、予想外の現実を覆うヴェールを引き裂き、苦しみを伝え、禁じられたことを叫ぶことなどが重要となる小説、すなわち『サートリス』から『征服されざる人々』に至る伝統的な郡の小説において、列挙と反復の手法は、現実を際限なく増殖させる要素として介在しており、それをとおして不確かなものや決定不能なものは突発する。たしかに、ある対象を、その特徴やそれを取り巻く状況を積み重ねることで認識しようとすればするほど、私たちはこの対象の「本質」なるものを認めがたくなってゆく（「本質」を捉えることを諦めるようになる）。

スノープス一族のサーガに属する長篇、そして短篇のなかでは、これらの手法は非常に和らげられた形でしか現れない。スノープスものに関しては、すでに見たとおり、対話と会話からなる、また別種の語り口が生み出されており、これは固有の技巧を備えている。短篇については、その企図があまりに性急である（素材を蓄積する）ため、記述《エクリチュール》はそうした偏向や過剰な増殖をじつにゆっくりと実行に移す。

『行け、モーセ』の冒頭全体にわたって、とくに「昔の人たち」と「熊」という二つの短篇（『行け、モーセ』を構成する章となった短篇）において執拗に繰り返されるのは、野営地に赴くために荷馬車に乗る狩人たちの顔ぶれだ。「いよいよ少年も仲間に加わった――彼と従兄弟のマッキャスリンとテニーズ・ジムを、ド・スペイン少佐とコンプソン将軍とウォルター・ユーエルとブーンと料理役の老アッシュ叔父が、もう一台の荷馬車を用意してジェファソンで待ち受け、箱馬車には……」[3]。少なくとも、五回か六回は、私たちはこの荷馬車と四輪馬車が出発するのを目撃し（「少年とサムと老アッシュが犬と一緒に荷馬車に乗り、従兄弟とド・スペイン少佐とコンプソン将軍とブーンとウォルターとテニーズ・ジムが、二人ずつ一組になって馬に乗り……」)[4]、結局は、一年の同じ日に彼らが列をなしてやってくることを知るオールド・ベンが彼らをすでに待ち構えているのだと確信する。ここでは反復のうずきは、狩人たちが原初の生と再び接触するあの瞬間の厳粛さを確認するものであり、アイク・マッキャスリン少年の通過儀礼をめぐる挿話の重要性を際立たせている。

反復強迫的なもう一つのリストは、第一次世界大戦中の航空隊のエースたちのリストである。「ボール、マッカデン、ビショップ、リース・デイヴィス、ベーカー、ベルッケ、リヒトホーフェン、インメルマン、ギヌメール、ヌンゲッサー、そして祖国がまだ参戦もしてもいないうちに、いつでも死ぬ覚悟ができていたモナガンのようなアメリカ人たち」[5]「勝者も敗者も」同じパンテオンのなかにまとめられており、そのことから、フォークナーは彼らを私的な叙事詩の英雄に仕立てているという印象が強く感じられる。リストが(航空ものの短篇において)繰り返されるたび、その提示の順序は、同じ栄光のうちでの平等を示すかのように、わずかに変わる。

反復はリストとその積み重ねをしのいでいる。

テクストにおける循環は、この二つの手法から直接生じるものだ。ある細部や側面は、物語が展開するなかで周期的に倍化しつつも、(話題となっている人物や、著者や読者の)思考をその最初の地点へ引き戻す。しかし、この循環のたびに、ある付加、あるヴァリアントが加わることによって、純然たる遊びである反復のヴァリアントとは対極的に、物語は言わば螺旋状に進行するのだ。

線的な語りの不可避性に抗いながら、この螺旋状の増殖はありそうもないことを導く。ここでさらに、まとまりをもったテクストの数節を引用して、例を示すべきかもしれない。だが、読者はその例をすでに見つけ、あるいは、満足しながらすぐにこれを見つけるだろう。

循環は、段落冒頭の「そして」の半形式的用法によって何度も立ち現れる。

「そして二時、この午後に……」

「そして正午だった」など。

詩における調子は、各詩節、各唱句の始まりにおいて同じ手法で保たれる。これと同じように、眩暈は、一種の連続体によって、繰り返され、維持される。この宙吊りの感覚はまた別種の言い回しによって強まる。その言い回しもまたほとんど形式的なものであり、フォークナーはこれをとても頻繁に用いていた(たとえば、一般的にはすべて未解決のままの対話のあとなどに)。「そしてそれですべてだった」。それから「それですべてだった」。それから「そしてそれでほぼ全部だった」。これらが、たとえば「熊」の心臓で脈打つ疼きのなかで、渦を巻きながらテクストにリズムを与える。

反復や、思考や行為の再燃や、他の物に開かれ、何物にも閉じない言い回し。

循環は、後れて来るものに遡ること、そしてとくに「意識の流れ」を構成する諸要素を相互に結びつけることを可能にする、緊張の絶頂において加速される。循環は露呈作業の道の一つであり、私たちの理解するとおり、付け加えられたり繰り返されたりする、現実のモチーフがあればあるほど、循環が入り込む領域は拡がり、知の眩暈は増大する。

とくに『サンクチュアリ』における対話は——『死の床に横たわりて』において父アンスが娘デューイ・デルから金を巻き上げる目的で対話する場面も同じく——反復のうちにある。要するに、対話者たちはそれぞれ自分の考えを頑なに辿り、このため対話は結論を何も導かないばかりか、反対に完全な眩暈へと行き着くのだ。同じ不確かな原則が問いをめぐる対話をかき乱すため、読者は一般に知りえたり想定したりする答をけっして得られない。対話者たちは執拗に問いと答のまわりをぐるぐるまわる。眩暈。

この旋回の完璧な例は、キャディとクエンティン・コンプソンとのあいだの、スイカズラの匂いに包まれた、言うなれば近親相姦的戯れの場面のうちで示される。これらの場面での対話は、河のように流れるが、その流れはしつこく蛇行し回転し屈曲するあのミシシッピ河のように流れ、そして、キャディの胸や、ドールトン・エイムズの名前や、ベンジーがしたことなどのいつもの日常的な（痛ましくすらある）強迫観念に立ち戻る。

キャディ
あたしにさわらないで　とにかく約束して
病気なら無理だよ
いいえ無理じゃないわ　そうしたらよくなる　なんともなくなると思うわ
ベンジーをジャクソンへ送らないでちょうだい　約束して

約束するよ　キャディ　キャディ
さわらないで　さわらないで
それはどんな様子をしていたんだい　キャディ
なにが
お前に歯をむき出して笑ったものさ　二人の向こうから笑ったものさ[6]

これらの対話は、一つひとつを判別する手立てのない、別の人間たちと行なう他の大量の対話のなかに埋め込まれている。それらはすべてクエンティンの意識と苦しみのなかで転倒する（『響きと怒り』）。

これらの手法の分析は、私たちに、次の点も気づかせ——理解させ？——てくれる。郡の人間たちは、（戯曲のなかで語られる「農民」言葉や、推理小説のなかで用いられる「スラング」のように）一つの体系が備える機械的過剰に囚われることなく、特有の言葉遣いで話している。しかし、同時に、彼らはまた、文学的言語（「文体」の有する修辞的気どりをもたない言語）を話している。これはどういうことなのか。その言語の秘密こそ、頑なさと固執、反復、循環のうちにある。これらが、『死の床に横たわりて』の中心人物たちの言葉の成功を生み出し、そのおかげで、彼らは自分たちをプアホワイトの農民でありかつ文学的人物である者として示すことができるのだ。そしてその言語《ランガージュ》は後れて来るもの、暴き、伝染を経由することにより、『アブサロム、アブサロム！』におけるエクリチュールを、聖なるテクストであると同時に、きわめて卑俗な表現、ともかく非常に日常的かつ具体的な表現として機能させるのだ。

まったく同じように、話に熱中しきっているクエンティン・コンプソン青年が、カナダ人シュリーヴに（「良心を肥大させながら」）サトペン大佐の幼年期について語るとき（「それでも彼はウィスキーの匂いを嗅ぎわけ、父の声のうちにいつもの激しい興奮、いつもの報復を聞き取った。「おれたちは今夜ペティボーンのところのニガーを一人ぶちのめしてやったぞ[7]」」）、サトペンの父の復讐相手は、物〔客体〕でしかないニグロではなく、金持ちのペティボーンであるのは理解できるのだが、そのような「主観的語り」を介して私たちが横切っているのは、この子供時代のサトペンの意識なのか、それともクエンティンのそれなのか（そして、自分の聞いていることに懐疑的な言葉を差し挟む、おそらくシュリーヴの意識でさえある）、あるいはまた、この話の場面に居合わせ、コンプソン青年と同じくらい熱中する、物語の語り手であると目される人物のそれなのかは、私には知る由もない。

これは複数の文体の非決定でも混乱でもなく、同一の波（意識の、それ以上に苦しみの）が郡全体に拡がり、互いに見分けのつく様々なアクセントを一箇所に向けて運ぶことで、それらに裂け目と恐怖を強いるという作用なのである。

フォークナー的記述《エクリチュール》の重要な原則は、「……であるばかりか……でもある」という構文のうちで顕在化する。この構文はじつによく介在し、言葉を多くの深淵へと赴かせてきた。見るばかりでなく、見るのを恐れる分だけ、あなたの見たくないもの。仮借なき人間によって耕され、疲弊した大地ばかりでなく、かつては不変であり、何人にも触れられない、未踏の〈大森林〉で覆われた大地のイメージでもあるもの。

〈創設〉の冷酷な公平性――それが不可能な場合は破門を宣言し、劫罰を言いわたす――ばかりではなく、妄想上の〈創世〉の壮麗の陰に複合創世を垣間見させるそれ《スラ》の、無限に後れて来る網の目でもあるもの。

何よりも惨めな現実ばかりでなく、この不幸を深め、これに威厳を与える苦しみでもあるもの。

ジェイソン・コンプソン。「それゆえ、彼は自分が盗んだものばかりでなく、自分で貯めたものまで盗まれたのであり、しかも自分が喰いものにした犠牲者によって盗まれたのだ。それを手に入れるために牢屋に入る危険を犯した四千ドルばかりでなく、犠牲と自制を代償にして、ほとんど二十年近くにわたって、一度に五セントや十セントずつ貯めてきた三千ドルさえも盗まれてしまった。しかも、自分が喰いものにした犠牲者によって盗まれたばかりでなく、子供によって、たったの一撃で、前もって考えもしなければ計画もなしに盗まれた……」[8]など（『響きと怒り』）。「……ばかりではなく……でもある」の構文は、一種の渦をなすまでに、現実の知覚とヴィジョンを拡大しながら、私たちが得る最初の与件を、これを眩暈に陥れる第二の与件でもって相対化する。その原則は不変である。一九一四年から一八年の戦争の主戦場の一つに関して、たとえば、こんな文章が見出せる。「後にソンム河の第一次戦として知られることになる戦い――この戦いは、ロースやカナルといった戦場をかいくぐってきた者たちに、これまでが恐るべきものであったばかりか、なおも恐るべきことが存在することを発見させたのだった」[9]（『寓話』）。

この記述《エクリチュール》の原則は、現実を「問題化」する。そうすることで、現実の底にあるもの（「深さ」ではない）の輪郭を描き、現実の可能態を押し拡げ、それによって、他の人々が感じているであろう現実の知覚と接合するように努めることができるのだ。

「意識の接触」が作用するのは「……ばかりではなく……でもある」をとおしてであって、命令的な描写をとおしてではない。そうした描写は、現実の知覚をすぐさま枯渇・凝固させ、「絶え間のない意識の流れ」との浮遊し燃えるような接触を不可能としてきたものであるように思える。

「〔ばかり〕ではなく……である」と「おそらく……であるが、しかし……である」は、フォークナーのテクストのなかできわめて頻繁に使用される、現実を分化し、ときにその論理を反転するあの記述《エクリチュール》の宙吊りである。たとえば次の例。「するとラトリフは……解決策を、あまりに単純で、あまりに際限のない遡及力をもつ解決策を見つけたが、彼らは、そんな解決策を考えた者など今まで誰もいなかったことに驚きさえしなかった」。読者はこれが「彼らは、そんな解決策を考えた者など今まで誰もいなかったことに驚いた」ではないことに驚く。「その解決策は、問題を解決するばかりでなく、それを無に帰していた。そして、この問題ばかりでなく、この日から永遠にありとあらゆる問題までをも」。この記述の宙吊りはとても味わい深いが、真似るとなるとじつに滑稽だ。

おそらく彼〔ラトリフ〕は最初に、少年が苦しむときに夢見るあの夕陽に比べればわずかに赤い、かつてのサムの喉〔渓流〕を切り裂いて斧が拓いた小渓谷に気づいたか、あるいは、びくともしない三つの岩のあいだに挟まれた身体が動かなくなっておそらく麻痺してしまったのかもしれないが、彼は突然自分が走っており、疲れ果て、危険な状態であるのに気づいた。それは死のスペクタクルからだけではなく死の観念や恐怖そのものからも逃れるためであるかのようだった。

面白い試みではあるものの、やはり、この言葉を真似るのは賢明ではないし、まったく容易ではない（「おそらく」で始めれば事足りるわけではない）。たとえば、ラトリフやその同類の発話のうちには、言葉自体がおのれを風刺する場面がある。だが、そうした場面で言葉を捉えるとしても、事情は同じだ。ラトリフのような通俗的修辞に長けた人々は、シェイクスピア劇でそうであるように、わざと言語手法を誇張したり、それをパロディとして積み重ねたりする。「あるいはおそらく、フレムは自分がジェファソンに赴く理由に気づかなかっただけだろう。あるいはおそらく、結婚した男にはすでに妻がいるので理由など必要ないのだろう。あるいは、理由を必要としないのは、おそらく女の方だろう。女は理由なんていうものを聞いたこともないし、それをはっきり認識しようとはしないだろうから。なぜなら女は理由によって行動するのではなくて……」[10]（『館』）。

このように過剰に増殖する手法は〈創世〉の錬金術がもたらす絶対的な啓示物へと至らない。これは無限の迂回であり、この迂回をとおして複合創世はその数々の痕跡を編み、世界の未確定性へと突入する。

これはまさに、拡大したこの文化圏に属する作家たち、彼らが用いる多様な言語が想定するものを超えて出会う作家たちに向けられている。たとえば、たとえフォークナーが考えうるすべてのクレオール化を呪われた禁忌であるとして斥けるとしても、サン＝ジョン・ペルスが結局は言語と知の普遍の審級に信頼を置くとしても、エメ・セゼールが悲痛なニグロ的本質を追い求めてアフリカン・ディアスポラのざわめきを経験するとしても、これらのいずれの場合（禁忌、普遍、本質）も、言葉はすでに、まったく異なる様態で、伝承《コント》の予感を神話《ミット》の記憶に、来るべきすべての複合創世の教えを至高の〈創世〉を書き取った規則に、すなわち乗り越えがたいと近年まで思われてきたその規則に混ぜ合わせるのだ。

　聖なるものは、〈多様なるもの〉と〈関係〉のうちで織りなされるそれそのものだ。

　結局、物語と短篇の「機能」というものを別途考察する必要がある。繰り返せば、フォークナーは短篇作家でも中・短篇小説家でもない。プーシキンでもなければ、チェーホフでもなく、モーパッサンでもない。それは彼にはどうでもよいことだ。彼は彫琢したり磨いたりしない。彼の短篇の総体は（これらを全体として捉えた方がよい）自立をめざしておらず、個々の短篇においてもそうである。それぞれの短篇は互いを分かちもっているのであり、それは構造的な単位（企図）ではない。

　これら短篇はフォークナー作品に仕えている。

　それらは、たしかに記述《エクリチュール》がその偶然性を発揮する明らかな無秩序のうちで生み出される。しかし、それらはまた、見えない連続性のうちで、その全容が露わになるという大いなる日を切望することによっても生み出される。

これら短篇は、郡、南部、合衆国、そこを結ぶ他所（見定められ、知ることができ、住むことのできるもの？）の野を開墾する。そして、これを所有地の台帳としてではなく、いずれは開拓しなければならない可能性のある土地の台帳のように示す。それらは、やがて長篇小説のなかに登場する人々に話しかけたり、彼らをもう一度見つけ、熱心に質問したりする。これら短篇をとおして、私たちは郡のなかをあらゆる方向に向かって駆けめぐるのであり、それらは、「ヨーロッパ」短篇の場合のように、住民に劫罰を与えるというその特色を遠方へ拡げるのだ。

こうした短篇の多くは長篇へと収斂する。『行け、モーセ』を構成する短篇――その最初の版が『行け、モーセ、およびその他の短篇』と題されていたように、この作品は当初短篇集として編まれ、その後長篇となった――や、『征服されざる人々』をなす短篇などがそうだ。それらが書かれたとき、フォークナーはこれらをやがて一冊にまとめ、長篇にする見通しを初めからもっていたと考えられる。したがって、短篇の技法やその結構は、ジャンルとしての特殊性よりも、長篇にするという最終目的のほうに起因していたと言える。

このように、全体的で永続的な長篇物語の確立に個々の物語が資することは、その長篇の性質そのものを変え、それについての私たちの理解を変えることになる。つまり、それは分散し、脱中心化し、過剰に増殖する可能性を秘めているのだ。『征服されざる人々』や『行け、モーセ』

の構造は、革命的だとされる『響きと怒り』と同じく、革新的である。

ときには、互いにまったく別物でありながらも、同じ企てにかかわる作品群がある。たとえば「エヴァンジェリン」という比較的長い短篇は『アブサロム、アブサロム!』に引き継がれ、まさに本当の小説と言える物語「土にまみれた旗」は『サートリス』へ徐々に形を変える(最終的に開かれたままになったその題名の意図は『墓地への侵入者』のなかに映し出される)のである。だがいずれの場合でも、決定版があるのだから、最初の(複数の)版は古くなったとか無意味であるなどと言うことはけっしてできない。

じつを言うと、そこには後れて来るものが働いている。それは、『館』が『村』の多くの挿話や要点を引き継ぐことで、それらを別のやり方で近づけ、他のもののなかへ導いているのとまさに同じだ。私たちは、後れて来るものをめざして、少しずつ遡行しようと試みなければならない。以上のことに関しては、とくにフォークナー作品のフランス語翻訳者とその序文執筆者がはっきり述べてきた。ルネ=ノエル・ランボー氏は『これら十三篇』のフランス語版序文においてこう書いている。「いったいこれ以上これらの短篇について何を語るべきなのか。われわれは、作品世界が建立されるまでのあいだ、長篇の余白で、一時的に蓄えられている過剰な素材としてこれら短篇を考えるほかない。作品世界が完成したとき、これら短篇はその総体のうちで重要な場所を占めることになるのだ」。そのとおりだ。そして在庫として取り置かれるか、周囲に撒き散らされている素材、すなわち作品世界のうちに場所を占めないこれら約四十篇のテクストと短篇は、点在する地質の隆起を示す目印のようであり、調べてみる価値のある貴重なものだ。ところが、人がこれら短篇に評価を下し、別の作品に関連づけながら分類しようとするたびに、ランボー氏のような指摘はすっかり忘れられてしまうのである。

時々これら短篇が長篇小説間の「溝を埋める」場合がある。「溝を埋める」とは、あるときまで無視されていた人物の肖像を完成させ、風景を別の視点で表現し、あるときまで語られなかった郡の歴史の諸部分を明らかにし、かけ離れた場所や食い違う挿話のあいだに脆いがたしかな橋をかけ、様々な性質や特徴を確認したり褒めたり、また、呪い、失敗、孤独などに対する人々の類似した欲求を例証することである。だからこれらは、語りが編み上げる織物の縫い目であったり、何度も縫い直す箇所（ときには修繕箇所）であったりする。どの場合においても、長篇と短篇に同時に現れる人物や出来事が問われている場合には、物語の細部の説明は著しく変化する。これについてはすでにいくつかの例を考察したとおりだ。

私たちは、何よりもフォークナーその人から、ほぼすべての作品の執筆時期を知っているし、引き出しのなかに長いあいだ眠ったままだった残りの一部も、「虫食いの批評」に晒されたあと、発掘され、洗礼を施され、執筆時期を新たに確定されたのを知っている。短篇「ウォッシュ」は、あのサトペン家の運命を予示し、あるいは繰り返し、ともかくそれを最初から再構成し、サトペン、ミリーの娘の誕生、サトペンの訪問、そしてこの人々全員の死――ミリー、ミリーの娘、サトペン、ミリー、ウォッシュその人――を語っている。これらのことは『アブサロム、アブサロム！』の（「伝染する」）物語のうちでほぼ語られているかのようであり、ときに『アブサロム、アブサロム！』のテクストを逐語的に繰り返す。ところが、この長篇と異なる箇所（その「矛盾」）は、それを突き止めるほどの興味をもはや読み手に掻き立てない。読み手は一瞬たりとも目的なき複写を感じないのだ。

これらのうち三つか四つの短篇は、いくつかの家族の系譜についての補足的情報を、話の通りすがりにぞんざいな調子で与えてくれる。サートリス家に対しては「女王ありき」が、またヒューストンとグレニアとスティーヴンズという創設者の家族については「水をつかむ手」が教えてくれる。しかし、啞然としてしまうのは、語られる話に日付が必要な場合を除けば、一般には日付がないということだ。時間は多くの不可能に戦く。これら短篇が郡を語る織物の結び目を締めなおすのに資するとしても、これらは結び目をばらばらに解き、知られていない、より正確には知りがたい時間と空間でこれを溢れさせる役割をもまた担っている。

まったく同じように、物語を読んでいて重要なのはいったいどの「おじ」なのか、あるいは「熊」では狩人として登場するド・スペイン少佐は『アブサロム、アブサロム！』に登場する保安官と、『町』に登場するジェファソン市長と同一人物なのだろうか、といった疑問が湧く場合がある。この三名に関しては同一人物なのだが、それを知るにはずいぶん骨を折らなければならない（あるいはそれを楽しまなければならない）。

一九九五年十一月の終わりのことである（合衆国社会は、悪魔のような喫煙者たちに調教を行なった。合衆国にうまく受け入れられるために、カウボーイのラッキー・ルーク〔ベルギー漫画の主人公〕は自分の巻きタバコをきれいな葉っぱにもち替え、SF映画ではギャング団は見事にスモーカーと呼ばれ――このときから、悪者には「海賊！」と言ってきたように、「スモーカー！」と言うようになった――、連続テレビではただ悪人だけが箱からタバコを無愛想に取り出すのだった）。この本を書き上げようとしている頃、私は、友人のミュリエル・プラセ嬢に、あるテクストの最初の版を（彼女が入学したニューヨークの大学の図書館の一つで）コピーしてほしいとお願いした。そのテクストは、フランス語訳が掲載された『レ・タン・モデルヌ』誌でも、それが採録された著作集でも、読んだ覚えがなかった。

　早速このテクストに取り掛かってみた。このテクストは、『ホリデイ』誌の一九五四年四月号に掲載され、「ミシシッピ」と題されていることから、私の意図にとてもよく合致するように思えたからだ。私はこれを「付録――コンプソン一族」や、『尼僧のための鎮魂歌』の冒頭と比較しようと試みた。フォークナーはいつものようにチカソー族、チョクトー族（最初の頃の読解での私たちのためらいを思い出せば分かるとおり、両者は取り違えられる）、ナチェズ族、ヤズー族へと遡行し、その後、南北戦争の大佐たち、南北戦争そのもの、その口実の一つである黒人、そしてほぼその直後にスノープス一族へと遡行する。これは、彼がその作品をとおして緻密に調べてきたもの、そして生涯をとおして経験してきたものの要約である。

　これはまた、個人的述懐（とくにキャロライン、つまりマミー・バーに対する長大な賛辞）と広大な歴史的描写を混ぜ合わせたものだ。この描写にはいつも運命と――不可能に思えるもの、思いどおりにならない運命――南部の不確かさとありそうにもないことが刻印されている。「ミシシッピ」には、「付録――コンプソン一族」の隠喩的で、まるで伝説的な様子もなければ、その閃光のような簡潔さもない。また、『尼僧のための鎮魂歌』冒頭における叙事詩的震えもない。二つの著作はフォークナー作品のなかに位置するのに対し、「ミシシッピ」は作品をめぐるものであり、その周囲に位置する。

このテクストには攻撃性、一種の偽りの弁護、懐疑的な皮肉といったものが感じられる。また奇妙な迂回といったものもいくつか感じられる。その一例を挙げれば、フォークナーは、驚くべきことに、クー・クラックス・クランを二種類に分けて捉えている。南北戦争の末期当時に結成されたKKKは、死に物狂いで、言わば真面目で正直であったが（北軍の弾圧に対する正当な反応のようなもの）、一九二〇年代に登場した現在のKKKはまったく下劣だというのだ。

テクストは小農民、鉄道作業員といった「ニグロ」の歴史を展開し、ジェファソンの変遷について考察する。こうしていつものように、短いが完璧な小説（人々が登場し、一つか二つ対話をする）、つまり、現実とフォークナーのヴィジョンについて教えてくれる電光石火の小説が始まるのである。

四十頁か五十頁に満たないほどのテクストは、はっきりした日付のリズムに合わせて進行し、語り手の人生の流れに沿っているので辿りやすく、郡の風景やその遠方を描くことにこだわっている。

普通の、日常的な、把握可能なものに戻った、時間と空間。
スノープス一族は「ミシシッピ」のあらゆる場所に現れる。スノープス以前の時代については、人が「戦争以前《アンテ・ベラム》」の屋敷について語る場合や、フォークナー本人がカロデン以前のやり方に言及する場合と同じ仕方で語られる（カロデンとは、スコットランドの戦士＝詩人が敗北した地であり、一七四五年にコンプソン家の祖先の一人はここですでに消息不明となっている）。敗北以前のスコットランド、敗北以前の南部、スノープス以前の郡。これらはそのたびごとに見出され、夢見られる黄金時代だ。

この著作はフォークナー作品を「めぐって」繰り拡げられる。子供の頃のフォークナーは、郡の人々や著者自身の家族と同じ資格でそこに「置かれ」ている。架空の町ジェファソンは、あたかもアラバマ州に通じる北部の実際の広大な牧草地であるかのように、描かれる。それとまったく同じように、オールド・マン河は、ここをとおったり囲ったりするすべてのものによって語られる。船、プランテーション、綿輸送、（綿の梱、「括られた」綿の束）、メンフィス、バイユー、ポンチャトレン湖、魚やザリガニ類（巨大な河の淡水のせいで、あまりおいしくない肉には、唐辛子とスパイスの効いたソースが必要だ）、ニューオーリンズ、この巨大な水流の炸裂、切り離せない作品と現実、そして再び、遠方、カリブ海（「西インド諸島という場所があり、貧乏人でも船でそこへ行けば金持ちになれる、手段なんて気にしなくていい、頭脳と勇気さえあれば十分だ」[11]）、切り離せない世界と郡。

フォークナーの言葉——その言葉に隠された様々な段階や計画的な回避——に近づこうと努めているときに、物語や、批評的分析や、フォークナー作品の間接的紹介や、それと同じく堪えがたいユーモアのようなものが入り雑じった、こうした自伝に言及するのはなぜか。理由は、このテクスト全体がそれを示しているからだ。フォークナーはそれを最後の段落でたったの一文でまとめているのだが、ここでは私なりのやり方でこう訳してみる。

彼、フォークナー(子供、青年、壮年)は「この現実をすべて愛していたのであり、ときに憎むところがあるとしてもこれを愛していた。なぜなら彼は今や知っているからだ。人は~のために愛するのではなく、~にもかかわらず愛するということ、美点のためにではなく、過ちにもかかわらず愛するのだということを」[12]。

フォークナー的記述《エクリチュール》の技法は(私たちがもう一つの尊大な省略法を受け入れるなら)、この箇所に明示されていると私には思える。美徳や美点、要するに長所とは、まわりめぐる昼と夜の波、多くの可能の上に勝ち取られたもの、迂回なく生じるものに等しいようだ。具体的には、あの執拗な数人のオールド・ミス、理解しがたいほど苦しみを堪え忍ぶあの呑気なニグロたちであるのだろう。それは描写であり、自明性であり、うまく生きなければならない人生であるようなものだ。それに対して、過ちとは、後れて来るもの、フォークナーが劫罰と名づけるもの、これに向けてそれと知らずに、とくにそう言う必要なしに遡らなければならないものである。現実との濃密な関係(伝承の書記形態)のもとで、私たちが著者と共にこの後れて来るものに向けて

（悲劇の書記形態をとおして）漂流し続けること、そしてこれら二つの形態が、解きほぐせないほど絡まり合っており、どちらも消しえないことを示すこと。だが首尾よくそれをやりとおすのは難しい。

三つ目の形態がある。すでに名づけたとおり、会話の技法である。会話の技法は民話の特質を引き継いだものでもあり、ラトリフはこれを完璧に操る人物だ。

思い出しておきたいのは、劫罰をめぐる偉大な書における対話が、それぞれの話し相手のかみ合わない返答を保持し、太鼓を叩くそれぞれの手のように、それらを倍化させることによって、眩暈を維持し続けるということだ。そうした返答の特徴は、うずきであり、聞えない音楽であり、緩慢さであり、伝染の力だ。ジェファソンで新たに暮らす者たちの対話は、会話の形をとっており、それぞれの話者の返答を互いに延々と絡ませ続けることによって、眩暈を維持し続ける。そうした返答の特徴は予感であり、仄めかしであり、思考の表出における言葉の速さである。

スノープスの時代、ジェファソンと郡がフォークナーにはとても憎むべきものに見えた社会の変化のうちにすでに入ってしまった時代、つまり、ぶんぶん唸る蚊の群れ（「葬儀屋のように忙しく、質屋のようにずる賢く、政治家のようにいつでも自信たっぷりである。彼らは、農民のように欲を丸出しにして、サッカー・チームの選手のように団結し、街へ到来した[13]」）が到来する時代において、新しい社会を構成するすべての諸要素は、かつての過ちと古き劫罰とほぼ同じくらいおそらく嫌われていたのだろう。

(記述《エクリチュール》において明らかなものと後れて来るものの話に戻ろう。

　フォークナーが自著のいずれかについて話す場合、面白いのは、あるいは、驚くべきは、彼がとても細心で謙虚な解説者の顔をすぐに作り、作品を、その執筆背景と「話」の文字通りの筋に単純化してしまうことである。たとえば、『響きと怒り』については、「祖母が埋葬される日にその子供たちのグループがどんなことを考えるか、それを想像してみるのは面白いのではないかと考えました」と語り、また『アブサロム、アブサロム!』のサトペンについて、「彼は礼節、名誉、慈悲、共感といったあらゆる規範をおかした、そこで運命に復讐されたのです。そういう話です」と語る。フォークナーは冷ややかにこの単純化によって戯れる。あたかも、創作の計画と方法そのものに、すなわち、明るみに出しながら隠蔽することにあらゆる点で忠実であるため(このことを、ジリアーヌ・モレル女史は『蚊』のフランス語版の導入部で次のように解釈する。「あたかも言葉は——そのうちで主体は無意識にこれを左右する言説に囚われ、何も知らずに自らを疎外する——フォークナーによって諸刃の剣のようなものとして扱われているようだ」)、彼は当該作品の可能性しか解明するのを承諾せず、そうすることで、その解説のうちでは、後れて来るもの、すでに隠されている意図、不可能性としての記述《エクリチュール》を隠蔽する決心をしているかのようだ。それについて彼はけっして打ち明けない。

「あなたがそこに見に行きなさい、なぜならそれはその上に書かれているのだから」。

　剣を扱うのがフォークナーであるとしても、彼はこれを振りかざす気はなかっただろうし(むしろ作品のほうがフォークナーという書き手を少しずつ作ってきたと考えよう)、あるいは結局、彼は諸刃の剣を磨かず、戦士が死んだ草原《サヴァンヌ》と、おそらく同時に、ニグロが死に瀕する綿畑のなかで、手入れを施されたこの剣を見つけたのだと思う)。

リンダ(ユーラ・ヴァーナー・スノープスの娘)とギャヴィン・スティーヴンズの会話は作品全体の真の終局の一つをなしている。明らかなものと後れて来るものの産物の一つがこれだ。会話がなされる状況を思い起こそう。リンダはスペイン戦争から戻ってきた。戦争で夫を亡くしたばかりか、爆撃の影響で完全に聴力を失った彼女は、普通のタイプの人間ではまったくなく、おそらくFBIに監視されており、ともかくジェファソンの一般住民からは疎ましく思われており、町では良識的かつ慎重に黒人を擁護することから「ニグロ好き」と呼ばれている。スティーヴンズは彼女を守る。彼は彼女のことを愛していると思っており、彼女も彼を愛していると思っている。しかし、私たちは、二人が会いたいという想いを募らせるだけ遠慮をして互いを避けているのに気づく。会うときには、二人は会話帳を使って意志の疎通をはかる。その会話帳にスティーヴンズはリンダへ向けた返答を書くのだが、もちろんリンダの方は直接彼に向けて話す。彼女は話し言葉《パロール》であり、彼は書き言葉《エクリチュール》だ。声は女であり、文書は男だ。これが少なくともこの新たな約束事をもった会話の形式が一見すると仄めかしていることであると思う。

暴きの小説群においてなされたように、反復、列挙と積み重ね、循環、音楽と押韻という口承の手法を用いて記述《エクリチュール》を潤すことはもはやなされない。また、スティーヴンズとラトリフの対話や郡の長談義のなかで行なわれたように、現実に対する二つ以上の予感と、そうした予感が暗示するものを混ぜ合わすこともなされない。そうではなく、話されたものと書かれたものを決然と並置し、そのとき何が起こるのかを見ることが試されているのだ。

リンダとスティーヴンズのあいだでなされるこれらのゲームは、文字言語《エクリチュール》と口承言語《オラリテ》との関係への讃歌だ。そのゲームはあまりに白熱しているためにその一部を抜き出すのは難しい。それでも一つだけ、短い引用を試みよう。書かれた部分、そしてその悔恨あるいは誘惑は、太字で示されている。

彼はこう書くこともできた。**私はすべてを受け取っている。君は私を信用した。君は嘘をつくよりも、自分の父と呼ばれている男を自分が殺したことを、私に分からせるほうを選んだ。**あるいは、たぶん、こう書くべきだっただろう。**私はすべてを受け取っている。これで殺人の事前従犯の役目は終わったのだろう。**しかしそう書く代わりに、彼はこう書いただけだった。**私たち二人はすべてを受け取った。**

「いいえ」と彼女が言った。

彼は**そうだ**と書いた。

「いいえ」と彼女が言った。

彼は今度は板の表面全部を使うような大きな字で、**そうだ**と活字体で書き、それを手首できれいに消してからこう書いた……。[14]

沈黙と叫び、閃きと躊躇、言明と秘匿、黙示と高揚、簡潔な格言とぎこちない開陳、下書きと改稿、言われたことの悔恨と書いたものの回帰、身体の不動と身体的表現。これらのあいだのありうるすべての亀裂と切望《デジラード》、すなわち並置され、対置される書かれることと話されることのあらゆる幅が、そこでは用いられている。そこでは〈創世〉は記憶として、複合創世は展望としてある。深部、過ぎ去った時代への遡行と世界の無限への拡がり。もう一つの止揚、あるいはもう一つの問いかけのために、おそらく新たに混交する女らしさと男らしさ。

強力な口承性の縁でためらい、これと折り合いをつける、このような記述《エクリチュール》の仮定性（私たちは「話される言語《ランガージュ》」、「話される文体」から遠いところにいる）は、結局のところ、かつて呪いの小説群のうちに暴きの言語を強烈に刻印したものと同じ性質である。暴きの言語は、後れ、遠ざかり、不確かな真実に向かって絶対的に遡るものだった。新たな記述もまた後らせる。だが後らせるのは、たぶんまた別の真実、劫罰にも軽蔑にも値しない、相対的で開かれた真実である。

それにしても、この最後の記述《エクリチュール》の形態は郡のどんな現実性を導くのだろうか。結局のところ、言葉のこの長い流浪から、何が生じるのか。何に、あるいは誰に、物語の生成は託されるのか。聴覚障害に陥ったリンダの緩慢かつ人並みの不幸に。ギャヴィン・スティーヴンズの平凡な「安住」に――やがて彼は、国における言葉の最後の中継者である友人ラトリフとだんだん疎遠になると思われる。利益を得るためには、郡のどこかに居を構えることができない、ラトリフの流浪や放浪に。彼はジェファソンの真ん中で商売を行なおうと試みたが、スノープス一族の一人にいっぱい喰わされてしまった。その後の平板で不毛な流浪。あたかも悲劇的荘重の諦念は、制約と通俗しか生み出しえない、あるいは、〈不確かさ〉の威光をもたない、疑わしさにしか至らないかのようだ。

ここでブーン・ホガンベックのことを思い出しておきたい。チカソー族の王族の血を引く奴隷サム・ファーザーズのように、チカソー族の平民出身のブーンもまた、大森林の記憶の守護者の一人として、荷馬車へ辿り着いた民の一員である。彼だけが、どんな動物であろうとけっして殺してはならないという儀礼的狩猟を司る者たちの一人として、三つ（ベン、サム、ライオン）の死のあとに自分の銃を壊し、寛容な心で売春婦と結婚し、明々白々たる父性を、すなわち郡でおそらく最初の出来事を経験する。それは、息子の誕生であり、妻と彼はこの子供を、『自動車泥棒』の家出少年を讃えて、ルーシャス・プリースト・ホガンベックと名づける。叢林と町を、名門家系と新しい民を、原住民《ネイティブ》と移住者を、そしてすべてをすべてと結びつけながら。叢林は枯れ果て、すでに町は脅威に晒されているとしても。

前に言ったとおり、この「最後の」文学は道徳をもたず、より正確には、考えうるどんな倫理にも帰着しない。この文学は、現実から隠された意味を引き出しうる限りにおいて、ただ現実に同意するだけだ。しかし、私たちは見つける。ブーンにおける雑種的で、混淆的で、普通で、ときに非難さえされるものが、最終的には残り、輝きを放つものであることを。

そして郡のこの現実は、いくつもの予見不可能のあいだを調整する、一個の現実－境界《レエル＝フロンティエール》であることを。

　そのとき、劫罰は尽き果て、世界は開かれると私たちは直観する。記述《エクリチュール》は宿命に打ち勝ったのだと。しかしフォークナーはけっしてそう言わず、結論をそのように開かれたままにはしないだろう。それは原因を結果と共に与えるのにおそらく等しい。

　まさにここでは（また再び語られない、事物のありふれた共通性のうちでは）叙事詩的言葉は、完全に放棄されているのではないか。

　叙事詩的言葉は、その伝統的形態のもとでは、私たちが私たちの世界の至るところに頑なに存続させようとする、あの自己充足的なアイデンティティに依拠していては、今や問いえない。また、劫罰を喪失することですべてを喪失したと思い込む郡にとっては、無用の長物だ。しかし、それ以降、叙事詩的言葉はもう一つの目的のために己を守ってきたと、私たちは推察する。

　叙事詩的声がそれ自体を問いに付すや否や、この問いに答えるというその方法は、このミシシッピの現実全体を美徳と過誤の運動と関係させながら、それとは別の運動、別の言葉を切り拓いてきた。そうした別の運動や言葉は炸裂したものであり、炸裂することで〈関係〉をなし、循環することで〈全体〉をなし、回折し続けることで、世界中の多くの場所と共に最終的には群島をなす。また少なくともそのことを指し示している。

私たちは物語の終焉に何を見つけたのか。たしかに私たちは、伝統的な叙事詩的なものの野生の（無垢の）熱情を、モーセやアブサロムやプリアモスや激昂するアキレウスの熱情を諦めなければならない。また、世界のこの響きと怒り全体のうちでは、悲劇的な響きと怒りは現代の私たちには不要で無効であることに、私たちは同意している。だがそれでも私たちは見つけた。この全体－世界に私たちが自覚的かつ瞑想的に参加することにかかわる、もう一つの流浪ともう一つの根づきを「開く」ことが可能であることを。そしてこの速度とその踏み跡のうちで私たちがその周囲と日常から作り出した考えそれ自体は、別の仕方で夢見られるべきであることを。私たちの国々、私たちの国は、私たちが近づかないように気をつけてきたあの深淵を私たちに開くことを。私たちの問い、私たちのもっとも平板な確立は、世界との私たちの関係の深部から遠のいてゆくことを。私たち全員が開かれた境界であることを。

そして私たちは、改めて、しかも全面的に、これまでとは異なる種類の人間《ユマニテ》をおそらく始められるであろうし、そうできるだろう。

以上のすべてはフォークナー作品のうちにある。そのとおりだ。しかし、作品のなかにそれを探りあてるのは並大抵のことではない。なぜなら私たちは、作者の芸術的手腕、つまり、私たちが彼の「深さ」や「人間の心」をめぐる彼の知識と呼ぶもの、また同じく、あの数々の見事な演出（このなかでフォークナーは念頭にあるあのすべての人々を「摑まえる」）に目が眩んでしまうからだ。私たちはこの解きほぐせないもののうちで正気を失う。そのすべての縺れをとおして、フォークナーは痕跡を覆いつつ明るみに出すのであり、その痕跡のうちに彼は私たちを導く。探るのではなく、何の問いも発しないで作品をただ楽しむほうがよいのだろうか。だが私たちは、幸福の餌食となり、劫罰か、あるいは反乱の声を上げる者たちに従いながら、ここや、そこや、向こうや、あらゆる場所(「闇と闇」)で暮らしている。だから私たちは「世界全体を示すために、世界における私たちの場所を保持する」という問いを自分たちから切り離すことはできない。

私たちはまた、この世界の無秩序について、とりわけ私たちがその無秩序の波浪を免れていると思う場合、何を感じるのか。巨大都市のなかを残忍に荒らす野蛮な貧困、狂気が冬眠する古い地域や、沸き立つものを一様に覆い隠すあまりにのっぺりとした地方の安らぎなき孤独、発作的殺人、恐怖をものともせずに人生を締めくくる自殺、連続殺人(殺し続ける連続殺人者《シリアル・キラー》――アンリ・ダンゼック氏の本のなかで、私たちは、この殺人のテンポは次第に速くなるばかりか、殺人がヨーロッパ、南アフリカ、南北アメリカという恐るべき地理的拡がりのなかで行なわれることを知り、さらには新聞で毎日実際に確認することになる)。民族大虐殺は、改めて正当化されないとしても、少なくとも世間の関心を惹かなくなり、数百万人の死者は、テレビがその数を報じてももはや私たちの気を惹かない。権力と財政の国際構造は不可視であり、その中心は至るところにあるが、その周囲はどこにもない。テロルの多国籍的力は、ガンジー、マーティン・ルーサー・キング、マルコムX、イツハク・ラビン、そしてその名が忘れ去られた人々を、音を立てず、きわめて規則的に葬り去ってきた。この測り知れない数の無名の死者はどこにいるのか。どんな冷酷なメカニズムが昨日の被虐殺者を今日の虐殺者に仕立てているのか。そして共有場。浪費される河川、空気、山。苦しむ聖なる海、瀕死状態の森。洗練された味わいに欠ける食物、稚拙な遊び、目と耳を満たすだけの快楽。それらが引き起こす惑星規模の巨大な痙攣の避けがたい愚かしさ。ああ！——あなたはどんな権利で稚拙なものや雑駁なものを裁くのか。あなたはそのためにどんな「繊細」な感覚や嗜好を振りかざそうとするのか——そして、これらすべては発熱する、混沌-世界《カオ＝モンド》の解きほぐせない共有場だ。どんな描写も、インターネット上でのどんな情報の積み重ねも、どんな物語も、この共有場のリズムをけっして汲み尽くしえないし、その有限の量をけっしてけっして示し終えることはない。時間はこれらすべての上をあまりに早く駆け下りるので、私たちは全員、死体として朽ちるのを見る暇すらなく、この死体のような群衆の境にいる。それでも私たちは察知する、衝突し合い、混ざり合い、練り合わさる、この拡張した、剝き出しの世界のなかでもがかなければならないのだと。しかしながら、私たちは、私たちの教会、小屋《カルベ》、寺院、シナゴーグ、モスクで休憩し、あるいは私たちの火の近くの私たちのトーテムの影の下に座りながら、私たちの米や長芋《イニャム》やパンを調理し、他者を分け隔てるためにだけ結集して排他的生を営んでいるようなものだと、そのように強く感じず（考えず）にはいられない。こうして私たちは矛盾や収縮のうちに陥り、断層に呑み込まれる。

　そしてそこに見つけるのは、希望と呼ばれるようなものばかりでなく、唯一の開放と捉えられるようなものだ。それは、想像域を介して迂回し、この拡張と幽閉のあいだの矛盾を私たちの様々な感受性のうちで変えることだ。ここの狂った木でありながら、向こうの複雑多様な鳥であること。世界という集合の新たな興奮と未知の感覚のなかへ入ること。そこでは何も失われもしなければ、何も溶けて薄まらない。にもかかわらず、内＝外の境界はもはや不可能を生み出すこともなくなり、これを保持することもなくなるだろう。

それは困難なことだ。

エメ・セゼールは「詩と認識」（『熱帯《トロピック》』誌一九四五年一月号に発表された文章）のなかで——ここで参照されているのはランボーと「みなぎる諸力がその素材のうちでわれわれの平穏をこっそり待ち構えているという近代的考え」ではあるが——すでにこう書き記していた。「そして結果はご存知のとおりだ。奇妙な都市、尋常ならざる地方。捩れ、砕かれ、切り刻まれた諸世界。混沌に戻された宇宙《コスモス》、無秩序に戻された秩序、生成に戻された存在。至るところに不条理が、至るところに脈絡の欠如が、度外れがある。これらすべての果てにいったい何があるというのか！挫折！いや違う。そこには、われわれ自身の運命を一閃で捉えるヴィジョン、そして世界のもっとも本来的なヴィジョンがある」[15]。

私たちの世界における大部分の共同体（火を囲う、伝統から成り立ったもの）は、その存在自体を、取り返しのつかないところまで物理的に脅かされている。しかし、もはやどんな共同体もそれ自体として、つまり結集する権利において脅かされることはない。この権利自体は、アフリカ、アジア、アメリカス、オセアニアなどに住む数多くの民族《プープル》にとって、すでに疑う余地のないものだ。たしかに、殲滅が、飢餓が、民族大虐殺が、伝染病がある。テロルと消滅への諾《ウィ》。しかし、この生きる骸骨たちの行進や、この墓なき死体たちの終わりえない行列に対してさえも、もはや誰も、自己として、非‐他者として、他者の外として自らを見なすという、儚い権利、あるいは、あまりに寡黙な権利を否認することはできない。

何度も反復し、しつこく回帰するが刷新された、共同体の観念とその言葉への讃歌をうたおう。

一、今日、共同体を構成する権利を刻印された共同体は、ただ一つ、共同体‐世界《コミュノテ＝モンド》のみだ。

二、物理的消滅の危機が迫る、これら多くの伝統的共同体の悲劇は存続する。しかし、新しい叙事詩的言葉は、伝統的共同体のようなものとしてはもはや理解されたり感じられたりすることのない、全体‐世界というこの唯一の共同体から生じる。

三、叙事詩的なものはあらゆる共同体の言葉を担っている。

——排他的性格をもつ叙事詩的なもの。人間の共同体が民族的でほぼ遺伝的な考えによって理解され、また同じく文化それぞれの「普遍」によって把握されていた昨日、あるいは昔の叙事詩的形態。

——共同体‐世界を導くような内包的かつ参加的な叙事詩的なもの。「普遍」がすべての諸文化とすべての諸人類の有限かつ無限の量であるような今日、あるいは来るべき日の叙事詩的形態。

四、この叙事詩的なものをうたおう。だがただこれのみに身を捧げないように注意しよう。なぜならこれは一義的であることに気をつけているからだ。

五、世界の諸文学は存在し、この時代に、そのすべてが、一緒に、驚くほど多様な仕方で示される——あっけにとられた顔で、もう一度、私たち全員を見つめる人の前に現れるかのように。

フォークナーは、これら極限的状況、彼が世界の極限を描くその場をとおして、かつてはあらゆる個別の共同体を排他的にまとめ上げてきた、伝統的な性格の叙事詩的なものの緊張が、もはや私たちにとって作用しえないことを示した。他者を排除する壮大な叙事詩的なものは、私たちにとってもはや大げさな飾りにすぎない。たとえ私たちが『イーリアス』や『悲愴曲』や、『旧約聖書』から『カレワラ』に至るその他多くの古代共同体創設の書のうちにある、叙事詩的なものの深遠なる気高さを味わい、これを賞賛する場合でもそうなのだ。

私たちは昨日の人類を突き動かしてきたこれら偉大なる書のすぐ傍らにいる。私たちはこれにアフリカ皇帝たちの叙事詩を加える。インドの神々の伝説。ベルベルとアラブのヒロインたちの歌。千年以上にわたるあのすべての諸文化の世界記述、〈死者〉の国々への旅。複合的伝承の狡知。世界をとおし、あらゆる言語のうちで白熱する記憶をもった歌い手たちによって朗誦される数万もの詩句、唱句、詩節。

これら書物、これら全書の教えは汲み尽しえない。それらの流浪と根づき。叙事詩的言葉がどのように作用していたのかを、私たちはこれらをとおして学ぶ必要がある。

フォークナー作品はこれら書物を目くるめく仕方で引き継いできた。

サトペン家、サートリス家、コンプソン家（〈創設〉への否認）の悲劇。人種、家族、人間のあいだのあの解きほぐせない残酷な関係。混交に近づきそうなあらゆるものに対する憎悪に満ちた拒絶。これらはまさに、私たちが他なるものとして始められるものの徴だ。

そう、まさしく混沌‐世界の予見不可能、不確かさ、曖昧さだ。

フォークナーの著作が世に出るそのたびに、私たちを痕跡へと運んでゆくにつれて、私たち一人ひとりはこんなことを感じてきたのだろう。様々な色。喪の悲しみよりもメランコリーにより一層彩られたあの葵のような花。物のように、しつこくて離れないあの匂い。それから、あの言葉、伝承の言葉の中断——それは、古き創世の記憶をまだそのまま借り受けている、私たちの複合創世の言葉である。もはやこの記憶よりも大いなる止揚は存在しない。

共同体‐世界は、フォークナーがあらかじめ描いていたあのもう一つの叙事詩的なものを必要としている。じつに困難な〈関係〉のそれを。

〈境界〉、〈遠方〉、再び〈踏み跡〉

各地の世界《レ・モンド》＝境界《フロンティエール》〔世界中のフロンティア〕が想像力におよぼす魅惑は、普遍的であるように思われてきた。三十年か四十年前までは、カウボーイと極西部《ファー・ウエスト》の開拓者は、誰しもが受け入れる、無声映画やトーキーの英雄だった。映画のなかの彼らは、ほぼ世界中で受け入れられ、支配された国々においてさえもそうであった。当時のアフリカやカリブ海の子供たちは、この開拓者の背後に憎悪を抱く先住民が忍び寄ると、声を上げて彼に身の危険を知らせたものだった。ターザンはどこでだろうと子供たちの感性をいつでも支配してきた。おそらく物事の逆転を早めたのは、インドシナや、何よりもヴェトナムでの脱植民地化戦争であった。それから映画産業は、北米先住民諸部族が剥奪されている様を剝き出しのまま描く物語の映画化に取り組まなければならなくなった。とくに商業的成功を収めた『シャイアン』、『ソルジャー・ブルー』、『小さな巨人』といった西部劇がそうであり、そうした映画には、商業主義の曖昧さがつきまとった。これと同じ曖昧さ、さもなければ同じ愛想に取り巻かれて、『黒人軍曹』や『グローリー』といった西部劇や歴史ものの映画のなかに、最初のニグロの英雄は登場したわけである。そして今日、同じ商業的成功が、やはり目立った素材を神聖化している。たとえば、『ボーイズ・オン・ザ・サイド』は女性たちの問題を、『ジ・インターネット』はヴァーチャル・リアリティとマルチメディアを素材としており、どれもが、絶え間なく続く和らげがたい暴力を背景にしている。イメージは、ある様態から別の様態へ、冷ややかなきらめきを放ち、映画は、たった一つの永遠のように自己を捉える。

私たちの主題はこうだ。けっして怯まない勇気。責務の厳格な意味。白人であれ、黒人であれ、先住民であれ誰であれ、一人ひとりが、自分に割り当てられた場所や位置にとどまるように要求してきた規則への全的な敬意。歴史のなかで諸々の真実が再編成されるときには、真実を見直す準備ができていない公の意見に衝撃を与えないよう、いくつかの段階を慎重に踏む必要があった。新たな空間への夢、未知の危険への震え。なぜなら、こうした感性や西への欲動の共有場《リュー・コマン》は、映画やその他の表現形式をとおして、全員に、なかでも、一度として移動しなかった人々や、開拓や植民の、欲望も手段も一度としてもたなかった諸民族に強要されてきたからだ。そうした人々は冒険の光景に魅惑される顧客であり続けた。

その時に働いているものは、〈多様なるもの〉を〈同一なるもの〉へと単純化する恐るべき企てである。俳優と観客にとって、境界〔フロンティア〕とはこれを完全に覆い隠す場である。しかし、この場所では、逆説的にも、変移（変動、変化）はどんなときでも始まっているのだ。

植民地化の全時代にわたって、境界は、覆され続けるものとして存在してきた。植民の対象となる新たな空間を伴った物理的境界。〈西洋〉の普遍的諸概念と、支配を被る諸民族の脅かされた特殊性とのあいだの知的・精神的境界。物理的境界が冒険、略奪、殺人を誘い、これらを引き起こすのと同じだけ、他者は、境界のそれぞれの側から、苦悩の種と不安の材料を生み出してきた。

なぜなら、植民地だったアルジェリアは、モロッコとチュニジア以上に、あの苦悩の境界の一つをなしてきたからだ。それは、アラブとベルベルの文化内に自分を完全に見つけ出すことなど間違いなくできないが、さりとて植民者の権利をひたすら要求し続けることももはやできない、アルベール・カミュのような人々にとって、苦悩の境界だったという意味だ。こうして私の話は最初に戻る。

なぜなら、奴隷制を伴う入植地だったアメリカ合衆国の南部は、極西部（開拓者たちは、物理的フロンティアの拡張に休みなく没頭し、安らぎをあまり得られない）よりもずっと、人間を奴隷化し、このことを自己弁明しようとする人々の不明瞭な条件を経験し、それを被ってきたからだ。つまり、〈南部〉は奴隷制社会であるために一挙に罪を負ったという考えは受け入れないが、この地にヒューマニズムが欠如していることを見抜かずにはおれず、そればかりか、これを要求するウィリアム・フォークナーのような人々にとって、そうだということである。

サン＝ジョン・ペルスは、フォークナーと同じ世界にいるが、彼の場合はアンティーユのプランテーション世界である。ペルスは、ニグロが、たんに〈大邸宅〉の台所でうわ言を言う呪術師でもなく、何事にも文句を言わない純真な召使でもなく、ただ騒音や騒ぎを起こすのが好きな子供でもないと感じずにはおれなかった。すでに高名な詩人となったあるとき、彼は、まだ駆け出しの若い詩人に「私が思っていたような植民地主義者ではなかった」とわざわざ言わせている。

各地の世界－境界において、他者との関係のあり方は象徴的に拡がっていった。最初は、極端な内向（よく使われる「インディアンどもを皆殺しだ」というナンセンスな言い回し。これは「アラブ」であろうが、「ニグロ」であろうが、「移民」であろうが何でもよく、要するに、邪魔なやつら全員という意味だ）。次いで、不可欠なヒューマニズムと、これを人種差別と不寛容のうちに覆い隠すそれを非難することへの拒否とのあいだの劇的闘争。これがフォークナー、ペルス、カミュの気詰まりな立場であり不安であった。そして、分有しあう数多くの多様な文化の共有場として捉えられる、存在者の詩学の播種。

境界は、それが国境である場合、正反対のものにもまた屈することになる。外国人を忌み嫌うウルトラ・ナショナリズムは、たとえば、外国人がやってくる場所であるフランスの東部や南東部に見られる（広く大西洋に面したブルターニュ地方、そして南西部では、ずっと前から移民の差し迫った波はもはや押し寄せてはおらず、また中心部のパリは世界の共有場であるから、これらの地域はこのような過剰から（ほぼ）免れている）。表面化していないものの、危険を告げる意識、より正確には危険を告げる感性が、ニューヨークやロサンジェルスのような「混交」の大都市には見られる。〈全‐世界〉がどれほど矛盾に満ちたものであるのかを見てほしい。アメリカ合衆国において移民の直接的流入の恐れがない地域――たとえば中西部地方――では、保守的ナショナリズムがもっとも根強く、実際、州の自治を求める強い傾向を伴っている。結局のところ、アイデンティティの諸関係をめぐる新しい考え方は、カリブ海や太平洋の群島をなす国々におけるように、境界が排他的でナショナルな境界として再編成される前に、境界がその矛盾を消し去ることができた場合に、生まれるのだ。

これら三人の作家は、激しい内向（他者との関係の第一のあり方）からは全員遠く、決然とした態度表明の数よりもおそらく貴重なものであるはずの、あの不明瞭な意識（第二のあり方）を全員分かちもっているが、この三人のうちでは、ウィリアム・フォークナーこそ、このネットワーク状の播種、この新たな詩学（第三のあり方）を作品中でもっとも強く予兆していたように思う。なぜなら、ただ彼のみが、正統性への漠然たる問いかけをとおして、作品の場所としての〈場所〉を真に伴ってきたと思われるからだ。

サン＝ジョン・ペルスとカミュは、あの場所、彼らの〈場所〉を、メランコリーとざわめきの源であるかのように自分たちの手で運び去った。それが、一種の詩学である、『讃歌』と『ティパサの婚礼』だ。彼らは、不安な意識の仄かな光や〈普遍〉の思考の平安といった、別のものにおいて、その場所を超越した。

フォークナーは場所に閉じこもり、これに立ち向かう。

物理的境界は、精神的境界よりも消えやすいものだ。だが、合衆国の南部のように、まるごと土地‐境界《ペイ＝フロンティエール》であった土地は、内なるものとなっているこの境を超越するのは簡単ではないだろう。

伝統に基づいたものもあれば、突如出現したものもあり、また、ある人々には勧められ、別の人々には強要される、そうした有限かつ無限な文化的現実の数々を発展的に対立させながら、今日、各地の世界‐境界は増殖を遂げている。

境界とは動き続ける砂のようなものだ。しかし、その砂のような境界は、周囲に生じた反対物、あるいは虚を突いて現れた反対物を呑み込むことはない。むしろこの反対物を拡張させ、境界の絶えざる激変に晒すのである。

フォークナー世界は境界だ。

なぜならミシシッピ河はフォークナー世界の活力と苦悩であり、ヨクナパトーファ川とタラハチ川は、支流や支川というよりも、神話の娘であるからばかりでなく、南部全体、したがってミシシッピ州、したがってその投影であるヨクナパトーファ郡が真の数々の場所‐境界《リュー＝フロンティエール》であるからばかりではなく、とりわけ、記述《エクリチュール》、つまり、フォークナーがこれらの場所――この〈場所〉

——を再創造した際に用いた記述の機能と様相それ自体が文字どおり何かを生み出したからでもあるのだ。その何かとは、凝固したアイデンティティと真実への確信の揺らぎ、躊躇い、変移であり、それらは可能と不可能の入り雑じる魔力から逃れることはできない。

確信は、語ることと行為することの、文学的なことと行なうことの、二千年以上におよぶ西洋的伝統、その二千年の闇と栄光から生み出されてきた。確信はこう主張してきた。真実とは直接到達しうると。美とは、奈落の底をとおるとしても、私たち全員を真実へ至らしめると。美は、語られることとの形式に帰属してきた敏捷さや巧みな変装から湧き出るか吹き出る。この形式には価値があり、この価値が今度は「語る」者たちの権利を基礎づける。「語る」者たちはまた、振る舞う〈世界を経験し、これを支配する〉者たちでもあり、要するに、彼らが主張するとおり、彼ら自身が〈歴史〉と呼ぶものを作り出す者たちである。

だからこの確信は、物語の技法と、様々な人間のいわゆる生成を支配する技法が区別しがたく入り雑じる場所以外の何ものでもない。それらは結びつき、切り離せないのだ。

魔力はその反対だ。魔力とは、真実はそのように切れ目なく発見されるものではないと感じさせる激しい眩惑だ。だから、真実とは、考えうるすべての無限の拡がりのなかで後れて来る(これは、郡のあの限られた拡がりが、他のあらゆる拡がりを結集させることで、真実を十分に指し示している理由を説明してくれる)。私たちは暴きの不規則な働きを介さなければ、これに近づくことはできない。それはまさに、打ち寄せてはその流れを呑む込む波によって引いてゆき、あちこちに水底の泥と土塊を見せてくれる水のようだ。そして、唯一の確信、いや、そこから生じる唯一の予見とは、それでもこの語りえぬ真実がここで（郡で）劫罰のように燃えているということだ。フォークナーの記述《エクリチュール》は、この流れに沿って蛇行し、この波を遡り、この変移を可視化しながら、今度は、作品を一種の境界として真に打ち立てる。

そのとき、何かが起こり、私たちは何か他のものへ移行する。この記述《エクリチュール》が関係をもつのは、〈歴史〉を問いに附し、高慢な物語をつつましく警戒する人々、すなわち、積み上げ、過剰に増殖させ、壊しては繕い、尺度と超尺度のなかで測る人々、体系的精神に従って先を予測するのではなく、反対に、しつこいが消えやすい痕跡を辿る人々だ。ウィリアム・フォークナー作品はそうした痕跡の一つだ。数え切れず、増殖し、散在する一つの境界。結局は一つの場所。

伝統的な叙事詩的なものの場所は広大でありつつ、閉じられている。

不幸に頼ることなしには、私たちはそこに入ることはできない。あるいはそこから脱するのは難しく、危険を伴うことだ。トロイの難攻不落な城壁、ユリシーズにとっての地中海放浪の旅、地上の〈楽園〉の輪舞（約束され、失い、また約束される〈土地〉の例）、ローランが勝負を挑むロンスヴォー峠（「山々は高く黒く暗くそびえ」）、ダンテを囲う〈地獄〉の円、サーガの英雄がまわりめぐるアイスランドとスカンディナヴィアのあいだの海。あるいは、この叙事詩的なものは、いくつもの流浪を経て、この閉じられた場所に至る。すなわち、ローマが建設されたときに引かれた境は、アイネイアスの旅が真に終わる場所なのである。

この循環は、カリブ海や太平洋やあらゆる群島的現実の循環のように、炸裂しない。これは複合創世ではなく、分散しない。それは〈存在〉が出現する全能の天体であり、内海である。こうして叙事詩的なものは、内と外の境界を画定しようとし、内にいる者たち（共同体に属する人々）を、悪い運命、不幸、敗北、苦難といったものは一時的なものにすぎないという考えのもとに結集させながら、彼らに安心を与えようと努めてきた。流浪の浄化は目的であり、より正確には、目的という終わりなのである。


南部は、一個の場所-境界だけではなく、この閉じられた場所でもある。たしかにそこには極西部と同じ特徴が見出せるが（開かれた空間への強迫観念、開墾、フォークナー作品では、生死を賭けたものというより、むしろ滑稽な先住民との関係）、動き、遠のき、順応する、場所-境界ではない。それは、不動のうちでしか移動せず、それ自体のうちに解決しえない矛盾を抱える、絶対的な境界だ。

フォークナーは閉じられた場所を執拗に維持することになる。

彼はやがてこの矛盾を極限まで踏破しに行く。彼はそこで昔の叙事詩的なものの緊張を維持するものの（「過ちを償うのはただ私たちだけだ」）、その後、これが効果のないものであることが分かり、新しい叙事詩的なものを発明する。

そして彼が他所を語る場合、すでにそこには閉じられた場所が移し変えられている。それはざわめく記憶のようなものではなく、皮膚にこびりついて取れない火傷のようなものだ。移し変えられたこの場所は、周囲の方々に、それを兇暴に揺るがす力を伝播させる。

そして彼が流浪には終わりも苦難もないと語る場合、この無限のうちに、それでもこの場所が存続していることが、すでに示されている。

場所とは、彼にとって、その後の私たち全員とすべての周囲にとってそうであるように、それが遠方へと、領土の拡張のようではなく、想像域の伝染のように拡がるだけに、無視できないものだ。

南部は、世界中のあらゆる土地《ペイ》にとってそうであるように、この場合、その劫罰よりも強力であり、その「誤り」よりも果断であり、あらゆる功績や美徳よりも執拗である。白人たちは、農民であれ、事務員であれ、労働者であれ、自分たちのカントリー・ミュージックの音に合わせて踊るために、そこに集まる。今日、私たちは、ネイティブ・アメリカン、ケイジャン、アフリカン・アメリカン、ブラック・ケイジャン、ブラック・インディアン、ヒスパニック・アメリカンが、偏見、社会的不平等、保安官、黒人地区の不幸、バイユーの孤立などに反抗して、そこに住み、暮らすのを、そして、クレオール化が、合衆国では一般的にはそうであり（とはいえ合衆国における民族上のモザイクは、相手を受け入れない、いまだ密閉的な状況を呈しており、しばしば互いに敵対する）、世界中の他の諸地域でそうであるように、そこで進行しているのを、目撃している。

だがそれは困難なことだ。

現代フランス文学には、私たちに場所を指し示す、何人かの作家がいた。たとえば、ジョルジュ・ベルナノス、ジャン・ジオノ、ポール・クローデルは、驚くべきことに、彼らの山の、言うなれば、後退を余儀なくされる反動的な斜面の上でもちこたえてきたように見える。〈国民革命〉の「大地への回帰」が闇のうちで意味したことを忘れてしまったわけではない。しかし、今しがた言及した作家たちは、法外かつ外向的な、言葉の場所を讃えたりもした。それが『東方への認識』〔クローデルの散文詩集〕と『世界の歌』〔一九三四年、ジオノの小説〕だ。

私たちは奇妙な国々を見つけた。

アンドレ・ドーテル〔二〇世紀フランスの小説家。『誰にも至りえぬ国』は自然に根ざした驚異を語る〕と共に見つけたものは、地平線に沿って流れるアルデンヌ地方の土地の、恒久性よりも流浪の住まいである、夢の世界へ誘う単調な波動だ。

パリの農夫アラゴンとナジャに驚くブルトンの都市漂流。街路、奇妙で草臥れた通路、塵のなかに横たわった広場（私たちはプランテーションから市場町《ブール》へ——館から村へ——、まだ四方八方にまで伸びていない町へ行った）、そして私たちの伝承に光を当ててきたあの松明の火に反響する、街灯の青白い光を、私たちは学んできた。

私たちは、ずっと以前から、ヴィクトル・セガレンと親しくしており、彼と共に、〈多様なるもの〉の苦い味を学んだ。場所の可変性。その可変性は、後にジャン・グロジャン〔宇宙的な真実を希求した二〇世紀フランスの詩人〕があらゆる事物（そしてあらゆる話や物語）のうちにその具象体を見分け、読み解くことによって、裏づけられることになる。

合衆国のビート世代の詩人たちの挑戦的な漂流は、いくつもの漂泊の最初の一つとして、この国の網の目状の場所——集合としての流浪——を、想像域において形成した。そして、同じく具体的で象徴的なその他の様々な場所は、世界のなかを蛇行してきた。そのようにして、アメリカスのうちにブラック・ディアスポラの道ができたのだ。数え切れない、語りえない場所。

世界には、ジャック・ベルク〔『世界の剝奪』を著したフランスのイスラーム学者。オーギュスタン・ベルクの父〕がある日注意を向けることになる、剝奪があった。西洋的拡張が周囲の四方に蒔き、また積み上げてきた、本来の意味＝方向《サンス》から漂流するこれら場所の集積。この意味＝方向を取り戻さなければならなかった。叢林や草原のなかの村々の、ざわめく砂漠の、正午に私たちの恐怖を見つめるサトウキビ畑の、まさしく地の底から。そして、中東、インドシナ、朝鮮、バルカンといったすべての十字路とすべての半島で、不可能のうちに閉じ込められた他の多くの場所から。

そして、ある場所が、レバノンやボスニアやルワンダといった場所に開かれ、クレオール化するたびに、それは単一の根から再び生じる力によって散っていった。そのたびに、各人は、主張しうるすべての良識でもって、ある者や別の者に賛成してきたのであり、誰も一度としてこの単一性を引き抜くことに着手もしなければ、それを提案しようとさえしなかった。

そして、要するに、私たちは、アレホ・カルペンティエールやエメ・セゼールのような作家の作品が、言語の境界を越えて、新しい種類の文学を形成し始め、叢林、サイクロンの発生する海、大地の揺れという開かれた場所において、ウィリアム・フォークナーやホルヘ・ルイス・ボルヘスの膨大な数の（または実に細かく分けられた）堆積や痕跡や彫琢と合流することを、ずっと以前から学んできたのだ。

そして、私たちは、カテブ・ヤシンの不確かな砂漠を経験し、灰色の砂漠のすべての荒廃的な優美とアラブ詩の響きの素朴な壮麗と親しくなった。これとまったく同様に、ブルターニュの砂浜と〔ピエール＝〕ジャケス・エリアス〔ブルターニュ出身の二〇世紀の作家〕の『誇り高き馬』、ミシェル・レリスの『幻のアフリカ』、アンリ・ミショーの『遠き内部』とも私たちは親しくしてきた。これらはすべて、私たちが、私たちのいるまさにこの場所に生じる、世界の場所を重んじ、最終的にこれに近づくことを可能にしてきたものだ。そして、フランス語のなかに響いてきたものだけが重要だったわけではない。私たちはすでに世界中のすべての言語の打ち鳴らす音を聞いてきたのだ。

映画は私たちを多くの風景に結びつけてくれた。私たちは、アフリカのいくつかの場所が、私たちにとって、カリブ海の様々な場所をまさしくあらかじめ描いたものであることを見出した。私たちの想像域は、税関吏《ドゥアニエ》ルソーが予言した、すべての植生であふれたのだった。

そうして私たちは共有場に加わった。ベナレスとジャカルタ、ヴァルパライソとパレンケ〔マヤ文明期の古代都市〕、ティンブクトゥとヴェルナッツァ、マナウスとマチュ・ピチュ、私たちが子供の頃に夢見た、こうした魔術的な語は、どんな観光旅行とも似通わない、ときに黙りがちなヴィジョン、すなわち、現実と不幸の、壮麗と大抵は月並みな平穏の入り雑じるヴィジョンのうちで具現化していった。災厄と堪えがたい運命のヴィジョンのうちで。私たちの人間の条件の共有場。フォークナーはこのすべてのうちにいたと私たちは感じてきたが、どんな謎めいた選択によって彼はそこにいたのか。その場所とは何か。

私は、初期の著作の一つ〔『レザルド川』〕に、一見すると若干抽象的な約束事のように、「これがその場所だ」と書いたことを覚えている（この頃から私はこれを、変質する「中心」と呼んでいたものと対立させていた）。それに、ミシェル・ビュトールはちょうどこの頃に『地霊』という著作を出版したことを覚えている。ではその地とは何か。時代遅れの思想の崩壊寸前の巣窟なのか。あらゆる抵抗の熾烈な隠れ家なのか。〈関係〉のなかに入るために立ち去る場所なのか。現実に対して新たな意味＝方向を与えるために夢見がちに通う場所なのか。そこは私たちの住む場所なのか。そこから私たちは脱するのか。私たちが希望なく枯渇し、引きこもる場所なのか……。これがその場所だ。私たちの場所だ。

その場所に遠方から接近しよう。

私たちは、最初にやってきた植民地主義者や資本家のように、その場所を周囲への帝国主義的拡張として想像するのでなく、世界の至るところへの詩学的伝播として想像する。だからといってその場所は消えてなくなりはしない。それはどんな侵食によっても蝕まれたりはしない。それは新しい関係をとおして自信をつける。だがそれは困難なことだ。

その場所に時間のうちで接近しよう。何よりも孤独な樹木は、そこここに私たちを召喚し、その若い根が大地に張ったあの遥か遠くの時に私たちをつなぐ。どこよりも鬱蒼とした叢林には、太古の光が上方から射し込み、そして私たちのために積み重なる。すると私たちはこのなかに毎日だんだんと沈んでゆく。どこよりも苦しむ町は、いつか発見されることになるあの墓地をその深部に守っている。場所は〈時間〉の縫い目だ。

ヨクナパトーファの遠方は、いつでもこれを押し返し、繰り返す。

遠方は間近で始まる。ナーシッサ・ベンボウ・サートリス（「女王ありき」）は、彼女宛ての匿名の手紙を回収したいと望み、メンフィスで連邦捜査官に会う約束をし（どこか他所で、と彼女は明言する。つまり、自分の地の霊から遠く離れていれば、束の間の羞恥を消し去れるということだ）、そこで丸々二日を費やし、ようやく捜査官から手紙の包みを受け取る。その後、家に戻ると、彼女は、子供を連れ出し、禊のために、牧場の裏手の清らかな小川（ジェニー叔母は皮肉を込めて「ヨルダン川」と呼ぶ）に浸かる。メンフィスは、じつに近いが、すでに他所であり、不純なものが危険を呼び起こす場所だ。

それから、たとえばテキサス州。ここから郡の大半の物資がやってきた。さらにまた、あの野生の、役立たずの、破滅を招く小柄なポニーの群れが一度現れたのもここからだった。このポニーの群れをフレム・スノープスは、『村』において、借金を抱えた土地の農民たちに売らせるのに成功したのであり、『墓地への侵入者』のギャヴィン伯父は、当時そこはこのヨクナパトーファで「犯罪に連座した者、破産した者、もしくはたんに前途不安な若者たちが目指す避難場」[1]

であったと言っていなかっただろうか。テキサスは、一種の外部の貯蔵地だ。

あたかも〈創設〉(深さ)には〈関係〉(拡がり)と対立する根拠があり、あたかも〈関係〉は〈創設〉の呪われた裏返し、もしくはその途方もない反復であったと考えるべきなのか。

「良心」や社会道徳との遭遇ではなく——ここで、ヨクナパトーファの年代記のずっとあとに、マーティン・ルーサー・キング・ジュニアが暗殺されたのはメンフィスであり、ジョン・ケネディ暗殺はテキサス州ダラスであったのを思い返さずにはいられないわけだが——、詩学や運命のこの連続性が、郡の人間たちが他所においてつねに破滅するのを要求してきた。こうして、サトペンは一族創設を失敗し(ハイチ)、クエンティンは自殺し(ハーヴァード)、キャディは劫罰を受け(ヨーロッパ)、その娘クエンティンは平凡な人間になり姿をくらまし、消息不明となる。

「詩の気流を逆流させる」[2]とは、私たちが世界の所与のように場所を捉えると同時に、最後には場所の照らし出された構成素のように世界を理解することであるのだろう。

しかし、郡が遠くへ拡張する場合、そこに放たれるのはなおも郡の劫罰だ。たとえば『寓話』のなかでは、巨大な戦艦、大帆船、あるいは亡霊の大聖堂が、一九一四年から一八年にかけての戦争の炸裂する砲弾の光や塹壕の恐怖のただ中で雑然かつ乱雑に建設されるのだが、ヨーロッパの戦争の呪いは、ここへきてその営みを完遂するジェファソンの錯綜した運命をとおして、補完され、継続され、繰り返され、完成される。他所は郡を繰り返す。

作品中に散見されるいくつかの描写は、他所に接近したり、他所を評価したりする、重々しい時期や、また愉快な気晴らしの時期を示している。それはちょうど、地平線を眺める場合に、両手の指先をくっつけ眼鏡を作って見るようなものだ。

距離と熱烈なアイロニーが入り雑じる重々しさは、コンプソン家とFalkner家の発祥の地であるスコットランド地方とかかわっている。その反響は、「付録――コンプソン一族」、『村』の冒頭、『墓地への侵入者』で繰り拡げられる哲学のうちに見出せる。とりわけ、だいたいがスコットランド起源である、郡の苗字について考察される場合がそうだ。「ガウリーやマッキャラムや、フレイザーや、昔はイングレアムと呼ばれていたが今はイングラムという連中や、昔はアークハートといったが、〔…〕ワーキットと呼ばれるようになってしまった連中……」[3]（フォークナーは、このことを指摘する反面、郡の人間たちの姓の明らかな象徴性についての所見については、まったく打ち明けてはくれない。たとえば『八月の光』のなかでは、バーデン（重荷）、ハイタワー（高い塔）、クリスマスという名がつけられているし、『サンクチュアリ』のヒロインの名がどうしてテンプルなのかということは明かされず、他にも多くの名前の象徴性が隠されたままである）。

愉快な雰囲気は主にフランスにかかわっており（もちろん『寓話』や戦争と航空隊関連の短篇

の悲劇的展開は別だ)、その残存を見つけるのは面白い。

『村』のあの同じ冒頭で、そしてフレンチマンズ・ベンドの創設者に関して、それはこのように書きとめられている。「持ち主は、フランス人では必ずしもないにしても、おそらく外国人《よそもの》だった、というのも、彼より後からやってきて、その生活の跡をほとんど影も形もないほど拭い去ってしまった者たちからすれば、外国訛りの言葉を喋ったり、容貌や職業が変わっている人間なら、本人がどこそこの国の出身と言い張ってみたところで、誰でもフランス人ということになってしまうのだ……」[4]。

この手の一般化はたしかに大半の地域で認められるものだ。アンティーユでは、中東から来た人間は、人種や国籍にかかわらず誰であれ、シリア人だと決めつけられたものだ。この総称的な呼称は、なんと二世紀のローマでもまた同じ人々に関して用いられていたとどこかで読んだ憶えがある。〈他者〉の様々な特徴を一般化したり、総合したりするのは、おそらく安心を得ることであり、そうやって私たちはそれらを「ひとまとめに捉え」(それらを理解し)、慣れやすくするのだ。

ド・ゴールを題材とした映画のために書かれた脚本のなかで、フォークナーがフランスを話題にし、フランスについて思っていたことを述べるのにこれを利用したのはもっともなことだった。ところが彼が登場人物の口をとおして語っている内容を読むと驚いてしまう。とりわけド・ゴールの発言（ドイツ軍の占領下にある時期）は、フォークナーが作品全体にわたってニグロについて示してきたことを思い起こさせる。「われわれは堪え忍ばなければならない……。フランスが無力だったなら、今日までもちこたえられなかっただろう。フランスが存続するためには、今後も堪え忍ばなければならないのだ。この国がなおもフランスであるならば、堪え忍ぶことができよう」。

「堪え忍ぶ」という表現なり発想なりは純粋にピューリタン的なものであり、そうした傾向がフランスに多少あるとしても、フランス的気質にはおそらくそぐわないものである。彼の作品のうちでは周縁的であるがその一部をなす、この脚本（巨大な機械、全-宇宙）において、フォークナーが何よりもまず支えとするのは（ニグロに「忍耐」というあの特別な役割を付与したときのように）、現実の原則よりも、彼が内に秘める理想、あるいは隠された理想なのである。

いずれにしてもこれは別種の一般化である。フォークナー、そして同じく彼の同郷人の多くには、一方でフランスを訪れてみたいという願望があり、とりわけルイジアナの深部の住民たちにその願望は強いのだが、彼らはこの国に対して、尊大とも言える態度の入り雑じった、苛立つ愛着のようなもの（愛着と苛立ちは本来文化的ないし文明的なものである）を強く感じており、この一般化は、おそらくそのことを表している。

ケイジャンの年老いた農夫にこう尋ねられたことがある。「パリでは相変わらず馬で移動しているのかい。パリの家の前には動物をつなぐ留め金が今でもあるのかい」。こう尋ねられたのは、沈黙と孤独が魅力的なバイユーの奥深くにいたときであるが、その場所はテキサス州に打ち捨てられた油井の一帯を走る高速道路のすぐ近くだった。農夫の孫たちは、あのケイジャン語（「一種のフランス語」と、たとえば郡の住民たちは決めつけていた）をもはやうまく操って話せないようになり始めていた。しかし、この老人にマルティニックの高地について、モルヌ・ブゾダン、モルヌ・ルキュレ、モルヌ・ペルーなどの島の北部のことをひとしきり話してみると、彼はそこに見られる花、野菜、鳥たちのことをすべて知りたいと言った。

フォークナー作品のなかに再来するフランスをめぐる暗示や典拠は、私たちがそこから何かを結論づけるにはありあまるほどの量だ。少なくとも、このフランスをめぐる題材に対する彼の深い関心は、平然とした辛辣さを、すなわち、彼が好きなものについて論じる場合に付いてまわる日常的でユーモラスな「客観性」をいつでも備えている。

『館』には、「もう一九四〇年になっていた。ニーベルングの狂人はポーランドを亡ぼすと、西に引き返し、文明世界の永遠の素晴らしき娼婦ともいうべきパリが、どこにでもいる売女のように彼に売られた」[5]。「付録――コンプソン一族」には、ドゥームとその友人について、「生まれるのが遅すぎなければ、ナポレオン麾下《きか》で元帥を務めた貴族気どりのあのならず者連中のきらびやかな星雲のなかでもひときわ輝かしい一人になっていたと思える、フランスの勲爵士によって、「デュ・オム」と名づけられ……」[6]。

この騎士の謎めいた人物像は、もう一人のフランス人であるパリの建築家（「マルティニック島からはるばるやってきた」[7]）を思い起こさせる。サトペンは（『アブサロム、アブサロム！』において）この建築家に自分の夢見る壮大な邸宅を設計し実現するよう命じながら、彼を幽閉して苦難を強いるわけだが、この建築家は、覚悟を決めてこの作業に没頭し（逃亡を試みれば、サトペンは、西インド諸島から連れてきた英語が話せない「野蛮なニグロたち」を引き連れて彼を追跡することになる）、偉大な技術を凝らして、広大な邸宅を建立する。これは、すでに述べた、強迫観念と狂った欲望に覆われたあの伝説的な「事物《もの》たち」の一つである。しかし、この邸宅を、建築家は（ジェファソンの町と同じくらいの大きさの屋敷を欲した）サトペンの誇大妄想よりも小さく設計することで、その妄想から実現できる作品を作り出したわけである。「この小柄で塞ぎ込み悩む外国人が、サトペンの思いあがった激しい虚栄心とも、あるいは壮大な欲望とも、あるいは何かへの雪辱心とも、なんともよく分からない執念に、たった一人で戦いを挑み、それを制し、その結果、言わばサトペンの敗北そのもののなかから、もしサトペンが勝っていたらとても手に入らなかったような勝利を創り出したのだから」[8]。

建築家が立ち去ったあと（彼の身に何が起こったのかがとても気になったところだろう）、窓ガラスも備品もなく、彩色もなければ家具もないその立派な屋敷は、ながらく存続し、おそらく終局の火事まで存続することになる。サトペンはそこに狩猟仲間を招くわけだが、彼らは床にじかに座り、気味の悪いニグロの召使に給仕されて飲み食いするのだ。

何か少し怪しく、きな臭く、両義的なもの——たとえば、人種的「混交」の匂いがする場合——は、よくフランス人であると見なされ、大抵はルイジアナ出身のフランス人であると目される点も留意しておきたい。たとえばチャールズ・ボン。日の当たる平和に静まり返ったあの通りでのウォッシュの大声を、私たちは今なお記憶している。「ヘンリーがあのフランス野郎にぶっぱなした。牛みたいに撃ち殺した」。

郡の本当の他所とは、伝説と起源の土地スコットランドや、歓楽と帰化の土地フランスといった国ではない。それは劫罰の土地そのものだ。他所は無限に郡を繰り返す。そこで、個人は己の運命のうちで自由（狂気）になる。

クエンティン・コンプソンの学友であるカナダ人のシュリーヴは、どんな国よりもずっと、この他所を象徴している。彼が登場する二つの本のなかで、シュリーヴはコンプソンの発言を鸚鵡のように繰り返すが、しかしそれだけではない。彼は汚染を拡張し、この汚染の網にかかりながら、その錯綜した網の目を他所へ拡げ続けるのだ。彼は驚くべき力をもっている。その力とは、啓示物を先取りする力でもなければ、後れて来るものを予感する力でもない。それは後れて来るものの露呈に律動を与える力、露呈の調子を刻印する力である。

「待ってくれ。待ってくれよ！　早すぎる。お願いだ！　君が言いたいのは……」

するとクエンティンは、汚染に対するおそらく狼狽や恐怖のうちでこのように告げられたことを展開する――ところが汚染はすでにそこで始まっているのだ。

『寓話』の錯綜した雰囲気のなかを生き、苦しみ、死ぬ、大西洋の反対側の大半の人々がそうであるように、シュリーヴはヨクナパトーファのもっとも親密な遠方の一つを体現している。青年のシュリーヴは生来呪われているのだが、彼は通常クエンティンを、彼らにとって「意識の流れ」が作用するあの場面ごとの終わりへ、昼食の時間や睡眠の欲求といった現実の要請へと連れ戻す。

私たちはまた、彼が郡の呪いから逃れているのを知っている。一般に思われている以上に示唆的な『アブサロム、アブサロム！』巻末の系譜をとおして、彼の名前がシュリヴリン・マッキャノンであるのを学ぶのはつまらないことではない。この名はおそらくスコットランド系だろう。それに彼は一九一四年から一九一八年にかけての戦争のあいだずっと前線で外科医長を務めることになる。スコットランドと大戦。これらはフォークナーの二つの参照項だ。

一人の人間は、一つの土地と同じくらい、他所である。

「問い」の対象はこの（南部の）共同体であり、したがって叙事詩的言葉は、その伝統的形態や私たちには時代遅れの形態のもとにあるとしても、この問いを発するのにもっとも適している。それは、西洋的諸文化の詩学のうちで私たちが説得させられてきたすべての慣習に従っている。しかし、問いが提起するこれら運命に対する抵抗は、結局のところ、拒絶し固執する個々人によって引き受けられる。人々によって。

これらの人々、ただ人々だけが、叙事詩的カタルシスと悲劇的暴きの失敗が行き着いた明らかな欠如を、決然と引き受ける。彼らは、この失敗と拒絶をとおして、〈河〉と同じく強力に、オールド・マン河と同じく濃密に、堤防を決壊させ、多様性を開いてきたのだ。

もはや個人とは、長所（連帯）も短所（慣習の拘束）も引っくるめて受け入れられ同意されてきたような、共同体的鎖と連係する要素ではなく、集団的冒険から生き残った者、共同の運命から逃れた者、巨大だが無力な叙事詩的嵐によって難船した人だ。ハイタワー牧師が説教に狂ったように夢中になるようなときでさえ、彼はその亀裂の産物であり、この燃焼の凝縮なのだ。そしてこれを説明してきた作品は、彼とまったく同様に、解きほぐせない還元不能な個人であり、錬金術の残滓なのだ。だから彼には、堪え忍び、苦しみ、同情するというこの男性的でピューリタン的な理想を信頼すること以外（しかし、一般に彼は完全にはこの理想に従えない）には残されていないのである。

彼は完全にはこの理想に従えない。その極端な要求は彼を限界の外へ押しやる。彼は拒むからこそ個人にほかならない。彼は、境界の不明瞭な性質を、紛争や殲滅といったことさえも越えて、対立するものが招きあうこの場所を、果てしなく退ける。

作品の少なくとも二つの場所、すなわち「熊」と『墓地への侵入者』において、フォークナーは（郡の人々のうちの一人は）「どんな人間も自由に堪えられない」とはっきり述べている。あらゆる機会に、全力を込めて個人の美徳を称揚する人間が発する、奇妙な断定。『野生の棕櫚』の主要人物たちはこの苦しみを生きている。これは、すべてに気を配り、自由意志の疑わしさや不安を各人から取り除くような、独裁体制や帝国的政府形態への解放された呼びかけなのか。

私はこれを別様に理解している。すなわち、各人が、一見すると語りえない世界の無秩序のうちで、自らの姿勢を支え、自己を表現するために必要とする、慣習の拘束や共同体の要請に比べれば、どんな人間も自由に堪えられない、と。

それでも、フォークナー世界の人々の行なうのはまさにこれだ。人々はこの遺棄に同意し、これを求め、堪えがたい自由のもたらすこの苦しみを、自分たちのために求める。

不可能のもたらす悲劇へと閉じこもり、共同の運命を拒む、個々の人。そうした彼らにとって混血とは、同意しなければならない脅威であるように思われる。一方には、漠然とした恐怖でもって自分自身に抗うジョー・クリスマスがおり、他方には、ブーンやライオンやルーカス・ビーチャムがいる。彼らはみな混血の産物であるが、両者のちがいとは、他方は起源や身分に一度として拘束されたことがなかったということ、もしくはそれらから解放されていたことにある。

混交は紊乱ではない。個人を攻め立てるのは混血の通念であり、それが古い障壁のなかに自閉した人の個人的活力を損なう場合、そうなるのである。個人の活力は屈しないにちがいない。こうしてクリスマスは責めさいなまれるのだ。

「熊」のテクストは、ただ「オールド・ベンと雑種犬のライオン」の血だけが「汚れのない、朽ち果てることのない力」をもっているとうたうように気をつけている。

そして哀れなロス・エドモンズは(「火と暖炉」において)ルーカス・ビーチャムとの屈辱的なちがいを果てしなく考え続ける。「今この白人は車の窓に寄りかかり、本心を測りがたいその顔を見ていた。その顔には、白人の血の痕跡、自分自身の血脈のなかに流れているのと同じ血、自分には女をつうじて伝わったのに、このニグロには男系の子孫をつうじて伝わったばかりでなく、自分よりも一世代早くこのニグロに入り込んだその血の痕跡が決定的に現れていた——落ちつきはらい、得体が知れず、やや昂然とすらしている顔……」[10]。

エドモンズが女に対して抱いたり、白人の血が少しだけ流れていることに優越感を抱いたりする南部的偏見について考える場合でも、ルーカスのこの例は、ライオンやブーンの例のように、雑種性や血の混交は退廃をもたらすものではないことを教えてくれるという点では変わらない。そしてフォークナーが、黒人の過去を無視してきたのをまさに裏返す形で、とりわけ白人の将来《ドゥヴニール》を予想しているように見える以上、ブーンこそがこの成り行きを担い、これを具現しているのだと繰り返し述べる必要がある。ざらついた雑種のブーンは、元売春婦と結婚し、幸福のうちに子をもうけた。

フォークナーという人間（貴族でも平民でもなく、外洋の民であると私は見なしたい）が血の混交や雑種性に対して露骨に不快感を覚えていたと予測するのは適切ではなかった。どちらかは個々の人間が従う苦しみのように現れる。私たちが目撃するのは、この苦しみにさえ気づかない人々（エルノラ）、この苦しみを寡黙な悲劇のうちで生きる人々（クライティ）、これを愚弄する者たち（ブーン、犬のライオン）、首尾よく自分たちの目論見へと至るようにこれを利用する人々（ルーカス、チャールズ・ボン）、そしてこの苦しみに屈服する人々、すなわち、非業の死《マルモール》を遂げるまでこれを蒙る人々（ジョー・クリスマス）だ。個人的意志の不屈はすべてを決定する。

フォークナーは混血を不快に感じなかったが、これをうちに抱える人々にとってのありうる試練だとは考えたかもしれない。彼は（郡の人々は）とくに混血の観念を恐れていた。ニグロへの悪口と黒人種の観念は〈北部〉であれ〈南部〉であれ）、それが生まれた頃ほどには矛盾だらけではなかった。紋切型。事物と人間について私たちが抱くことのできる考えは、それらの単純ないし複雑な現実よりも一層私たちを混乱させる、ということだ。

チャールズ・ボンは、一見すると分からないが混血児であり、父親に捨てられ兄弟に殺されるわけなのだが、その死の告知は、露骨で下品だ。しかし、これはずっと以前から準備されており、後れて来るものに圧迫されてテクストのなかへと導かれる。そして私たちは、王への二人の使者から聞いたわけではないにしても（使者は、言わば欠片ほどの人間味しかもたないウォッシュだけではない）、言伝を何度も聞き、あたかもトランペットやランビ貝の深みのある予兆的な音によって、ボンの死の告知を聞く準備をさせられていたという印象を受ける。ウォッシュは、「鞍無しの騾馬にまたがって入口前の道にとまり、彼女が戸口に現れるまで、何度も間をおいて、「おーい、おーい」と叫んでいたが、彼女が姿を現わすと、その声を、たいしてではないが、いく分か低くしてこう尋ねたのさ。「あんたがロージィ・コールドフィールドか」」[11]。

個人の頑なさと不屈は、郡の「起源」の混乱によってすでにありえなくなるか、生きづらくなった伝統的な叙事詩的連帯に対する拒否を強める。それらは同様に、（開放と分有の）新しい叙事詩的なものが生み出されたかもしれない、あらゆるクレオール化と対立する。フォークナーはこの二重の否定性を劫罰と名づけたのだ。

こうしてほぼ自然の成り行きとして、私たちは、第二小説『蚊』において示される場面について今一度よく考えてみることになる。世界でもっとも人工的なその場面（豪華客船でのクルージング）で、登場人物たちは輪になって話し合うのだが、その様子はたしかに熱帯の藪蚊が群がってぶんぶんと唸りながら飛んでいるかのようであり、ごくわずかな狂気だけでは誰一人として見分けがつかない。会話というカクテルは、女と処女性、芸術と芸術家、時間と死、〈北部〉と〈南部〉をめぐり、さらにまた、彼らは、軽薄で見せかけばかりのありとあらゆる思いつきを進歩的な人物として楽しみながら話すのだが、そのうちの一人は最初から最後まで「ユダヤ」を自称する。

独創的だとうぬぼれる会話のなかで、登場人物の各人は他の人々を驚かせること、もしくは驚かせるという全体の企てに貢献することだけをひたすら望んでいるのであり、そこにはいかなる錯綜も、いかなる激昂も、いかなる共犯も働いていない。この手の（陽気な悪口の棘で）食傷させる対話のジャンルを、後ほど作品のなかに、ミス・ジェニー、ホーレス・ベンボウ、その妹のナーシッサ（「愚鈍だが落ち着きのある、赤毛で広い額をした、肉づきのよい女」）とゴーワン・スティーヴンズが、『サンクチュアリ』の薄暗がりのうちに、いずれにせよもたらすことになる。警官や、公証人や、啓示を受けた牧師や、配信するはずの伝言をもう読んでしまった陽気すぎる老電信技手などにひっそりと姿を変えた運命が、扉を叩くのを待つためになされる対話。

『蚊』の華麗かつ凡庸な発言や思いがけない文章のうちに、私たちはフォークナーのその後の作品が準備されているのに気づく。フォークナーの先取の技量はそこに現れている。あたかも彼は、ヨクナパトーファ郡に入る前に、あらゆるものにかかわる、頭の中で沸き立つありとあらゆる複雑な思考や基準方針を一挙に捨て去らなければならなかったかのようであり、そうすることで彼は郡において本質に専心し、登場人物の心理学も珍奇な意見も美辞麗句も忘れ去って、不幸に挑戦することしか考えないあの熱烈な人々に没頭するかのようである。

『蚊』はまたフォークナーの人間性の捉えがたい一側面を予言している(これは彼がその作家としての役割を十分に果たしていないと仮定しての話であるが、私たちはこれまでに彼が郡の人々に一般に与えていると思われることを当人に向けざるをえなかった)。それは、ひそかな女嫌い《ミソジニー》である。少なくとも、社会や家族や真実の探求における女たちの役割に対する非常に狭い了見であり、彼はおそらく、男女間の関係の問題をめぐって、宮廷風で騎士道的な恋愛の捉え方(勝ち取り、守るのに値するために「偉大」であるべき恋愛)と冷めた「現実主義的」態度(ママもふくめた面倒なすべての女たち)とのあいだで、いつも揺れ動いていた。

この保守主義的かつ反動的な性向は、ピューリタンの本性よりも、南部主義者の立場(なりたての農園主、狩猟愛好家、馬の調教師)とより一層結びつくものであるように思える。このかぎりで、社会的場の慣習は創造の場を覆いつくしている。

そうであるだけに、「性《セクシャリテ》」の話題には、ますます驚かされる。彼はいくつかの作品で性にこだわってきたわけだが、性に関しては、あれこれと考えてみても分からない。性をめぐる状況が極端な場合（近親相姦、殺人、強姦）、それを扱う手法は、たとえば性的関係の際には、大抵そうした描写を好む読者の期待を裏切るような、淡々としたものである。ともかくフォークナーは性描写を控えないわけではないが、その理由は、今一度繰り返せば、ピューリタン的後退からではなく、紳士的態度からであり、とりわけ、現実、行為が彼にとって何よりもっともらしいからである。ある人がそれを見たのは、あれを見ていないからだ。ありそうにもないヴィジョンは、私たちが一般には欲動の象徴として捉える人々と（作品中では）一見関係なさそうな、紳士やピューリタンの狼狽を映し出している。

そして私たちが「性」から、蔓延する重苦しさや両義性（ベル、リトル・ベル、テンプル）と言えそうな雰囲気を汲み取るとしても、じつは、それは（あえて言うなら）正直なところ取るに足らないのであり、しかも、呪いにかかわる閃光的観点に比べれば、とても冷淡に扱われている。

フォークナーの時代には、明らかに大作家である彼のような文豪が、こうした顰蹙を買う海岸に近づくとは思われていなかった。そうした文豪があらゆる風聞をよそにそこへ赴くとすれば、それは彼が、現実やその下で脈打つもののすべての諸相を検討するという、あの冷ややかな客観性に突き動かされているからだ。それと同じ理由で、彼は白人を白人と、ニグロをニグロと、奴隷商人を——南部連合軍の将軍であるとしても——奴隷商人と呼ぶのである。

作品の喧騒から避けがたく突き上げてくるのは、いつでも第一に暴力であり、世界の極限であり、われわれの時代の徴候の一つである、ともかく自覚的なあの理由なき怒りだ。この暴力のうちで、郡における、ちょうど「怒りで震える手」が届く範囲で、劫罰の「選民」である女たちと男たちは出会う。

郡の未来のうちにブーンを据えることが目指される『自動車泥棒』(破滅した場所をあちこちめぐった後で、特別な家と競走場を得るという、結局はある種陽気な結末)を除けば、最後の三つの本、すなわち、スノープス一族のサーガの本は、通常、館、村、町という順序が確立されていると見なされてきた。この順序は、周遊的ないし進歩的論理、地理的ないし社会的拡張に適しており、物事の流れと調和しているとされてきた。たしかに住民たちは徐々にプランテーション世界《ユニヴェール》から離れてゆき、市場町《ブール》や村を経由して、町を経験する。これはきっとプランテーション文化圏のすべての土地において生じたことだ。地霊はフォークナーにこの「順序」を強いなければならなかったにちがいない。

これらの本の出版(あるいは出現)の順序が、スノープス一族の行程に従って、村、町、館であるのは当然であるし、適切である。フォークナーは、円環を閉じるにあたって、プランテーション・システムの母胎に立ち戻る。システムの崩壊ではなく、フレム・スノープスの専制からの解放を神聖化するために。そこには、何よりも、プランテーションというこの起源の象徴的恒常性が、次いで、都市的世界《ユニヴェール》に対する隠しおおせない拒絶の感覚が表明されている。フォークナーは町をもって円環を完成させたいとは望まなかった。彼は、どちらも館の不当な所有者であるフレム・スノープスに結びついたリンダとミンク・スノープスという、普通から外れたあの二人の個人の、黙示録的、つまりは終局的な情念を神聖化することを望んでいた。

私たちは一種の文学的断絶から遠くないところにいる。それは、起源の、母胎の、閉じられた場所における緩やかな時間と開かれた空間（〈プランテーション〉）の記述《エクリチュール》と、多種多様の、電撃的速度の、堆積と離脱（〈町〉）の記述とのあいだの断絶だ。野の世界と砕かれた世界のあいだの断絶。しかし、こう述べながらも、フォークナーは多種多様、堆積、速度のなかへできるだけ遠くに進み、私たちの眼前からすぐさま去ってしまう。彼の野の世界は会話という牧歌とは関係ない。

私の語る文化圏域の作家たちは町のなかへめったに入り込まなかった。とはいえ、町には重要な意味があった。一九世紀のクレオールの町は、キューバのハバナであれ、ルイジアナ州のニューオーリンズであれ、ハイチのポルトープランスであれ、マルティニックのサン゠ピエールであれ、ジャマイカのキングストンであれ、この圏域のマナウスやベレムといったブラジルの町であれ、どこも本来は似通い、魅力的だった。コロンビアのカルタヘナ・デ・インディアスなどのカリブ海沿岸のクレオール都市も似ていたのだろうと、私たちは思いをはせる。

各地域のクレオールの町は、バロックと〈オペラ〉の似通った様式を特徴とした。そこには、季節の放埓な生、新しい貴族的活動でありながら古い下層民的活動、カーニヴァルと宗教的祝祭の狂気、産業活動を伴わない激しい取引、人々がひしめく（河沿いや海辺の）港と城壁や決闘用の人目につかない通路があり、主人に従う奴隷の群れとあらゆる職業に従事する自由有色人がいた。この町のなかに（これらの地域のうちで英語圏は除き）出現し発展するムラート階級は、商人も文人も、傲慢な農園主と自分たちを隔てる障壁を執拗に打ち壊そうとする一方で、黒人との障壁に関しては、やはりこれを執拗に維持しようとしてきた。いつでも流行の最前線にある社交界とクラブでは、酒を飲む術が哲学したり悪口を言ったりする術を生んだ。新聞が発刊され、政治運動が出てくるものの、政治生活は、対立し戦う場であるはずのものの、本当は賭けるものなどないゲームとして悪化した。世界中のほぼあらゆる人種の混交、大なり小なり商売をする中国人、インド周辺からやってきたインド人、そして、非常に風通しよく開かれている一方で非常に残忍な偏見、大概はすぐに終わるこれ見よがしな裁判、とても真剣に営まれる、パトロンの支援を受けた放蕩生活という芸術生活（風刺作家を除く、画家、音楽家、時評欄担当者、小説家）のかすかな始まり、パリのオペラ座とロンドンやナポリやマドリードなどのヨーロッパの劇団の巡業。町の至るところには、四輪馬車と巨大な排水溝のうちに巧妙に隠されるか拡がる不幸があった。一言で言えば、そこには果てしのない震えと苛立ちがあった。これらの町はプランテーションの延長であり、それなくしては想像しえないものだった。綿花、タバコ、ラム酒と砂糖、香辛料、インディゴ（ブラジルでは金とパラゴム）といったものは、大抵の場合ヨーロッパ産の限られた製品やアメリカ合衆国北部の手工業製品と取引されたのだ。

輝く町は、多様なめぐり合わせを経験してきた。マナウスとベレムは、ゴム相場の下落後、長いあいだ眠りについてきた。ニューオーリンズはプランテーション・システムの崩壊に長いあいだ苦しんできた。ポルトープランスは発展途上の犠牲に見舞われ、ハバナは都市計画と整備をめぐる深刻な問題を今日経験している大都市であり、キングストンは環境悪化が進む主要都市の危険なモデルに近づいてきており、サン＝ピエールはプレ山の噴火で無と化した。

雷のごとき炎と岩石と溶岩の大群は、一九〇二年四月八日、サン＝ピエールの町を、罠に捕らわれた三千五百人の住民と、快楽の狂気と羞恥心なき創造の悦楽もろともまたたく間に破壊し、太平洋の海底になおも巻きつくすべてのサイクロンの、大西洋に結びつくすべての地震の、未来に燃え拡がるすべての火災の、怒りという怒りをその爆発のうちに結集させると、以後勢いを弱めつつあるこのクレオール的生気への無意識的哀惜を、この島の住民の夢想と通夜のなかへ埋め隠した。


すべての町には、じつに長きにわたって同じ熱がたぎっていた。

そのバロック的熱狂は、現代では、アレホ・カルペンティエールやホセ・レサマ＝リマのようなスペイン語圏の作家たちに霊感を与えてきた。フォークナーはこれに敏感でなかった。フォークナーにおけるバロックはまた別種の性質をもっている。たしかに、オックスフォード（ジェファソン）やメンフィスの町がそのように放埓になるとは考えにくい。このアメリカス諸地域におけるスペイン語圏とフランス語圏の諸地域のバロックがより一層混淆しているのに対し（ラテンアメリカの教会の先住民の天使や黒いマリアや土着のキリスト）、英語圏の諸地域のバロックは一層「内部に取り込まれている」。あたかもこれはピューリタニズムの拘束から脱しようと必死にもがくピューリタン的反応であるかのようだ。少なくともそのように私はフォークナーの努力を見たい。そして、これらクレオールの大都会は、北部の都市やヨーロッパの首都の慌ただしく目まぐるしい変化からながらく取り残された。このことについて語った作家たちは、まるでプランテーションそのものと闘わなければならなかったかのようであり、ほとんどそうしてきた。フォークナーがクレオールの果実をかじらなかったとしても、作品世界の本当の終わりに〈館〉に立ち戻る際、彼がはねのけるのはこの果実ではない。彼は、ニューヨークやロサンジェルス、シカゴやピッツバーグをはねのける。方向感覚の摑めない巨大都市の苛烈さをはねのける。話すように言おう。彼は、ドス・パソスをはねのけ、「街場」の文学だけでなく、それ以前に、メガロポリスと果てしないヒスパニック街の、天に抗う技術をはねのけるのだ。これは郡の失墜、もしくは脅威の予感を示しているのだろうか。

世界は混じりけのない地域を覆い、これを引っ掻きまわす。

このイメージについては、航空術という生まれたばかりの言わば無垢の技術、進歩と進化の象徴であり、したがって運命の理想的道具であるこの技術をマスター（表現）しようとする、フォークナーのうぬぼれがもっとも適している。

「V字形の支柱のあたりから、両翼は傾き、揺れていた。そこでベイヤードは飛行機を慎重に操縦して高度を上げていった。限界点を越えると、スピードが翼の揚力を奪ってしまうことになるだろうことが分かっていた。すでに、高度はおよそ二千フィートに達していた。ベイヤードは旋回した。旋回しながらベイヤードは、補助翼に受ける圧力のために内翼の上反角が二倍になっているのが分かった。また、かつてドイツ兵を相手にした時以来、経験したこともないような、すさまじい横揺れ状態に落ち込んでいた」[12]。

これは(最後の)ベイヤードの死の瞬間の場面であるが、これを描くフォークナーはちっともわざとらしくもなければ、本当は学術的でもなかった。似たような自己満足的な航空術の詳述は『寓話』、『標識塔』、短篇「厳重警戒大至急」にも見出せる。そして『館』において、郡と比較した場合の絶対的他所(スペインの市民戦争)を経験したリンダ・ヴァーナーは、航空術の専門家とほぼ言ってよく、彼女の過去に不審な点がないとしても、一九四二年には、空軍用の軍需工場で働いていた可能性がある。一九一七年のカナダの訓練キャンプの若い新米操縦士は、パーシー・グリムのように、第一次世界大戦の暗いバッカス祭に参加するには到着するのが遅すぎたことをおそらく諦めきれずにいたのだろう。空を飛ぶこと、いまだ危険ではない、始まりつつある技術、そして新たな時代は、この世界史の瞬間を生きられなかったことをこのように悔やむ者にとっては、魅力(そして何よりも運命への愛着)に満ちている。

それでも私たちは、フォークナーがあらゆる戦争の不条理をも告発することで、これが肉体的衰弱、孤独、呪い(郡のうちに伝播した災禍)という死よりもおそらく恐ろしいものを生み出す点を際立たせようしたことを知っている。

境界と遠方。限りある場のなかで果てしない世界ばかりでなく、すでにして私たちの傍らにある、そこは非常に近い、アメリカ合衆国、一見すると分裂した国。北部と南部、白人と黒人、土着の人間と入植者、もつ者ともたざる者、広大な平野と錯綜した都市、移民と孤立主義的欲動

——あらゆる分裂を政府筋の見解では国に適した三重の呼びかけ、すなわち（家族的、道徳的）価値、（経済的、商業的）利害、（世界的）リーダーシップのうちで解決する。だがこの国はじつに多様であり、それ自体で多くの矛盾に満ちている。

作品の遠方、そこは私たちの傍らにある。果てしなく続きそうな分析を試みるよりも、集中して読んだ数日間に沿い（数日を代償に）、いくつかの昔の読解を繰り返しながら、まったく人目につかない今日の話題、つまり私たちが日常生活と呼ぶものにできるかぎり近い話題をとおして、フォークナーが沈澱物や痕跡として徴づけえたものを、私たちが近くか遠くでそのような現実のうちに見出すものを、捉えがたいやり方で、花粉のように感知したい。

『ニューヨーク・タイムズ』紙の二つの記事に関して、私はすでに学生たちのことに触れたが、そのうちの一人のマダム・スーザン・バローがいくつかの記事のなかからこれらを教えてくれた。

そのうち、リック・ブラッグ氏による一九九五年四月二十二日付の記事は、ノースカロライナ州イネズのチェリー・ヒル大農園《プランテーション》の大邸宅における、アルストン家の集いの模様と詳細を伝えている。この集いの特徴は、間違いなく初めて、曾祖父が奴隷だったアルストン家の人間と、曾祖父が奴隷の所有者であったアルストン家の人間を一堂に会したことにある。

「戦争以前《アンテ・ベラム》の南部では、奴隷に主人の苗字を与えるのは普通のことだった。それから長い年月が経ち、アメリカ黒人の多くは奴隷制の刻印を受けたこれらの苗字を拒絶した……」。

「だが、アルストンの家系の黒人（元奴隷）側では、芸術家、音楽家、政治的・宗教的指導者をながらく輩出し続け、この苗字を名乗り続けたわけだが、これがアルストンの名をさらに高めることになった……」。

「白人側は鼻高々だ。マッキー・アルストンは「アダムとイヴの時代まで遡ってアルストンの家系を語る」と冗談を言う」。

「アルストン家の白人側の数名は、時折り、他の親族の肌に、妙な黒斑があるのを察知する」。

「彼らによれば「ああ、例のイタリア人の血にちがいない」とのこと」。

「(アルストン家の黒人音楽家による)コンサートの際にアルストン家の白人側は奴隷制時代の非を認めて謝罪の言葉を口にすることはなかった……」。

「奴隷を父にもつ故チャールズ・ヘンリー・アルストンは「ハーレム・ルネッサンス」の中心人物の一人として著名な芸術家となった」。

「ジョージア州上院議員ロバート・アルストンは、「囚人貸出制度」を、南北戦争を生き延びた奴隷制の偽装形態であるとして、この制度の廃止を訴えた後、一八七九年に暗殺された……」。

「長老派の牧師ウォレス・マクファーソン・アルストンは、人種的公正を説いたかどで六〇年代にノースカロライナ州から追放された……」。

「この集いは、相手の目を見て向き合い、各人が相手との関係を自分で決める機会となった……」。

二つ目の記事は一九九五年四月七日付のケネス・B・クラーク博士のインタビューである。クラーク博士は、八十一歳になるアメリカ黒人で、社会心理学者。『ダーク・ゲットー』を初めとしたいくつかの著作がある。彼は、「そのほかはすべて失敗してしまったから」、現在でも人種差別撤廃主義者の立場をとる。インタビュアーはサム・ロバーツ氏。アフリカの彫像と仮面が飾られる自宅で、「マルボロ」を吸うクラーク博士を紹介している。

インタビューからうかがえるその人物像とは、人種差別に反対する決然とした態度、厳格な道徳心、黒人と白人をめぐる鋭く明晰な認識、解放と社会的正義のための戦いで手にした結果に対する深い失望、そうしたものが魅力的に入り雑じった姿だ。クラーク博士は、次のように、最後の一言を皮肉で締めくくる。

「クラーク博士は、ご自身の集団の名の総称が、ニグロから黒人へ、黒人からアフリカ系アメリカ人へと変遷してゆくのに立ち会ってきました。それではいったい黒人が取りうるような最良の呼称は何だと思われますか」。「白人です」。

アレックス・ヘイリーの死後に出版された『サザン・レジスター』誌一九九二年春号のある報告記を再び読む。テクストは、その前の春に外輪船デルタ・クイーン号で行なわれたオル・ミス〔ミシシッピ大学〕企画による「水上学校」（「ミシシッピ河下り」）に彼が参加したことを思い起こさせる。ヘイリーは奴隷貿易について語り（奴隷船の上でアフリカ人の四分の一が死んだ。「彼らの叫びは風の一部になった」）、そうした奴隷船の一つの船長だったジョン・ニュートンが、やがて恥ずべき売買を棄て、宗教に回心した話をした。ニュートンは数多くの讃歌を作曲しているのだが、ヘイリーは、ロイ・ヨストという、デルタ・クイーン号の到着前夜に知り合った、この船の船室給仕係兼電気技師として働く黒人青年を招くと、彼にこのうちで一番古い讃歌（「グランド・ダディ」）をうたってもらった。ヘイリーはヨスト氏の妻で、同じく船で給仕の仕事をするレベッカが、弁護士をめざして勉強していることに言及する。ヘイリーは言う、「南部は変わりつつある、これが新しい南部なのだ」。

ＩＡＭＵＳという団体が制作したアメリカ合衆国のイタリア人についての「多文化的合衆国にとってのイタリア系アメリカ人」というテレビ番組。番組は、なかでも、サッコとヴァンゼッティ事件、ローゼンバーグ夫妻殺害事件、そして、黒人作家・ジャーナリストのムミア・アブジャマルが、警察官一名を殺害したかどで死刑判決を受けた事件——数多くの障害がこの件を取り巻いているにもかかわらず——をめぐって議論をしていた。この団体のスローガンを正確には覚えていないが、たしか次のようなものだった。

オープン・ハート＋オープン・マインド
私たちは私たちの遺産を回復し
保守主義を批判する

これもまた翻訳の必要はないように思われる〔傍点箇所の原語は英語〕。

一九九六年四月、ジョージア州トーマスヴィルの百三十人の小教区民（全員白人）は、ウィットニー・エレイン・ジョンソンという赤子の小さな棺が他所へ移転されるよう要求した。「ここは百パーセント白人の墓地だ」。ウィットニーの母親は白人であり父親は黒人である。「混血児をわれわれの墓地に入れるわけにはいかない」。

あらゆる美徳を随伴するこの手の人種差別や穏やかな日常的ファシズムは、たとえば合衆国の中心で、白人至上主義《ホワイト・スプレマシー》を掲げ、連邦政府に対する戦争を準備する、あの民間の武装組織の設立などに比べても、おそらくよっぽど恐ろしいだろう。新聞によって知ってのとおり、それらの武装組織さえも新米の黒人兵士を徴用しているのだ。

観念と現実は、他の無数の観念と現実を伴い、世界の解きほぐせないもののなかを流れる。ウィリアム・フォークナーは私たちがこの解きほぐせないものに接近しうるのだということを示した。それが表現しうるものだということを。それが草地の風の黄土色であることを。ではそれは、あらゆる街路のショーウインドーを照らすネオンの光のしゃがれた音を立てないのか。

解きほぐせないもの。それは民族的遺産と同時に多文化である。

ミシシッピ河を下る船上での、一人の作家と、かつて別の船に乗せられてその船の上から投げ捨てられた多くのアフリカ人と、数々の讃歌を作曲した宗教者、以前は黒い肉体の密売人だったその人物と、より正確にはその讃歌のうちの一曲と、それを歌うための青年の出会い。彼が歌っているあいだ、おそらく彼の妻はしばらくのあいだ仕事をやめて歌に聞き入る。デルタ・クイーン号はこのミシシッピ河の水をゆっくり掻いて進む。

自分の信じる、残存する何かを確保するために、自身の一部を諦める、年老いた活動家の絶望の入り雑じる皮肉。

まっすぐ目を合わせて見つめあう、奴隷の子孫と奴隷所有者の子孫。


ここは遠方にあり、海、山、砂漠、冷たい陽射しを越えて、周囲のどこにでもある場所であり、特定の共同体にも国民にも属しておらず、世界の数多くの思考が世界の数多くの思考と出会う場所だ。儚く、不確かで、脆い、あるものが、まさに同じように儚く、不確かで、脆い、別のものと最終的に出会う場所だ。


ある晩、歴史スペクタクル映画のなかでイギリスの少年がムーア人にこう尋ねるのを聞いた。「どうして黒いの?」するとそのムーア人は「なぜならアラーは多様であることを好まれるからだ」と答えた。同じ晩のしばらくあと、ある映画監督が、テレビ番組のインタビューで、はっきりこう語った。「演出される真実は、すべて死んでおり、美しすぎるのです……。そうしたものはわざとらしく、あまりに上手に作られすぎです。真実とはそうではなく、移り行くのです……」。

真実は踏み跡《トラス》の上を絶えず動きまわる。

閉じられた場所は道によって導かれる。踏み跡はすべての人の場所に至るが、それによって誰も自分の場所を曇らせる必要はない。踏み跡は〈境界〉を方向づけ、〈遠方〉を予言する。踏み跡は、その錯綜とその不確かさによって、世界を、場所の啓示的な構成要素にするのだ。他の場所から、見知らぬ場所から発信される、世界の思考を見抜くたびに、私はすべての人の場所に、世界の場所に触れる。世界の場所は、あらゆる場所の落書きでも、束の間の融合でも、相殺でもなく、それぞれの場所の推測のネットワークである。

フォークナー作品の数え切れない開放をとおして、各人は、型にはまらないもののうちで自分を裏切ったり廃棄しようとしたりすることをせずに、そこで提案される踏み跡のうち、自分に合った何らかの踏み跡をとおることができた。著述家のなかには、自分に多大な影響を受けた者の想像力を永久に枯渇させてしまうような人々がおり、その場合、影響を受けた者はそうした主人たちからいわゆる触発された繰言を不幸にも反芻するだけだが、フォークナーはそうした著述家たちの仲間ではない。

有名であれ無名であれ、フォークナーの詩学から自分たちの詩学の少なくとも一部を、自己満足や習いたての拙さとは無縁なところで生み出した作家たちのリストは長いだろう。このなかから、フォークナーの親族であることを表明する数名の作家だけを、失礼を承知で引き合いに出したい。フォークナー作品をとおした出会いは、凡庸にも画一にも向かわない、秘された喜びである。

日常の不幸の取り返しのつかなさ、街路の混沌、あらゆる生の中断を覆い隠し、現実のもっとも微細な残滓に付着する形無きもの。それがフラナリー・オコナーの芸術だ。

〈時間〉の河に包まれ、堪えがたく、ありそうもない水源を突き止めようと、時代を根気よく下る、散文の濃密な叢林。それがアレホ・カルペンティエールの『失われた足跡』だ。

心と精神がもがきあう重苦しい曖昧さ、ぐるぐると輪舞する影たちの苦悩、意志と優柔不断との葛藤を深める青白い明かりのようなもの。それがウィリアム・スタイロンの『この家に火をつけろ』だ。

結びつく様々な物語のうちで激化し、目も眩むほどの循環のうちで噴出し、災禍をもたらす羊皮紙のように、何度も作り直されては閉ざされる物語——そして底なしの植物地帯の縁に座礁した時の船——それがガブリエル・ガルシア＝マルケスの『百年の孤独』だ。

不幸は、とても遠いところからやってくると、どうしてかは分からないが、亡霊を目印とする、一つだけの家族から離れない。その亡霊は、たった一つの、しかし、すべての人々にかかわる不幸と過ちから滲み出る。それがトニ・モリスンの『ビラヴド』だ。

取り返しのつかなさ、〈時間〉、曖昧さ、眩暈、呪い。これらはすべてのフォークナー的場所であり、同様に記述《エクリチュール》の場所だ。血筋は何よりもまず記述《エクリチュール》に由来する。しかし、今、これを説明するのは私の役目ではない。

マッキャスリン・エドモンズは――それがアイク・マッキャスリンその人でないのなら――「人間は誰もけっして自由にはなりえず、おそらく、もしそうであったらそのことに堪えることもできないであろう」[13]と考えていた（これはフォークナー世界の祖型としての書物『行け、モーセ』のもっとも中心的な章「熊」において、古い記録簿にその痕跡が書き留められるマッキャスリン家の、白人と黒人の解きほぐせない世代展開のうちのもっともめくるめく瞬間に見出せる）。しかし、彼が、アーカンソー州に広大な土地を所有する、つまらぬ黒人農夫と結婚するために失踪した、ニグロ側の家系のフォンシバ（ソフォンシバ）と再会したとき（「粘土造りの煙突をつけた丸太の質素な建物は、柵もない休耕地と鬱蒼とした叢林の、道路もなければ小道さえもない荒廃のなかで、雨に打たれてあたかも無名で無価値の瓦礫へと分解されるかに見えた」[14]）、彼はこう尋ねる。「フォンシバ、おまえは幸せなのかい？」すると彼女はこう答える。「私は自由ですよ」。

彼はここと他所に、大邸宅のそれを除く、多くの花々、すなわち、両腕にいっぱいの花々、あるいは畑一面の花々を咲かせ、綿花、匂いがなく、嗅ぎがたく、きわめて摘み取りにくい花のような綿、西からの風になびくサトウキビの銀色の矢、多くの不幸と多くの希望が据えられた『カラーパープル』のあのすべての拡がりを生み出した。そして、そのすべてが持ち去られ、あの蒸留酒工場の加熱機がすべての地域において錆びついたとき、まさしくきらびやかなショッピングモールのうちで、私たちに残されるのは、朽ちかけたコンクリートとブロックの花々だろう。アフリカ人、アーリア人（アメリカ合衆国ではコーカソイドがこう呼ばれる）、ユダヤ人、アラブ人、中国人の花々。これらの花々との出会いをアイザック・マッキャスリンは蔑んでいた。そして、アメリカ先住民、インド人、ムラートと混血と地平線の向こうから来る未知なるすべての花々。感じ取れない波によって、昨夜のサイクロンを免れた浜辺に、ついに打ち寄せられた、一輪の海の花、雑種の花。

「もちろん」と彼女は言う。「この作品を説明するにはほかにいくらだって方法があると思うし、たとえば、叙事詩と悲劇についての話の飛躍は、登場人物や筋の分析で論証できたかもしれない。私なら、そんな議論をしてみたかった」。

「登場人物ではなくて、拒み、さまよう人々だ。もちろん（と私は言う）ほかにいくらだって方法はあるし、正当化や証明をしようと努めさえすれば、そのどれもが最良の方法になりうるよ」。

「証明も正当化も無理よ、せいぜい接近できるくらいだわ。もちろん（と彼女は言う）それがかぎりなく、いつだって最良の方法なのよ」。

九八頁への補足

バーバラとフィリップ・アルティエールは一九世紀後半から二〇世紀初頭にかけて出版された、あらゆる種類の回想録、日記、自伝の資料、とりわけ元奴隷が書いたあの複雑な体験記をめぐる資料を提供してくれた。ここにそのいくつかの書名を記す。

『ある黒人女性の人生の出来事――ハリエッド・ジェイコブズ自伝』（*Incidents in the Life of a Slave Girl Written by Herself*）

一八五七年執筆。ボストン、一八六一年（初版）。ケンブリッジ、ハーヴァード大学出版、一九八七年（再版）。

『影と光――ミフリン・ウィスター・ギブズ自伝』（*Shadow and Light: An Autobiography by Mifflin Wistar Gibbs*）

アーカンソー州、一九〇二年（初版）。ワシントン、ネブラスカ大学出版、一九九五年（再版）、ブッカー・T・ワシントンの序文を収録。

『ナット・ラヴの生涯と冒険』（*The Life and Adventure of Nat Love*）
テネシー州、一九〇七年（初版）。（西部の大草原の牧場における奴隷たちの生涯）。ネブラスカ大学出版、一九九五年（再版）。
フォークナーがこれらの著作を知っていた可能性は高い。

『アイダ・B・ウェルズのメンフィス日記』（*The Memphis Diary of Ida B. Welles*）
（この女性活動家の若い頃の私的肖像）。市民権獲得と反私刑闘争の有名な活動家で、他の著作で知られている（一八六二年〜一九三一年）。一八八五年から新聞を出しはじめる。一九九五年（初版）、ミリアム・デ・コスタ＝ウィリス編。ボストン、ビーコン・プレス。
『メアリー・プリンスの歴史――西インド諸島の奴隷の自伝』（*The History of Mary Prince: A West Indian Slave. Related by Herself*）
一九九三年（初版）。ミシガン大学出版、一九九六年（再版）。
セオドア・ローゼンガーテン『神の試練――ネイト・ショウの生涯』[2]（*All God's Dangers: The Life of Nate Shaw*, by Theodore Rosengarten）
アラバマ州、一九七四年（初版）。「ネイト・ショウは、黒いオデュッセウス的遍歴に身を焦がす、黒いホメーロスである」（『ニューヨーク・タイムズ書評』）。「彼は〔…〕フォークナーに比肩しうるほどの輝かしい力を有している」（『ワシントン・ポスト』）。

ベケ（Béké）　フランス語圏アンティーユ諸島の白人植民者。

カーペットバッガー（Carpetbaggers）　北部の勝利後、南部から定期的に利益を搾り取る、いかがわしい商売人。

ランビ貝（Lambis）　カリブ海の漁師はこの巻貝から、合図や歌にリズムをつけるために用いる笛を作る。

逃亡する《マロネ》（Marroner）　過酷な仕事を拒否した奴隷たちが森のなかや山の上に逃げること。ここから逃亡奴隷《ネグル・マロン》の語が生まれる。

モルヌ（Morne）　アンティーユ諸島の丘または小さな山。

（奴隷に強制される刑罰の道具、とりわけ次のもの）

ブランバル（La brimballe）　これで両手を吊るされ、鞭打ちされる。

シップ（La cippe）　これで脇の下を吊るされ、鞭打ちされる。

フロンタル（La frontal）　調整の利く首かせで頭を締めつける。

ガロ（Le garrot）　これで棒のまわりに巻きつけられ、鞭打ちされる。

カンボワ（Quimbois）　アンティーユ諸島の呪術師が行なう呪術、またその道具。

以下は本書におけるフォークナーの主要テクストの出典（表題アルファベット順）である。

"Absalom, Absalom!", in *William Faulkner: Novels 1936-1940*, edited by Joseph Blotner and Noel Polk, New York: Library of America, 1990, pp. 1-315.

Collected Stories of William Faulkner, New York: Vintage Books, 1995.

Essays, Speechs & Public Letters, edited by James B. Meriweather, New York: Random House, 2004.

"Go Down, Moses", in *William Faulkner: Novels 1942-1954*, edited by Joseph Blotner and Noel Polk, New York: Library of America, 1994, pp. 1-281.

"The Hamlet", in *William Faulkner: Novels 1936-1940*, *op.cit.*, pp. 727-1075.

"Intruder in the Dust", in *William Faulkner: Novels 1942-1954*, *op.cit.*, pp. 283-470.

"Light in August", in *William Faulkner: Novels 1930-1935*, edited by Joseph Blotner and Noel Polk, New York: Library of America, 1985, pp.399-774.

"The Mansion", in *William Faulkner: Novels 1957-1962*, edited by Joseph Blotner and Noel Polk, New York: Library of America, 1999, pp. 327-721.

"Mosquitos", in *William Faulkner: Novels 1926-1929*, edited by Joseph Blotner and Noel Polk, New York: Library of America, 2006, pp. 257-540.

"The Reivers", in *William Faulkner: Novels 1957-1962*, *op.cit.*, pp. 723-971.

Sartoris, New York, Random House, 1956.

Selected Letters of William Faulkner, edited by Joseph Blotner, New York: Random House, 1977.

"Soldiers' Pay", in *William Faulkner: Novels 1926-1929*, *op.cit.*, pp. 1-256.
"The Sound and the Fury" in *William Faulkner: Novels 1926-1929*, *op.cit.*, pp. 877-1141.
"The Town", in *William Faulkner: Novels 1957-1962*, *op.cit.*, pp. 1-326.
"The Unvanquished", in *William Faulkner: Novels 1936-1940*, *op.cit.*, pp. 317-492.
"The Wild Palms (If I Forget Thee, Jerusalem)", in *William Faulkner: Novels 1936-1940*, *op.cit.*, pp. 493-726.

ローワン・オークに向かってさまよう

1* "Soldiers' Pay", in *William Faulkner: Novels 1926-1929*, edited by Joseph Blotner and Noel Polk, New York: Library of America, 2006, p. 256.〔原川恭一訳「兵士の報酬」『フォークナー全集2』（冨山房、一九七八年）三六九頁〕以下、Library of America版からの出典は、編者、出版地、出版社、出版年の情報を割愛する。

2 ジルベルト・フレイレ、鈴木茂訳『大邸宅と奴隷小屋（上・下）』日本経済評論社、二〇〇五年。

3 Jonathan Shay, *Achilles in Vietnam: Combat, Trauma and the Undoing of Character*, New York: Simon & Schuster, 1995.

4* *Sartoris*, New York, Random House, 1956, p. 19.〔斎藤忠利訳「サートリス」『フォークナー全集4』（冨山房、一九七八年）二八頁〕

5* "The Sound and the Fury" in *William Faulkner: Novels 1926-1929*, p. 1124.〔高橋正雄訳『響きと怒り』（講談社文芸文庫、一九九七年）五五八頁〕

6 斎藤正二責任編集『ラフカディオ・ハーン著作集14』（恒文社、一九八三年）所収。

フォークナーへの手引き

1* "Light in August", in *William Faulkner: Novels 1930-1935*, p. 756.〔須山静夫訳「八月の光」『フォークナー全集9』（冨山房、一九六八年）三六六頁〕

2 *Album William Faulkner*, iconographie choisie et commentée par Michel Mohrt, Paris : Gallimard, 1995, p. 117.　一九三八年にローワン・オーク邸の前で撮影された写真。

黒と白のうちで

1 *Sartoris, op.cit.*, p. 19.〔斎藤訳「サートリス」『フォークナー全集4』（前掲）二九頁〕

2* *Ibid.*, p. 11.〔同書、一九頁〕

3* *Ibid.*, p. 3.〔同書、一二頁〕

4 この箇所は「みな死んでしまった飛行士たち」ではなく、別の短篇「星までも《アド・アストラ》」が正しい。英語版では訂正されているが、ここでは原文のとおりとする。

5 “Ad Astra”, in *Collected Stories of William Faulkner*, Vintage Books, 1995, p. 419.〔林信行訳「星までも《アド・アストラ》」『フォークナー全集8』（冨山房、一九六八年）五八頁〕

6 “There Was a Queen”, in *Collected Stories of William Faulkner, op. cit.*, p. 738.〔高橋正雄訳「女王ありき」『エミリーに薔薇を』（福武文庫、一九九八年）一八一頁〕

7* “Go Down, Moses”, in *William Faulkner: Novels 1942-1954*, p. 16.〔大橋健三郎訳「昔あった話」『フォークナー全集16』（冨山房、一九七三年）二〇頁〕

8* *Ibid.*, p. 46.〔同書、六七頁〕

9* *Ibid.*, p. 55.〔同書、八一頁〕

10 Alain Desvergnes, *Yoknapatawpha, le pays de William Faulkner*, Paris : Éditions Marval, 1989.

11* “Intruder in the Dust”, in *William Faulkner: Novels 1942-1954*, p. 438.〔鈴木建三訳「墓地への侵入者」『フォークナー全集17』（冨山房、一九六九年）二四四頁〕

12* *Ibid.*, p. 402.〔同書、一八六頁〕

13* *Ibid.*, p. 397.〔同書、一七七頁〕

14* “The Mansion”, in *William Faulkner: Novels 1957-1962*, p. 599.〔高橋正雄訳「館」『フォークナー全集22』（冨山房、一九六七年）、二九八～二九九頁〕

15* “Intruder in the Dust”, in *William Faulkner: Novels 1942-1954*, p. 438.〔鈴木訳「墓地への侵入者」『フォークナー全集17』（前掲）二四四頁〕

16* "Go Down, Moses", in *William Faulkner: Novels 1942-1954*, pp. 124-125.〔大橋健三郎訳「昔の人たち」『フォークナー全集16』(前掲) 一八九頁〕

17* *Ibid.*, p. 122.〔同書、一八五頁〕

18* *Ibid.*, p. 142.〔大橋健三郎訳「熊」『フォークナー全集16』(前掲) 二一六頁〕

19 *Ibid.*, p. 154.〔同書、二三五頁〕

20* *Ibid.*, p. 125.〔同書、一八九頁〕

21* *Ibid.*, p. 126.〔同書、一九一頁〕

22* "Red Leaves", in *Collected Stories of William Faulkner*, New York: Vintage Books, 1995, p. 334.〔高橋訳「赤い葉」『エミリーに薔薇を』(前掲) 三八〜三九頁〕

23* *Ibid.*, p. 323.〔同書、二二頁〕

24* "Go Down, Moses", in *William Faulkner: Novels 1942-1954*, p. 124.〔大橋訳「昔の人たち」『フォークナー全集16』(前掲) 一八八〜一八九頁〕

25 Saint-John Perse, *Œuvres complètes*, Paris : Gallimard, « Bibliothèque de la Pléiade », 1982, p. 23.〔多田智満子訳『サン=ジョン・ペルス詩集』(思潮社、一九七五年)、二二頁〕

26* "Go Down, Moses", in *William Faulkner: Novels 1942-1954*, p. 91.〔大橋訳「火と暖炉」『フォークナー全集16』(前掲) 一三四頁〕

27 平川祐弘訳『カリブの女』(河出書房新社、一九九九年) 所収。

28 ポール・クローデルの以下の著作を暗示している。Paul Claudel, *L'œil écoute*, Paris : Gallimard, 1946.〔山崎庸一郎訳『眼は聴く』(みすず書房、一九九五年)〕

29* "Absalom, Absalom!", in *William Faulkner: Novels 1936-1940*, p. 29.〔高橋正雄訳『アブサロム、アブサロム!(上)』(講談社文芸文庫、一九九八年) 五四頁〕

30* "Go Down, Moses", in *William Faulkner: Novels 1942-1954*, p. 89.〔大橋訳「火と暖炉」『フォークナー全集16』(前掲) 一三二頁〕

31 Peter Brimelow, *Alien Nation: Commen Sense About America's Immigration Disaster*, New York: Random House, 1995.

32* "Go Down, Moses", in *William Faulkner: Novels 1942-1954*, p. 90.〔大橋訳「火と暖炉」『フォークナー全集16』（前掲）一三四頁〕

33* *Ibid.*, p. 28.〔同書、四一頁〕

34* *Ibid.*, p. 88.〔同書、一三〇頁〕

35* *Ibid.*, p. 89.〔同書、一三二頁〕

36* *Ibid.*.〔同書〕

37* *Ibid.*, p. 91.〔同書、一三五頁〕

38* *Ibid.*, p. 86.〔同書、一二七頁〕

39* *Ibid.*, p. 88.〔同書、一三〇頁〕

40* "Compson Appendix:1699-1945", in *William Faulkner: Novels 1926-1929*, p. 1139.〔高橋訳「つけたし」『響きと怒り』（前掲）五八三頁〕

41* *Sartoris, op.cit.*, p. 347.〔斎藤訳「サートリス」『フォークナー全集4』（前掲）四〇八頁〕

42 ユゴーは評論『ウィリアム・シェイクスピア』（一八六四）のなかでシェイクスピアに先行する天才詩人としてアイスキュロスに言及している。

43 一九五六年二月二十一日に応じた『サンデー・タイムズ』のラッセル・ハウによるインタビューでの発言。「もし私が合衆国を相手にミシシッピのために戦わなければならないときがきたら、たとえそれが街頭で黒人を射撃するようなことがあっても、戦うだろう」と発言した。藤平育子訳「黒人の指導者たちに宛てた手紙」『フォークナー全集27』（冨山房、一九九五年）に附された訳者解説参照。

44 "A Letter to the Leaders in the Negro Race", in *Essays, Speechs & Public Letters*, edited by James B. Meriweather, New York: Random House, 2004. 初出は『エボニー』誌一九五六年九月号。「もし私がニグロだったら」は初出時の表題で、後にフォークナーによって「黒人指導者たちへの手紙」と題される。

45 "Adress to the Southern Histrorical Association", in *Essays, Speechs & Public Letters, op.cit.*, p. 146.〔林文代訳「南部歴

史協会における演説」『フォークナー全集27』（前掲）一六四頁〕

46 "Letter to a Northern Editor", in *Essays, Speechs & Public Letters, op.cit.*. 初出時の表題は「北部への手紙」であり、後に「北部の編集者への手紙」と改められた。

47* *Selected Letters of William Faulkner*, edited by Joseph Blotter, Random House, 1977, p. 398.

48* Joseph Blotter, *Faulkner: A Biography*, vol.1, Random House, 1974, p. 584.

〈踏み跡〉

1* "Sartoris, variante", in *Œuvres romanesques*, vol.1, Paris : Gallimard, « Bibliothèque de la Pléiade », 1977, p. 1122.

2* "The Hamlet", in *William Faulkner: Novels 1936-1940*, p. 732.〔田中久男訳「村」『フォークナー全集15』（冨山房、一九八三年）四頁〕

3* *Ibid.*.〔同書〕

4* "Compson Appendix:1699-1945", in *William Faulkner: Novels 1926-1929*, p. 1128-1129.〔高橋訳「つけたし」『響きと怒り』（前掲）五六三～五六四頁〕

5* "Light in August", in *William Faulkner: Novels 1930-1935*, p. 401.〔須山静夫訳「八月の光」『フォークナー全集9』（冨山房、一九六八年）三頁〕

6* *Ibid.*, p. 774.〔同書、三八四頁〕

7* "Intruder in the Dust", in *William Faulkner: Novels 1942-1954*, p. 400.〔鈴木訳「墓地への侵入者」『フォークナー全集17』（前掲）一八二頁〕

8* *Ibid.*, p. 401.〔同書、一八五頁〕

9 アシモフの「ファウンデーション」シリーズは一九四二年から雑誌掲載が始まり、一九五一年に初版が刊行された。原著では「一九三〇年前後」となっているが、英語版の訂正に準じた。なお日本語訳は早川書房より文庫化されている。

10* *Sartoris, op.cit.*, p. 75.〔斎藤訳「サートリス」『フォークナー全集4』（前掲）九二頁〕

11* “Go Down, Moses”, in *William Faulkner: Novels 1942-1954*, p. 140.〔大橋訳「熊」『フォークナー全集16』（前掲）二一三頁〕

12* *Ibid.*, p. 5.〔大橋訳「昔あった話」『フォークナー全集16』（前掲）三頁〕

13* *Ibid.*, p. 127.〔大橋訳「昔の人たち」『フォークナー全集16』（前掲）一九三頁〕

14* *Ibid.*, p. 5.〔大橋訳「昔あった話」『フォークナー全集16』（前掲）三頁〕

15* *Ibid.*, p. 269.〔大橋訳「デルタの秋」『フォークナー全集16』（前掲）四一三〜四一四頁〕

16* *Ibid.*, p. 143.〔大橋訳「熊」『フォークナー全集16』（前掲）二一七頁〕

17* *Ibid.*, p. 142.〔同書、二一六頁〕

18* *Ibid.*, p. 130.〔大橋訳「昔の人たち」『フォークナー全集16』（前掲）一九七頁〕

19* *Ibid.*, p. 131.〔同書、一九八〜一九九頁〕

20* *Ibid.*, p. 134-135.〔同書、二〇三〜二〇四頁〕

21* *Ibid.*, p. 135.〔同書、二〇三〜二〇四頁〕

22* *Ibid.*, p. 146.〔大橋訳「熊」『フォークナー全集16』（前掲）二二二頁〕

23* *Ibid.*, p. 140.〔同書、二一三頁〕

24* *Sartoris*, *op.cit.*, p. 17.〔斎藤訳「サートリス」『フォークナー全集4』（前掲）二七頁〕

25* “Absalom, Absalom!”, in *William Faulkner: Novels 1936-1940*, p. 285.〔高橋正雄訳『アブサロム、アブサロム！（下）』（講談社文芸文庫、一九九八年）二〇四頁〕

26* “Go Down, Moses”, in *William Faulkner: Novels 1942-1954*, p. 195.〔大橋訳「熊」『フォークナー全集16』（前掲）二九五頁〕

27 “Compson Appendix:1699-1945”, in *William Faulkner: Novels 1926-1929*, p. 1137.〔高橋訳「つけたし」『響きと怒り』（前掲）五八〇頁〕

28* “Go Down, Moses”, in *William Faulkner: Novels 1942-1954*, p. 208.〔大橋訳「熊」『フォークナー全集16』（前掲）三一六頁〕 実際の出典は「火と暖炉」ではなく「熊」である。

29* "Go Down, Moses", in *William Faulkner: Novels 1942-1954*, p. 209.〔同書、三一八〜三一九頁〕実際の出典は「墓地への侵入者」ではなく「熊」である。註28と同様、この箇所の出典表記には「誤り」が記されている。二回続けて記しているのだから、これはほぼ意図的だと見てよいだろう。グリッサンは、フォークナーの愛読者がこの誤りを指摘してくれるのをひそかに待っているのではないか。そもそも、引用文後に記される作品名を出典と見なすこと自体が慣習的な思考方法であるとも言えないだろうか。グリッサンの好む「不確かさ」の一例である。

30 "Compson Appendix:1699-1945", in *William Faulkner: Novels 1926-1929*, p. 1139.〔高橋訳「つけたし」『響きと怒り』(前掲)五八五頁〕

31 "Red Leaves", in *Collected Stories of William Faulkner*, *op.cit.*, p. 317.〔高橋訳「赤い葉」『エミリーに薔薇を』(前掲)一二頁〕

32* *Ibid.*, pp. 317-318.〔同書、一三頁〕

33 Saint-John Perse, *Œuvres complètes*, *op.cit.*, p. 26〔多田智満子訳『サン=ジョン・ペルス詩集』(前掲)、三〇頁〕

34 *Sartoris*, *op.cit.*, p. 156.〔斎藤訳「サートリス」『フォークナー全集4』(前掲)二〇八頁〕

35 Saint-John Perse, *Œuvres complètes*, *op.cit.*, p. 30.〔多田智満子訳『サン=ジョン・ペルス詩集』(前掲)、三六頁〕

36 "Absalom, Absalom!", in *William Faulkner: Novels 1936-1940*, pp. 312-313.〔高橋訳『アブサロム、アブサロム!(下)』(前掲)二五八頁〕

37 *Ibid.*, p. 315.〔同書、二六二頁〕

38 *Ibid.*, p. 167.〔高橋訳『アブサロム、アブサロム!(上)』(前掲)三一三頁〕

39* "Intruder in the Dust", in *William Faulkner: Novels 1942-1954*, p. 398.〔鈴木訳「墓地への侵入者」『フォークナー全集17』(前掲)一八〇頁〕

40* "Go Down, Moses", in *William Faulkner: Novels 1942-1954*, p. 206.〔大橋訳「熊」『フォークナー全集16』(前掲)三一三頁〕

41 *Ibid.*, p. 266.〔同書、二七〇頁〕

42 "The Unvanquished", in *William Faulkner: Novels 1936-1940*, p. 492.〔斉藤光訳「美女桜の香り」『フォークナー全集13』(冨山房、一九七五年)二四八頁〕

43* *Ibid.*.〔同書〕

44* "Absalom, Absalom!", in *William Faulkner: Novels 1936-1940*, p. 243.〔高橋訳『アブサロム、アブサロム!(下)』(前掲)一一三〜一一四頁〕

現実、後れて来るもの

1* "The Hamlet", in *William Faulkner: Novels 1936-1940*, p. 733.〔田中訳「村」『フォークナー全集15』(前掲)五頁〕

2* *Ibid.*, p. 755.〔同書、二九頁〕

3* "Soldiers' Pay", in *William Faulkner: Novels 1926-1929*, p. 184.〔原川訳「兵士の報酬」『フォークナー全集2』(前掲)二六二頁〕

4* "Intruder in the Dust", in *William Faulkner: Novels 1942-1954*, p. 401.〔鈴木訳「墓地への侵入者」『フォークナー全集17』(前掲)一八五頁〕

5* "Soldiers' Pay", in *William Faulkner: Novels 1926-1929*, p. 256.〔原川訳「兵士の報酬」『フォークナー全集2』(前掲)三六九頁〕

6 Henri Grégoire, *De la littérature des Nègres, ou Recherches sur leurs facultés intellectuelles, leurs qualités morales et leur littérature*, Paris : Maradan, 1808.

7* "Intruder in the Dust", in *William Faulkner: Novels 1942-1954*, p. 398.〔鈴木訳「墓地への侵入者」『フォークナー全集17』(前掲)一七九頁〕

8* *Ibid.*.〔同書、一八〇頁〕

9 Aimé Césaire, « Cahier d'un retour au pays natal », in *La Poésie*, édition établie par Daniel Maximin et Gilles Carpentier, Éd. du Seuil, 1994, p. 23.〔砂野幸稔訳「帰郷ノート」『帰郷ノート/植民地主義論』(平凡社ライブラリー、二〇〇四年)四九〜五〇頁〕

10* "Go Down, Moses", in *William Faulkner: Novels 1942-1954*, p. 93.〔大橋訳「火と暖炉」『フォークナー全集16』（前掲）一三八頁〕

11* "Go Down, Moses", in *William Faulkner: Novels 1942-1954*, p. 209.〔大橋訳「熊」『フォークナー全集16』（前掲）三一九頁〕

12* "The Wild Palms (If I Forget Thee, Jerusalem)", in *William Faulkner: Novels 1936-1940*, p. 717.〔井上謙治訳「野生の棕櫚」『フォークナー全集14』（冨山房、一九六八年）三一三頁〕

13* *Ibid.*.〔同書〕

14* "Go Down, Moses", in *William Faulkner: Novels 1942-1954*, p. 244.〔大橋訳「熊」『フォークナー全集16』（前掲）三七三頁〕

15 *Ibid.*, p. 245.〔同書、三七四頁〕

16 "There was a Queen", in *Collected Stories of William Faulkner, op.cit.*, p.730.〔高橋正雄訳「女王ありき」『エミリーに薔薇を』（前掲）一六八頁〕

17 *Ibid.*, p. 736.〔同書、一七七頁〕

18 *Ibid.*, p. 730.〔同書、一六八頁〕

19 "Compson Appendix:1699-1945", in *William Faulkner: Novels 1926-1929*, p. 1135.〔高橋訳「つけたし」『響きと怒り』（前掲）五七六頁〕

20* "Red Leaves", in *Collected Stories of William Faulkner, op.cit.*, p. 326.〔高橋訳「赤い葉」『エミリーに薔薇を』（前掲）一二六頁〕

21* "Beyond", in *Collected Stories of William Faulkner, op.cit.*, p. 787.〔瀧川元男訳「彼方」『フォークナー全集10』（冨山房、一九七一年）一七九頁〕

22* "Elly", in *Collected Stories of William Faulkner, op.cit.*, p. 211.〔瀧川元男訳「エリー」『フォークナー全集10』（前掲）一二七頁〕

23* *Ibid.*, p. 217.〔同書、一三五頁〕

24* "Go Down, Moses", in *William Faulkner: Novels 1942-1954*, p. 266.〔大橋訳「デルタの秋」『フォークナー全集16』（前掲）四〇九〜四一〇頁〕

25* "There was a Queen", in *Collected Stories of William Faulkner, op.cit.*, p. 736.〔高橋正雄訳「女王ありき」『エミリーに薔薇を』（前掲）一一五〜一一六頁〕

26 "Light in August", in *William Faulkner: Novels 1930-1935*, p. 732.〔須山静夫訳「八月の光」『フォークナー全集9』（冨山房、一九六八年）三四〇頁〕

27* *Ibid.*.〔同書、三四〇〜三四一頁〕

28* "Absalom, Absalom!", in *William Faulkner: Novels 1936-1940*, p. 198.〔高橋訳『アブサロム、アブサロム！（下）』（前掲）四〇頁〕

29* "Light in August", in *William Faulkner: Novels 1930-1935*, p. 743.〔須山静夫訳「八月の光」『フォークナー全集9』（前掲）三五二頁〕

30* *Ibid.*, p. 764.〔同書、三七四頁〕

31* "Intruder in the Dust", in *William Faulkner: Novels 1942-1954*, p. 399.〔鈴木訳「墓地への侵入者」『フォークナー全集17』（前掲）一八二頁〕

32* "The Mansion", in *William Faulkner: Novels 1957-1962*, p. 331.〔高橋訳「館」『フォークナー全集22』（前掲）はしがき（頁数無）〕

33* "Absalom, Absalom!", in *William Faulkner: Novels 1936-1940*, p. 294.〔高橋訳『アブサロム、アブサロム！（下）』（前掲）一三三頁〕

34* *Ibid.*, p. 110.〔高橋訳『アブサロム、アブサロム！（上）』（前掲）一九八頁〕

35 "The Town", in *William Faulkner: Novels 1957-1962*, p. 169.〔速川浩訳「町」『フォークナー全集21』（冨山房、一九六九年）一五六頁〕

36* "The Mansion", in *William Faulkner: Novels 1957-1962*, p. 656.〔高橋訳「館」『フォークナー全集22』（前掲）、三六二頁〕

37* *Ibid.*, p. 661.〔同書、三六八頁〕

38* *Ibid.*, p. 672.〔同書、三八一頁〕

39 *Ibid.*, p. 654.〔同書、三六〇頁〕

40* *Ibid.*, p. 649.〔同書、三五五頁〕

41* "Mosquitos", in *William Faulkner: Novels 1926-1929*, p. 260. なお「蚊」を収録した『フォークナー全集3』では当該箇所は割愛されている。

42* "Go Down, Moses", in *William Faulkner: Novels 1942-1954*, p. 244.〔大橋訳「熊」『フォークナー全集16』（前掲）三七二頁〕

43* "The Mansion", in *William Faulkner: Novels 1957-1962*, p. 721.〔高橋訳「館」『フォークナー全集22』（前掲）、四三四頁〕

後れて来るもの、言葉

1* *Sartoris*, *op.cit.*, p. 102.〔斎藤訳「サートリス」『フォークナー全集4』（前掲）一二三〜一二四頁〕

2* "The Sound and the Fury" in *William Faulkner: Novels 1926-1929*, p. 929.〔高橋正雄訳『響きと怒り』（講談社文芸文庫、一九九七年）一二六頁〕

3* "Go Down, Moses", in *William Faulkner: Novels 1942-1954*, p. 130.〔大橋訳「熊」『フォークナー全集16』（前掲）一九七頁〕

4* *Ibid.*, p. 148.〔同書、二二五頁〕

5 "A Fable", in *William Faulkner: Novels 1942-1954*, p. 746.〔外山昇訳「寓話」『フォークナー全集20』（冨山房、一九九七年）一〇九頁〕

6* "The Sound and the Fury" in *William Faulkner: Novels 1926-1929*, p. 963.〔高橋正雄訳『響きと怒り』（講談社文芸文庫、一九九七年）二〇一〜二〇二頁〕

7 "Absalom, Absalom!", in *William Faulkner: Novels 1936-1940*, p. 191.〔高橋訳『アブサロム、アブサロム！（下）』

(前掲) 二八頁〕

8* "Compson Appendix:1699-1945", in *William Faulkner: Novels 1926-1929*, p. 1140.〔高橋訳「つけたし」『響きと怒り』(前掲) 五八六頁〕

9* "A Fable", in *William Faulkner: Novels 1942-1954*, p. 795.〔外山訳「寓話」『フォークナー全集20』(前掲) 一二六頁〕

10* "The Mansion", in *William Faulkner: Novels 1957-1962*, p. 436.〔高橋訳「館」『フォークナー全集22』(前掲)、一一四頁〕

11* "Absalom, Absalom!", in *William Faulkner: Novels 1936-1940*, p. 200.〔高橋訳『アブサロム、アブサロム!(下)』(前掲) 四四頁〕

12* "Mississippi", in *Essays, Speechs & Public Letters, op.cit.*, pp. 42-43.〔藤平育子訳「ミシシッピー」『フォークナー全集27』(前掲) 五二頁〕

13* "Mosquitos", in *William Faulkner: Novels 1926-1929*, p. 260.

14* "The Mansion", in *William Faulkner: Novels 1957-1962*, p. 711.〔高橋訳「館」『フォークナー全集22』(前掲)、四二三〜四二四頁〕

15 Aimé Césaire, « Poésie et connaissance », in *Tropiques*, no.12, repoduit in Tropiques, Paris : Jean-Michel Place, 1994.

〈境界〉、〈遠方〉、再び〈踏み跡〉

1* "The Town", in *William Faulkner: Novels 1957-1962*, p. 6.〔速川浩訳「町」『フォークナー全集21』(冨山房、一九六九年) 六頁〕

2 アンドレ・ブルトン「シャルル・フーリエへのオード」の一節。翻訳(菅野昭正訳)は『アンドレ・ブルトン集成4』(人文書院、一九七〇)に所収。星埜守之氏のご教示による。

3* "Intruder in the Dust", in *William Faulkner: Novels 1942-1954*, p. 396.〔鈴木訳「墓地への侵入者」『フォークナー全集17』(前掲) 一七七頁〕

4* "The Hamlet", in *William Faulkner: Novels 1936-1940*, p. 731.〔田中訳「村」『フォークナー全集15』（前掲）三頁〕

5* "The Mansion", in *William Faulkner: Novels 1957-1962*, p. 541.〔高橋訳「館」『フォークナー全集22』（前掲）、二三二頁〕

6* "Compson Appendix: 1699-1945", in *William Faulkner: Novels 1926-1929*, p. 1127.〔高橋訳「つけたし」『響きと怒り』（前掲）五五九～五六〇頁〕

7 "Absalom, Absalom!", in *William Faulkner: Novels 1936-1940*, p. 28.〔高橋訳『アブサロム、アブサロム！（上）』（前掲）五七頁〕

8* *Ibid.*, p. 31.〔同書、二一三頁〕

9* "Go Down, Moses", in *William Faulkner: Novels 1942-1954*, p. 140.〔大橋訳「熊」『フォークナー全集16』（前掲）二一三頁〕

10 *Ibid.*, p. 54.〔大橋訳「火と暖炉」『フォークナー全集16』（前掲）八〇頁〕

11* "Absalom, Absalom!", in *William Faulkner: Novels 1936-1940*, p. 72.〔高橋訳『アブサロム、アブサロム！（上）』（前掲）一一八頁〕

12* *Sartoris*, *op.cit.*, p. 366.〔斎藤訳「サートリス」『フォークナー全集4』（前掲）四三〇頁〕

13* "Go Down, Moses", in *William Faulkner: Novels 1942-1954*, p. 208.〔大橋訳「熊」『フォークナー全集16』（前掲）三一六頁〕

14* *Ibid.*, p. 205.〔同書、三一一頁〕

九八頁への補足

1 ハリエット・ジェイコブズ、小林憲二訳『ハリエット・ジェイコブズ自伝——女、奴隷、アメリカ』（明石書店、二〇〇一年）。

2 セオドア・ローゼンガーテン、上杉忍・上杉健志訳『アメリカ南部を生きる——ある黒人農民の世界』（彩流社、二〇〇六年）。

訳者解説

グリッサン、全 - 世界

I

エドゥアール・グリッサンは分類できない文学者である。「詩」も「小説」も「評論」も「戯曲」も書くが、そうした作品の多くは既成のジャンルには収まらない。

最初の著作『島々の野（*Un champs d'îles*）』（一九五三）は明らかに「詩集」である。続く『不安な大地（*La terre inquiète*）』（一九五五）も、初期の代表作の一つ『インド —— 一つの陸地ともう一つの陸地の詩（*Les Indes : poème de l'une et de l'autre terre*）』（一九五六）も「詩集」にちがいない。では『インド』と同年に出版された『意識の太陽』はどうだろうか。これは一般にフランス語で「試論（essai）」のジャンルに分類される。文章はたしかに散文体だがきわめて詩的であり、時折り詩も挿入されている。とすれば、やはりこれも詩的散文集という意味で「詩集」と言えないはずはない。ルノドー賞を受賞した出世作『レザルド川（*La Lézarde*）』（一九五八〔恒川邦夫訳、現代企画室、二〇〇三〕）には表紙に「小説」と明記されているだけでなく、作品も「小説」の形式を踏襲している。しかし、その散文のうちには「詩的なるもの」を感じ取らずにはいられない。作家自身がルノドー賞受賞当時のインタビューで「私は小説家ではなく詩人です」と述べていること、また晩年のグリッサンの共同声明文「高度必需品宣言（*Manifeste pour les produits des « Hautes Nécessités »*）」（二〇〇九〔中村隆之訳、『思想』二〇一〇年九月号〕）で「詩的なるもの」を擁護していることは、異なる文脈にあるものの、グリッサンの一貫した態度を示している。

それはつまり〈詩《ポエジー》〉を創作の源泉とする態度である。〈詩《ポエジー》〉は一片の詩と同義ではない。韻文と散文という区別を超えた、書くことに対するグリッサンの根源的認識なのである。だから様々な機会を捉えて「小説家」や「哲学者」などのレッテルを貼られても、自らを「詩人」であると生涯言い続けてきたのだ。

グリッサンにはジャンルの意識はほとんど存在しない。多くの場合、「試論」と分類される、「小説」とも「詩」とも区別がつかない彼の書き物は、様々な形式の混交物をなしている。『詩的意図（*L'intention poétique*）』（一九六九）の大部分はいわゆる文芸評論だが、冒頭に置かれるのはフィクションだ。博士論文である大著『カリブ海言説（*Le discours antillais*）』（一九八一〔インスクリプト近刊〕）もフィクションをふくんでいるだけでなく、この書物自体が複数の本からなるという異例の構成をとった、言わば反‐書物である。これら「試論」に属する書物の大半を、後年グリッサンが「詩学《ポエティック》」と命名したことは意義深い。「詩学」とはこの場合「詩の科学」の意ではなく、語の最初の意義である「制作《ポイエーシス》」を示している。新たな世界認識に向けた精神の営為が「詩学」シリーズの根幹にあるのだ。

II

『フォークナー、ミシシッピ』は、その題名にあるように、グリッサンによるウィリアム・フォークナー論と一応言うことができる。しかし、すでに予想がつくとおり、一般に想像される「評論」とは趣が異なる。たとえば、本書の冒頭は、これから始まる物語の核心を暗示するような一種謎めいた書き方であるため、読者はおそらく詩人の書いていることを文字通り「理解」することは難しい。注意深く論理的に読もうとすれば、最初の一文でつまずくこともありえる。冒頭に登場する「彼女」とは誰か。読み進めれば、「彼女」は語り手の話し相手であることに気づくが、その正体は最後まで明かされない。それは詩人の内面世界に住む女性かもしれないし、現実の伴侶かもしれない。場合によればそのどちらでもありうるし、その反対でもあるだろう。

読者はこうした書き出しに翻弄されるかもしれない。しかし、頁を繰るにつれて、じつはこのような書き方が、詩人が考えるフォークナーの文学世界の表現に照応するものであることを感得するのではないだろうか。「彼女」の不透明性をふくめた冒頭の曖昧模糊とした感触は、グリッサンがフォークナー世界を読み解く鍵として示す、「後れて来る啓示」や「不確かさ」といった概念と結びついている。

本書はフォークナー論として読むことができるし、基本的にはそのように書かれている。しかし、本書のうちに研究書の厳密さや研究上の成果を求めようとすれば、その期待はおのずと裏切られる。著者の関心はそこにない。グリッサンが本書をつうじて示すのは、あくまで彼の視点が捉えたフォークナーだ。より正確には、〈全‐世界《トゥ＝モンド》〉のヴィジョンにおいて捉えられたフォークナーなのだ。この点に気を留めずに読むと、本書の魅力はたちまち色あせることになる。

たとえば、英語圏カリブ海作家キャリル・フィリップスの本書への書評は、グリッサンの〈全‐世界〉のヴィジョンを把握しそこなった例だ（『新しい世界のかたち』上野直子訳、明石書店、二〇〇七年所収の論考を参照）。フィリップスは本書からただ一方向の論理を抽出して読もうとした。「評論」として読む試みは最初から「誤読」を運命づけられている。フィリップスはこの作品をフォークナー論の失敗作のように見なし、その原因をグリッサンの思考方法や書き方に求めた。グリッサンの蛇行する語りやその「連想的」な思考スタイルが肌に合わなかったようでもあるが、カリブ海の英語文学の旗手として注目されて止まないこの作家が『フォークナー、ミシシッピ』と出会いそこねたのは残念でならない。

キャリル・フィリップスが読んだ英語版の翻訳にも若干の問題があるかもしれない。とりわけ英語版で行なわれた原書の一部のカットは、グリッサンの作品の印象を変えてしまうほどの大胆な操作だった。そこには明快さ、分かりやすさを求める英語圏の翻訳文化や出版事情も関係しているのだろう。だが英語版における操作は、本書をフォークナー論としてのみ読むように仕向けてしまい、グリッサンの叙述を意味や記号へ還元してしまう危うさを孕んでいる。その結果、グリッサンの語りは、フォークナー論という「理解」の枠組みのなかで、「理解しがたいもの」や「不要なもの」と判断されるのではないだろうか。だとすれば、そのような読み方は『フォークナー、ミシシッピ』の精神とあまりにかけ離れていると言わねばならない。

Ⅲ

グリッサンの〈全‐世界〉のヴィジョンとは何か。これについて答えるには、グリッサンの文学的・思想的歩みを辿り直す必要があるにちがいないし、おそらく一冊の本を必要とするだろう。本書のエピグラフに掲げられた「注釈への贅言は無秩序にカオスを重ねるに似て」という文は本書全体のみならずこの解説にも当てはまるのであり、本論で提示するのは〈全‐世界〉についての断片的な解釈にすぎない。

〈全‐世界〉は、グリッサンが長い営為の末に辿り着いた世界に対する認識や見方である、とひとまず言える。

第一に、このヴィジョンは、世界が今や一体化しているという認識を示している。〈世界の一体化〉からすぐさま思い浮かべるのは、グローバル化だろう。グリッサンの生まれたカリブ海地域は、ヨーロッパ資本主義経済の発展のために奴隷制が布かれた地であることを思い起こしたい。ヨーロッパが「発見」した「新大陸」には砂糖やコーヒーや綿花の栽培のためにアフリカから多くの人々が強制的に連行されてきた。「新大陸」の「発見」は〈世界の一体化〉の最初の契機であり、カリブ海地域は数世紀前からグローバル化と今日呼ばれる現象を被ってきたとさえ言える。しかし、〈全‐世界〉はグローバル化を追認する認識ではない。資本主義の全地球規模の拡大、価値観の世界的画一化と共に語られるグローバル化に対して、グリッサンはむしろクレオール化の認識を提示する。この概念は、〈世界の一体化〉の過程で生じる、異なるもの同士の接触とその混淆を表している、と言うことができる。

クレオール化とは、混淆であり雑種化である。カリブ海の人々はクレオール化の過程を歴史的に経験してきた。アフリカから引き離された人々を中心に、歴史と文化的背景の異なる様々な人々の集うカリブ海の地では、クレオール化はそもそも避けがたい。しかし、「新大陸」にはクレオール化を忌み嫌ってきた人々もいる。

本書で印象的に描かれる成り上がり者トマス・サトペンの血統へのこだわりと混血の忌避は、クレオール化への抵抗である。サトペンの白人純血主義は、おそらくプランテーション文化圏の白人支配層に全般的に見られる傾向だ。少なくともグリッサンの故郷マルティニック島のベケ（本書用語解説参照）は、入植以来の特権的支配層としてその血統をながらく保持しようとしてきた。

しかし、グリッサンの認識では、このような抵抗は長く続かない。混血はクレオール化の可視的な徴である。とはいえ、すべての人間がいずれ混血すると彼は言いたいのではない。そうではなく、〈世界の一体化〉の過程で、人が他者との接触を余儀なくされるとき、自らのアイデンティティや共同体を頑なに守ろうとしても、それを維持するのは困難だということだ。それゆえ、人はおのずと他者へ自分を開かなければならなくなる。これがクレオール化の地であるカリブ海地域の歴史的経験であり、今日の世界で今まさに起きていることだ。他者の不透明性（他者性）を尊重し、多様性を肯定し、自らの変容を恐れないこと。「私は、〈他者〉との交流をとおして、自分を失わず、自分を歪めず、変化できる」（『ラマンタンの入江（*La cohée du Lamentin*）』）。これが〈全－世界〉の倫理である。〈全－世界〉は、グローバル化という画一化現象に抗する〈世界の一体化〉の構想であるのだ。

第二に、〈全-世界〉には〈世界中のすべての人々〉というイメージが潜んでいる。フランス語のtout le monde、クレオール語のtout mounにあたる「皆」である。当たり前だが、世界は広大だ。私たちはけっしてすべての陸地を踏破することも、すべての海を航海することもできない。しかし、私たちは、地球には七つの大陸が、無数の群島があり、多様な言語文化を背景に様々な共同体がそれぞれの地で生活していることを知っている。〈全-世界〉を支えるのは、私たちがそうした世界中の人々の一人であり、無数の「私」、無数の「私たち」の形なき集合体であると想像する力である。だから「皆」としての〈全-世界〉は誰も排除することはないし、このヴィジョンのなかでは特権的な「私」や、特権的な「私たち」はいない。たとえば、〈世界の一体化〉を植民地化をとおして行なった西洋は、自らの文明の価値観に基づいた世界把握によって自分たちが他の民族よりもすぐれているとながらく考えてきたが、そうした価値観は〈全-世界〉のヴィジョンでは崩壊せざるをえない。

別言すれば、〈全-世界〉とは、無数の「私」、無数の「私たち」によって形作られるヴィジョンでもあるということだ。この展望は、〈全-世界〉を構想したグリッサンその人さえも、けっして見とおすことができない。グリッサンの文学的営みの最後に辿り着いたこの〈全-世界〉は、一人の詩人、一人の作家の企図を遥かに超えた、誰もその総体を知ることができない宇宙的ヴィジョンである。彼が、不透明性や不確かなものを受け入れ、世界のカオス（その無秩序と矛盾）を肯定するのはこのためだ。〈全-世界〉は「皆」で分かち合われる。無数の「私」、無数の「私たち」が見ている世界の断片が〈全-世界〉のヴィジョンを構成している。だがその断片をいくら積み上げてもけっして一つの輪郭を、一つの総体を得ることはできない。けっして完結することのない、終わりなきヴィジョンなのだ。

グリッサンは晩年「〈全-世界〉氏《ムッシュー・トゥモンド》（Monsieur Tout-monde）」と紹介された。フランス語の「普通の人《ムッシュー・トゥルモンド》（Monsieur Tout-le-Monde）」にかけたこの表現は、〈全-世界〉のイメージの一端を見事に表していると私には思える。

本書をフォークナー論として読むとき、読者にひそかに求められるのは、このようなグリッサンの感性と想像力を分かちもつことである。

Ⅳ

グリッサンは若い頃に文芸誌で「文芸評論」（書評や作品論）を多数書いてきた。しかし、グリッサンが一人の作家、一個の作品世界を主題とした書物を刊行するのは、じつは本書が最初で最後である。もちろん彼はフォークナーから多大な影響を受けてきたし、これ以前にも、フォークナーをめぐる論考を残している。その意味でグリッサンが六十歳代後半という、人生の終わりに向かう旅路において、彼が若い頃から熱心に読んできた作家について何かを書き残しておきたいと思ったということは十分ありうることだ。だがそれだけでは、フランス近現代の詩人から中南米の作家に至るまで、「評論」の対象に事欠かなかったはずのグリッサンが、フォークナーについて一冊の本を残す決定的な理由にはならないように思える。

なぜフォークナーか。この問いによって、本書のもう一つの読みが開かれる。それはアメリカ合衆国論ないし両大陸およびカリブ海をふくめたアメリカス論としての『フォークナー、ミシシッピ』である。最初の章「ローワン・オークに向かってさまよう」を読むと、グリッサンがアメリカ合衆国の南部にある時期逗留していたことが分かる。一九八九年、彼はルイジアナ州バトンルージュにあるルイジアナ州立大学に特別招聘教授として招かれた。第一章のローワン・オーク（フォークナー邸）への旅はこの時期の体験に基づいていると見て間違いない。「アメリカ」を「私たちにとって、闇と神秘に包まれた広大な国だった」（本書一四頁）と述べているように、この滞在は、詩人の実人生において最初の「アメリカ」滞在であった。本書には「アメリカ」についての印象や考察が散見される。しかし、アメリカ合衆国論以上に重要に思えるのは、アメリカス（カリブ海地域をふくめたアメリカ両大陸）の視点で合衆国南部を捉えていることだ。グリッサンは本書以前からアメリカの複数性とその共通性について語ってきたが、ローワン・オークへの旅をとおして、アメリカの深南部もまた、カリブ海地域と同じプランテーション文化圏に属することを再発見した。「ジルベルト・フレイレの著作の表題『大邸宅《カザグランデ》と奴隷小屋《センザーラ》』はあいかわらずここでも当てはまり、大邸宅と奴隷小屋、主人と奴隷というプランテーションの構造は、ブラジル北東部からカリブ海を経由して合衆国南部に至るまでどこまでも同じだ」（本書二〇頁）と述べているように、この旅は、フォークナーがアメリカスの作家でありプランテーション文化圏の作家であることを改めて確認する体験となったにちがいない。

グリッサンに少なからぬ影響を与えたアメリカスの作家という点で、冒頭で言及されるグアドループ生まれの詩人サン゠ジョン・ペルスもその一人である。しかし、グリッサンの考えでは、二人には決定的なちがいがある。サン゠ジョン・ペルスは幼年期をグアドループで過ごした後、フランスに渡航して以後フランスの外交官として各地を遍歴したが、生地に戻ることはなかった。生地を追憶の王国として讃えた詩集でカリブ海の自然を見事にうたったが、カリブ海の歴史を探究することはなかった。普遍を目ざしたこの詩人に対して、フォークナーはミシシッピ州にこだわり、この土地の歴史を引き受けようとした。

V

グリッサンの見るフォークナー文学における根源的な問いとは、南北戦争後の南部白人の共同体の正統性をいかに回復するかということだ。正統性の回復は南北戦争後の没落する旧家に生まれたフォークナー本人の希求であり、ヨクナパトーファの悲劇的物語群とそれを構成する文学的技法はこの問いをめぐって展開される。しかし南部共同体の正統性は輝かしき「南北戦争以前《アンテ・ベラム》」の時代を懐かしみつつ、南軍の敗北の武勲詩をうたうことではけっして回復されない。なぜなら「呪い」や「劫罰」としか名づけられない何かが南部の土地を支配しているからであり、この何かが南部の名門家系を決定的に崩壊させるのである。したがって南部共同体の正統性をいかに回復するかという問いは、結局この「呪い」や「劫罰」の正体をいかに見抜くかという問いへ帰着する。この問いを掘り下げるためにフォークナーは南部共同体の成立の起源にまで遡り、その成立のうちにヨーロッパ人入植者が行なってきた土地と奴隷の所有という二重の非正統性を認めるのだ。

グリッサンによれば、南部共同体の正統性をめぐるフォークナーの問いは、またギリシャ悲劇にも共通する文学技法を生み出している。悲劇の結末に破局が訪れるように、フォークナー文学を特徴づけるのは、物語の展開をつうじて破局の正体（不確かな真実）が明かされるという構造である。グリッサンはこれを「後れて来るもの」と名づけ、『アブサロム、アブサロム！』のように悲劇的な要素が露呈される小説群のうちにこの技法的特徴を認める。しかし、「後れて来るもの」は、結局のところいかなる解決にも至らない南部の「劫罰」である以上、ギリシャ悲劇の破局のように観衆にカタルシスをもたらすことはない。別言すれば、共同体の秩序が崩壊に晒されるとき、要請されるのは英雄の犠牲である。この犠牲をとおして共同体は最終的な崩壊を免れる。これがグリッサンの呼ぶところの「崩壊の解決」（résolution du dissolu）であるが、フォークナー作品にあってはこの崩壊はけっして食いとめられない。

それゆえヨクナパトーファ・サーガの物語世界とは叙事詩的世界の不可能性の謂だ。だがグリッサンは必ずしもこの悲劇をフォークナーと共有しているわけではない。むしろ彼の関心は、南部共同体の正統性を築けないというその不可能性が何を意味するのかという点、すなわちフォークナーが南部社会の崩壊のうちに何を見たのかという点にある。

フォークナー作品において白人男性の血統によって保証される正統性は二つの血の混交、すなわち近親相姦と人種間の混血によって脅かされる。とりわけ黒人の血が混じることはフォークナー作品においては容認されない混交の事例である。しかし、たとえ作家当人が混血を忌み嫌っていたにしても、人種間の混血はジェファソンの白人家系を崩壊させる要因として作品のなかで避けがたく描かれている。グリッサンはプランテーション文化を背景にもつヨクナパトーファ郡の複雑な現実を描き出そうとするフォークナーの別種の意図を、この点に読み取る。その意図は、正統性を回復するための叙事詩的企図の不可能性と相関しているが、これを超えてゆく登場人物の増殖や家系の拡大をヨクナパトーファの物語世界にもたらすことになる。

つまり、その物語世界で進行するのはクレオール化である。グリッサンはフォークナーの作品群のうちにカリブ海地域が経験してきた歴史を読み取った。フォークナー作品における「崩壊」は言わば放埒、放縦なものとして家系に混血や近親相姦といった正統性の壊乱をもたらしながら閉域としての境界を踏み越えて遠方へと拡張する力である。つまりクレオール化だ。これがフォークナー論としての本書のおそらく最大の独創だろう。本書はその意味で後期グリッサンの詩学〈全ー世界〉を背景に、アメリカスの時空間のうちにフォークナーを位置づけるという読解の試みであると言える。そしてこの視座から着想を得たヴァレリー・ロワショの『孤児の語り』（Valérie Loichot, *Orphan Narratives: The Postplantation Literature of Faulkner, Glissant, Morrison, and Saint-John Perse*, University of Virginia Press, 2007）では「ポストプランテーション文学」という新たな文学ジャンルが提唱されている。これは奴隷制廃止後のプランテーション世界、すなわち「多くの場合は奴隷制と結びついたプランテーション経済が生み出した歴史的、地理的、文化的システム」によって構成された世界であり、具体的にはアメリカスを指している。

現在、アメリカスの文学は分断されている。言語の境界は、言語圏を超えた作家たちの出会いを禁じ、作家たちのあいだに引かれた性差、人種、階級といった境界もまた乗り越えがたいように見える。しかし、「ポストプランテーション文学」は、プランテーションという物質的基盤を共有する地域としてアメリカスを規定する。このような視角で捉えるとき、言語や性差や人種や階級といった境界を超えて、この地域の文学を広く論じることができるのではないだろうか。私たちにとって、アメリカスの文学はいまだ潜在態なのである。

VI

だが、本書の拡がりはそれだけでない。よく知られるように、フォークナーは二〇世紀の世界各地の作家に対してじつに広範な影響を及ぼしてきた。本書の最終章でもフォークナーの詩学を引き継ぐ「親族」として、ガブリエル・ガルシア＝マルケスやトニ・モリスンをはじめとする何人かの作家が挙げられている。これらの作家はアメリカスに属するが、「親族」はそればかりでない。

フォークナーからの影響を公言する中上健次が興味深い視点を提供してくれる。中上は、フォークナーに影響を受けた有力な作家たちの多くが、アジア、アフリカ、ラテンアメリカの作家に集中していると指摘しながら、〈南〉というイメージを提示した（『時代が終わり、時代が始まる』福武書店、一九八八）。この場合の〈南〉とは、もちろん地理的な方位も指しているが、それだけでなく、血縁や共同体や異族の交流といったことがおのずと主題となるような、そうした抽象的トポスでもある。グリッサンのように、歴史的・文化的・地理的な近親性を感じとれるアメリカスの作家とはちがい、中上はアジアの作家としてフォークナーを受け止め、フォークナーの「親族」の関係性を〈南〉への想像力において捉えようとした。

中上の示す視点は、「ポストプランテーション文学」の地理的範囲を全世界にまで拡大する可能性を秘めている。〈南〉の作家の描く作品は土地や場所と密接に結びついているのが特徴的だ。フォークナーのミシシッピ州、中上の紀州、グリッサンのマルティニックがそれである。グリッサンは、熱帯の島マルティニックを舞台とする連作を書き続け、マルティニック・サーガとでも呼びうるような物語の宇宙を形成した。『レザルド川』はその起点であり、サーガは第二作『第四世紀（*Le Quatrième siècle*）』（一九六四〔インスクリプト近刊〕）以降で本格的に展開し、『マルモール（*Malemort*）』（一九七五）で転回し、『奴隷頭の小屋（*La case du commandeur*）』（一九八一）、『マアゴニー（*Mahagony*）』（一九八七）へと続く。

しかし、〈南〉の視点は、共同体だけでなく異族との交流が問題となる以上、すなわちクレオール化の契機が潜在的にふくまれている以上、ある土地へ閉じることでは終わらず、世界へと否応なく開かれてゆく。中上の言葉を引き続き借りれば、「繁茂する南」がフォークナー的作家の世界にはある。中上作品が路地から出発し、路地を焼き払い、外部へアジアへと開かれていったように（天皇制の問題はひとまず措く）、グリッサンの物語もまた一個の島を突き抜け、アメリカスへ世界へ向かった。四十六歳という若さで亡くなった中上に対して、グリッサンは八十二年の生涯をとおして、自らの詩学の果てを遠望することができた。それが〈全−世界〉のヴィジョンだった。

VII

グリッサンにはその名も『全−世界（*Tout-Monde*）』（一九九三）と題された長篇作品がある。

〈全-世界〉のヴィジョンのもとに書かれたこの「小説」は、マルティニック・サーガを世界全体まで拡張する（『マアゴニー』にすでに〈全-世界〉は書き込まれていた）。サーガにおなじみの登場人物は、入り雑じる過去と現在において、マルティニック、イタリア、フランス、アフリカなど、世界を彷徨する。その世界遍歴は作者の道程と重なるところが多い。『全-世界』にはこれまで以上に多くの人物が登場するが、その大半は、じつはグリッサンの友人・知人であったりする。一方で作品世界のなかで生きる人物（ミセア、マチュー、タエル等）がおり、他方で作家と交流のあった実在の人物（グリッサンの家族や本書で言及される詩人の友人等）がいる。つまり、グリッサンの実人生の道程と創作の行程が〈全-世界〉において合流する。これは、たんに小説（フィクション）のなかに自伝的要素（事実）を交えたということではない。〈全-世界〉のヴィジョンでは、「事実」と「フィクション」の境界はもはや自明ではないからだ。事実とフィクション、過去と現在は交錯し、侵食しあい、渦巻くのだ。すべての区分、境界が曖昧となり、秩序が解体されるこのようなイメージをグリッサンは「カオス」という語で捉える。それを世界にまで拡張して捉えたとき、「混沌-世界《カオ＝モンド》」というヴィジョンが生じる。

本書には「世界」にまつわる造語が頻出する。それは今述べた「混沌-世界《カオ＝モンド》」のように、〈全-世界〉のヴィジョンの一部を展開したものだ。たとえば、何度も繰り返される「全体-世界《トタリテ＝モンド》」は、一体化した世界のイメージが強調された用語だとひとまず捉えられよう。「共同体-世界《コミュノテ＝モンド》」は世界全体を一個の共同体とする見方だ。最後の章で用いられる「世界-境界《モンド＝フロンティエール》」は、世界が国境によって分割されているということでも、すべての世界（人々）が境界を介して別のもの、他のものに接している、そうした開かれであるという認識でもある。ほかにもまだたくさんあるが、グリッサンはこのような合成語をつうじて、〈全‐世界〉のヴィジョンを変奏しているのだと考えられる。

こうした合成語はしばしばグリッサン思想を表す哲学概念のように見なされることがあるが、そう捉えるのはおそらくあまり有効でない。分析し、分類し、定義するという思考方法は、ひとつの「理解」パターンにすぎない。しかしそうした論理的思考が学問ではあいかわらず要請される以上、グリッサンの思想はそのように「理解」され、一義的な意味に「回収」されてしまう。だが、繰り返し述べてきたとおり、〈全‐世界〉は何よりもヴィジョンだ。「混沌‐世界《カオ＝モンド》」も「全体‐世界《トタリテ＝モンド》」も同様である。重要であるのは、その意味について考察することよりも、その見方や発想をまずは共有することだ。グリッサンの詩人としての自己言明は、グリッサンの詩学を構成する、これらの語のアプローチに当然かかわってくる。

IX

最後にもう一つ、グリッサンを捉えるキーワードに触れておこう。それは語り部である。本書には反復や逸脱が多く、語りは線条的ではなく円環的あるいは螺旋的に展開する。「後れて来るもの」、「言葉」の章で提示されるフォークナー作品における口承的手法（積み重ね、列挙、反復、循環）は、グリッサンの叙述にもほぼそのまま当てはまるだろう。グリッサンは〈全‐世界〉の語り部として語るように書く。書物は始まりと終わりをもつが、グリッサンの語り自体は、書物の物理的限定を超えて、これまでに言ったこと、書いたことへ結びつき、見えない織物を無限に紡いでゆく。フォークナー論と一見関係のない逸脱や非論理的展開は、この見えない織物の多様な編み目でもあるのだ。それゆえ私たちは『〈関係〉の詩学（*Poétique de la Relation*）』（一九九〇。管啓次郎訳、インスクリプト、二〇〇〇）、『全-世界論（*Traité du Tout-monde*）』（一九九七。恒川邦夫訳、みすず書房、二〇〇〇）、『多様なるものの詩学序説（*Introduction à une Poétique du Divers*）』（一九九六。小野正嗣訳、以文社、二〇〇七）といったグリッサンの著作のうちに本書の反響を聞き取るだろう。

　語り部の言葉は増殖的だ。ある言葉がまた別の言葉を呼び込み、その呼び込まれた言葉がさらなる言葉へ反応することで、連鎖的に増えるのだ。合成語にもその要素があり、最後の章に見られる「土地-境界《ペイ=フロンティエール》」や「場所-境界《リュー=フロンティエール》」は、「世界-境界《モンド=フロンティエール》」を別様に言い直したものであり、言葉遊びに近いように感じられる。これらの語をあまり観念的に捉えるべきではないだろう。

　グリッサンの言葉は、様々な変異をふくみながら、こうして多様に繁茂する。〈全-世界〉の語り部は、本書のあとも、『世界の新しい土地（*Une nouvelle région du monde*）』（二〇〇六）や『〈関係〉の哲学（*Philosophie de la Relation*）』（二〇〇九）といった著作を生み出しながら、かつて言ったこと、書いたことをその渦巻くヴィジョンのなかで述べ直し、来るべき世界に向けた言葉を語り続けた。尽き果てることを知らない〈全-世界〉の言葉は、ますます読者を求めている。

訳者あとがき

本書は、Édouard Glissant, *Faulkner, Mississippi*, Éditions Stock, 1996の全訳である。原著は一九九六年にパリのストック社から刊行され、一九九八年よりガリマール社のフォリオ文庫の評論シリーズの一冊に収められている。本書はストック社版を定本にすると共に、英語版 *Faulkner, Mississippi*, translated by Barbara Lewis and Thomas C. Spear, Farrar, Straus and Giroux, 1999も適宜参考にした。

フォークナーの著作からの引用は、原則的にライブラリー・オブ・アメリカ版から行なった（詳しくは凡例および註を参照）。翻訳に際しては『フォークナー全集』（冨山房、全二七巻）をはじめとした訳書を参照し、既訳をほぼそのまま使用させていただいたところもあれば、新たに訳出した箇所もある。また、フォークナー世界の深い森へ分け入るにあたって、日本ウィリアム・フォークナー協会編『フォークナー事典』（松柏社、二〇〇八年）が心強い導き手になった。本書の訳は日本におけるフォークナー研究を担ってこられた翻訳者および研究者の方々の業績に負うところが大きい。

本書の翻訳企画の話をインスクリプトの丸山哲郎氏からいただいたのは、二〇〇六年、訳者がエドゥアール・グリッサンについての博士論文を提出した直後のことである。グリッサンの翻訳に携わることは、訳者にとって望外の喜びだった。しかし、難解という定評のあるその文章にくわえて、フォークナーという途方もない作家を論じた本書を訳すことは、訳者の身に余る仕事であるとも予感していた。案の定、翻訳作業は難航し、遅々として進まなかったものの、長い年月をかけてこうして形になったのは、様々な折に手を差し伸べてくれた恩師・友人のおかげである。お名前を挙げるのは差し控えるが、ここに感謝の気持ちを記したい。

本書はグリッサンによるフォークナー論という位置づけを超えて、読み手の関心に応じて無数の読み方へと開かれている。たとえば、主に「〈踏み跡〉」で描かれる、花々とその香りは本書の見えない底流をなしている。フォークナーの風景においてメランコリーの力を発する葵《モーヴ》の芳香、「マグノリアの花の冷たい香り」、グリッサンがいつでも再現できたヴズの陽気で甘やかな香り、ドルーシラの部屋の枕に置かれた一枚の美女桜の香気、「感じるかしら?……ジャスミンよ」、スイカズラ、藤の花、チェロキー・ローズ……。ほかにも数多くの花々が登場する。

二〇一〇年一月のことである。当時マルティニック島に滞在していた私を、グリッサンは南の街ディアマンの外れにある家に迎えてくれた。カリブ海を臨むその家は、本書に描かれるような大邸宅でも奴隷小屋でもなく、この島の平均的な住居のように、広々したヴェランダをもつクレオール風の家だった。ヴェランダからはココヤシの海岸と水平線が見え、打ち寄せる波の音が静かに聞こえる。庭には旅人木が植えられていた。詩人はヴェランダに私を招き、ゆったりとした椅子を勧め、自分は小さな肘掛け椅子に腰掛けた。身長一メートル九十センチ、体重百キロほどに見えるその大柄な体軀が窮屈そうにその小さな肘掛け椅子に座っている様子は、遠方からの客に対する歓待の精神以外の何ものでもなかった。私はそのヴェランダで、本書における花々の風景に思いを馳せながら、小さな質問をした。「マルティニックを花に喩えるなら何でしょう。たとえば、セゼールであればバリジエの花（その色と形から燃えさかる剣に見える花）を自分の政党の象徴に選びましたが」。老齢の詩人は私の言葉に耳を澄ませながら、ゆっくりとこう答えてくれた。「マルティニックを一つの花に喩えることはできない。私にはマルティニックは無数の、繁茂する、様々な花だ」。

二〇〇九年から二〇一二年にかけて訳者が長期の海外滞在に出かけたことから作業が滞り、結果的に、本書刊行が予定よりも大幅に遅れてしまった。またこの間にグリッサンが他界したため（二〇一一年二月三日、享年八二歳）、本書を著者に直接手渡すことが叶わなくなってしまった。しかし、この作家の場合、当人の死によって作品の存在感は弱まるどころか、ますます強まるようだ。今はエドゥアール・グリッサンのこの著作が一人でも多くの読者に出会うことを心から祈りたい。

二〇一二年七月　訳者記

【著者】

Édouard Glissant（エドゥアール・グリッサン）

1928年マルティニック島生まれ．詩人，小説家，評論家，思想家．現代カリブ海文学の第一人者にしてフランス領カリブ海発「クレオール」思想の代表的論客として注目を浴びる．本書において、後期グリッサンの詩学思想〈全－世界〉を背景に，アメリカスの時空間のうちにフォークナーを位置づける壮大かつ重厚な読解を試みた．2011年，パリにて没．

主な著作に，*Soleil de la conscience*（1955），*Les Indes*（1956），*La Lézarde*（1958）（『レザルド川』恒川邦夫訳，現代企画室），*Le sel noir*（1960），*Le Quatrième siècle*（インスクリプト近刊），*Malemort*（1975），*Le discours antillais*（1981）（インスクリプト近刊），*La case du commandeur*（1981），*Poétique de la Relation*（1990）（『〈関係〉の詩学』管啓次郎訳，インスクリプト），*Tout-Monde*（1993），*Traité du Tout-Monde*（1997）（『全－世界論』恒川邦夫訳，みすず書房），*Introduction à une Poétique du Divers*（『多様なるものの詩学序説』（小野正嗣訳，以文社），*Faulkner, Mississippi*（1996）（本書），*Cohée du Lamantin*（2002），*La terre, le feu, l'eau et les vents : une anthologie de la poésie du Tout-Monde*（2010）ほか．

【訳者】

中村隆之（Nakamura, Takayuki）

1975年東京生まれ．フランス語圏文学研究（主にカリブ海地域文学）．東京外国語大学大学院博士後期課程修了．マルティニック島およびフランス本土（パリ）での研究滞在を経て，現在，明治学院大学非常勤講師．

著書に『フランス語圏カリブ海文学小史』（風響社），訳書にエメ・セゼール『ニグロとして生きる』（共訳，法政大学出版局）がある．

フォークナー、ミシシッピ

エドゥアール・グリッサン

訳　中村隆之

2012年8月15日　初版第1刷発行

発行者　丸山哲郎
装　幀　間村俊一
写　真　港　千尋

発行所　株式会社インスクリプト
〒101-0051 東京都千代田区神田神保町1-40
tel: 03-5217-4686　fax: 03-5217-4715
info@inscript.co.jp
http://www.inscript.co.jp

印刷・製本　株式会社厚徳社
ISBN978-4-900997-34-9
Printed in Japan

エドゥアール・グリッサン――インスクリプトの刊行書籍

〈関係〉の詩学

エドゥアール・グリッサン／管啓次郎訳

炸裂するカオスの中に〈関係〉の網状組織を見抜き、あらゆる支配と根づきの暴力を否定する圧倒的な批評。グリッサンの詩学＝世界把握の基底を示す必読書。

四六判上製288頁　ISBN4-900997-03-X

定価:本体3,700円＋税

［以下、近刊］

第四世紀

エドゥアール・グリッサン／管啓次郎訳

『レザルド川』に続く長篇小説第二作。マルティニック・サーガの核心部をなす、待望の翻訳！

カリブ海言説（仮題）

エドゥアール・グリッサン／

星埜守之、塚本昌則、中村隆之訳

80年代グリッサンの可能性を示す未曾有の大著。混沌のなかから乱反射するリゾーム的思考。